A 地図と地理情報システム(GIS)

1 紙地図からデジタル地図への進化

紙地図

・ある縮尺で広い範囲を一度に表現しやすい。
・目的に特化した情報が均一にまとまっている。
・電子機器の有無を問わず,手軽に閲覧できる。

デジタル地図

・拡大・縮小や方向転換が自由にできる。つなぎ目のないシームレスな地図で,表示範囲を自由に動かせる。
・地図上に埋め込まれた位置情報を,タップや検索機能で閲覧できる。
・地球上のどこにいても現在地を表示できる。

GIS を利用した表示・分析・情報処理

・膨大なデータを高速で処理できると同時に,〔選〕択して可視化できる。
・〔　　〕に更新できる。
・〔　　〕じて社会全体で共有できる。

2 GISのしくみ —コンビニの新規出店を考える—

①地図と統計を用意する

新しいコンビニの立地を考えるために,必要な資料を用意しよう。

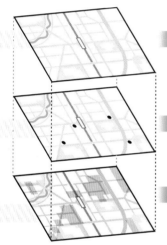

駅と主要道路

競合店の位置

人口の分布

アクセスがよい
・駅から半径500m以内
・主要道路沿い300m以内

競合店がない
・ほかの店舗との距離が500m以上離れている

集客が見込める
・分布の傾向を大局的に捉え,人口集中の核を見つける

②条件を設定する

新しいコンビニの立地に適した条件を設定し,集めたデータを分析しよう。

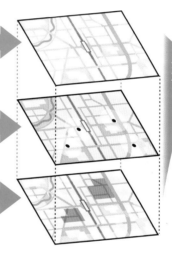

分析結果を重ね合わせる

③重ね合わせて評価する

それぞれの分析結果を示した3つの地図を重ね合わせ,総合評価をしよう。

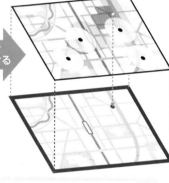

④適した場所を見つける

すべての条件を満たす,新しいコンビニの立地に最適な場所を探し出そう。

SDGs(持続可能な開発目標)

SUSTAINABLE DEVELOPMENT GOALS

キーワード SDGs(持続可能な開発目標)

持続可能な社会の実現を目指す,2030年までの目標。「誰1人取り残さない」を合言葉に,相互に関連し合う17のゴールと169の具体的なターゲットからなる。

1 貧困をなくそう あらゆる場所のあらゆる形態の貧困を終わらせる。

2 飢餓をゼロに 飢餓を終わらせ,すべての人が1年を通して栄養のある十分な食料を確保できるようにし,持続可能な農業を促進する。

3 すべての人に健康と福祉を あらゆる年齢のすべての人々の健康的な生活を確保し,福祉を促進する。

4 質の高い教育をみんなに すべての人が受けられる公正で質の高い教育の完全普及を達成し,生涯にわたって学習できる機会を増やす。

5 ジェンダー平等を実現しよう 男女平等を達成し,すべての女性および女児の能力の可能性を伸ばす。

6 安全な水とトイレを世界中に すべての人が安全な水とトイレを利用できるよう衛生環境を改善し,ずっと管理していけるようにする。

7 エネルギーをみんなにそしてクリーンに すべての人が,安くて安定した持続可能な近代的エネルギーを利用できるようにする。

8 働きがいも経済成長も 誰も取り残さないで持続可能な経済成長を促進し,すべての人が生産的で働きがいのある人間らしい仕事に就くことができるようにする。

9 産業と技術革新の基盤をつくろう 災害に強いインフラをつくり,持続可能な形で産業を発展させ技術革新を推進する。

10 人や国の不平等をなくそう 国内および国家間の不平等を見直す。

11 住み続けられるまちづくりを 安全で災害に強く,持続可能な都市および居住環境を実現する。

12 つくる責任 つかう責任 持続可能な方法で生産し,消費する取り組みを進める。

13 気候変動に具体的な対策を 気候変動およびその影響を軽減するための緊急対策を講じる。

14 海の豊かさを守ろう 持続可能な開発のために海洋資源を保全し,持続可能な形で利用する。

15 陸の豊かさも守ろう 陸上の生態系や森林の保護・回復と持続可能な利用を推進し,砂漠化と土地の劣化に対処し,生物多様性の損失を阻止する。

16 平和と公正をすべての人に 持続可能な開発のための平和的で誰も置き去りにしない社会を促進し,すべての人が法や制度で守られる社会を構築する。

17 パートナーシップで目標を達成しよう 目標の達成のために必要な手段を強化し,持続可能な開発に向けて世界のみんなで協力する。

B 身近にみられるGIS

3 必要な要素だけを表示した地図

[地理院地図]

GISでは，地図の上に道路，標高，地名といったさまざまな要素（レイヤー）を重ね，表示と非表示を自由に切り替えることができる。3図は主要道路・鉄道と標高だけを表示し，地名，建物といったほかの要素は表示していない。必要なレイヤーだけを表示した地図を用いれば，地域の新たな側面の発見にもつながる。

4 リアルタイムで更新される地図

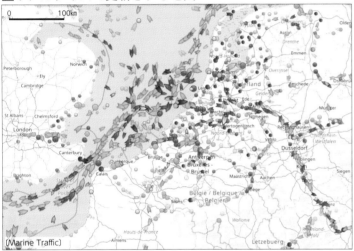

[Marine Traffic]

GISでは，データを即時に更新して今現在の状況を地図上に表現できる。4図では，西ヨーロッパの海峡や河川・運河にある船舶のようすが，タンカーは赤，貨物船は緑，航行中は矢印，停泊中は丸印などと区別され，リアルタイムに反映されている。

5 位置情報を活用する地図

©2016-2020 Niantic, Inc. ©2016-2020 Pokémon. ©1995-2020 Nintendo / Creatures Inc. / GAME FREAK inc.

GISでは，人工衛星から電波を受信して自分の現在地を地図上で確認できる。この技術を応用し，まるで自分が地図の中を移動しているかのような体験や，すぐそばの現実世界にデジタル空間内の光景を投影するなどの体験が可能になっている。

C 防災分野で利用されるGIS

6 浸水推定段彩図（岡山県倉敷市真備地区）

推定浸水深
浅 0m
1m
2m
3m
深 4m

[地理院地図]

平成30年7月豪雨では河川の堤防が決壊し，広い地域で浸水被害が起きた。リモートセンシング技術を用いて浸水範囲における水深を推定し，それをGISで可視化すれば救助・支援活動や今後の防災計画の策定に役立つ。

7 ハザードマップと地形のようす（岡山県倉敷市真備地区）

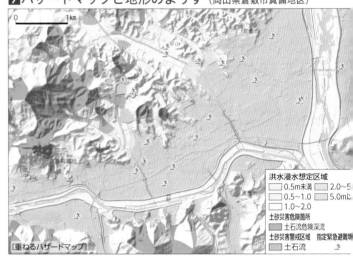

洪水浸水想定区域
0.5m未満　2.0~5
0.5~1.0　5.0m以
1.0~2.0
土砂災害危険箇所
土石流危険渓流
土砂災害警戒区域　指定緊急避難
土石流

[重ねるハザードマップ]

自然災害の起こりやすさは，標高や起伏などの地形や，土地の成り立ちなどから予測することができる。GISでハザードマップと地形のようすを重ね合わせると，山地では土砂災害，河川近くの低地では浸水被害の危険性が高いことがわかる。

8 人口と緊急避難場所の分布（岡山県倉敷市真備地区）

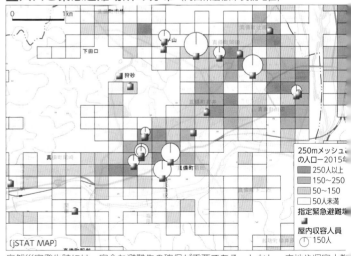

250mメッシュの人口2015年
250人以上
150~250
50~150
50未満
指定緊急避難所
屋内収容人員
150人

[jSTAT MAP]

自然災害発生時には，安全な避難先の確保が重要である。しかし，立地や収容人数などの制約により，すべての避難所がすべての人の身の安全を保障できるとは限らない。新たな避難所の設置を考える際，より多くの住民がより安全に利用できる候補地は，GISを活用することで選定しやすくなる。

読図のヒント・SDGsのヒント

読図のヒント　地図やグラフなどの読み取りポイントを示したコーナーです。地図ページ，資料図ページの各所にあります。

SDGsのヒント　地図やグラフなどの読み取りを通じて，SDGsのゴールを達成するための取り組みについて考えを深めるコーナーです。おもに資料図ページにあります。

読図のヒント・SDGsのヒントの解答例は，下記URLか二次元コードから見ることができます。

https://ict.teikokushoin.co.jp/d-text_04hs/map/dokuzu/

地図帳の凡例（はんれい）

——世界——

	市 街 地	-----	日付変更線	+	特殊建造物・その他の重要な地点	
ロンドン LONDON	300万人以上の都市	━━━━	高速鉄道	故宮	おもな世界文化遺産	
シカゴ CHICAGO	100〜300万人の都市	————	鉄 道	ドロミテ	おもな世界自然遺産	
グラスゴー Glasgow	50〜100万人の都市		建設中の鉄道	メテオラ	おもな世界複合遺産	
ボルドー Bordeaux	10〜50万人の都市		高速道路			
エヴィアン Evian	10万人未満の都市		道 路		———領土記号———	
リュミション（旅順）	都市の一部		航 路	〔ア〕	アメリカ合衆国	
	首 都		主要空港	〔イ〕	イギリス	
	州・省都など		港	〔オ〕	オランダ	
スイス SWITZERLAND	国 界		城 壁	〔オー〕	オーストラリア	
テキサス TEXAS	未確定・係争中の国界		史跡・歴史的に重要な地名	〔ス〕	スペイン	
	州・省界など	×	古戦場跡	〔テ〕	デンマーク	
サハ共和国 SAKHA	共 和 国 界 自治共和国界		名 勝	〔ニュー〕	ニュージーランド	
ネネツ自治管区 Nenets	自治管区界 自治州界		パイプライン（原油）	〔ノ〕	ノルウェー	
西サハラ WESTERN SAHARA	非 独 立 国		鉱 山	〔フ〕	フランス	
			炭 田	〔ポ〕	ポルトガル	
			油 田	〔南ア〕	南アフリカ共和国	
			ガ ス 田			

——日 本——

※記号は市町村役場の位置を示す

	市 街 地		橋	石灰石	鉱 山
横浜	300万人以上の市		国際線のある空港	(明延)	閉山した鉱山
神戸	100〜300万人の市		その他の空港		炭 田
船橋	50〜100万人の市		商 港		油 田
藤沢	20〜50万人の市		漁 港		ガ ス 田
大垣	10〜20万人の市		史跡・歴史的に重要な地名		
芦屋	10万人未満の市	×	古戦場跡		———拡大図の記号———
別海	町		名 勝		〔50万分の1の拡大図〕
北山	村		天然記念物		都道府県庁
浦安 字	（旧市町村など）		神 社		地 下 鉄
	都道府県庁所在地		寺 院		———都市図の記号———
	地 方 界		城 跡		都道府県庁
	都道府県界		特色のある建造物・その他の重要な地点		市 役 所
	北海道の振興局界	姫路城	世界文化遺産		区役所・町村役場
	旧 国 界	知床	世界自然遺産		都 府 県 界
	JR新幹線	阿蘇ジオパーク	世界ジオパーク		市 郡 界
	新幹線以外のJR線		灯 台		町村区界
	その他の鉄道線		火力発電所		JR新幹線
	高速自動車道		水力発電所		新幹線以外のJR線
	おもな有料道路・自動車専用道路		原子力発電所		その他の鉄道線
	おもな道路		地熱発電所		地 下 鉄
	航 路		風力発電所		路 面 電 車
	国立公園		太陽光発電所		高速自動車道 有料道路
	国定公園		高 等 学 校		一 般 国 道

——世界・日本共通——

▲3015(m)	山 頂		可航上限・下限		砂 浜 海 岸
▲3776(m)	火 山 頂		滝	-9550	海溝の一番深い所(m)
	峠		運河・用水路	312	都市標高(m)
	氷 雪 地		かれ川（ワジ）		ラムサール条約登録湿地
	砂 砂 漠		湿 地	カルデラ	おもな地形名称
標高(m) 水深	湖 沼		塩分を含む湿地		
	ダム・人造湖(世界)		流氷の限界	**地名解説**	
	ダム・人造湖(日本)		年間氷結している範囲	❶ **自然**	自然・産業・歴史・社会の分野に関わる地名などのワンポイント解説
	塩 湖		堆（バンク）	❷ **産業**	
	位置の定まっていない湖岸線		サ ン ゴ 礁	❸ **歴史**	
	河 川		温 泉	❹ **社会**	赤字は地図中の位置を表す

ウェブコンテンツ

二次元コードや下記URLから学習を深めるコンテンツをみることができます。コンテンツの使用料は無料ですが，インターネットにアクセスした際には通信料がかかる場合があります。

https://ict.teikokushoin.co.jp/d-text_04hs/map/

も く じ

アジア
アフリカ
ヨーロッパ
北アメリカ
南アメリカ
オセアニア
日本
資料図
統計
さくいん

7

① アジア・ヨーロッパ・北アメリカ

0　500　1000km
1:50 000 000

北極中心
正距方位図法

読図のヒント　流氷の限界(⌇⌇⌇⌇)が最も高緯度なのはなぜだろうか。指でなぞって確認しよう。

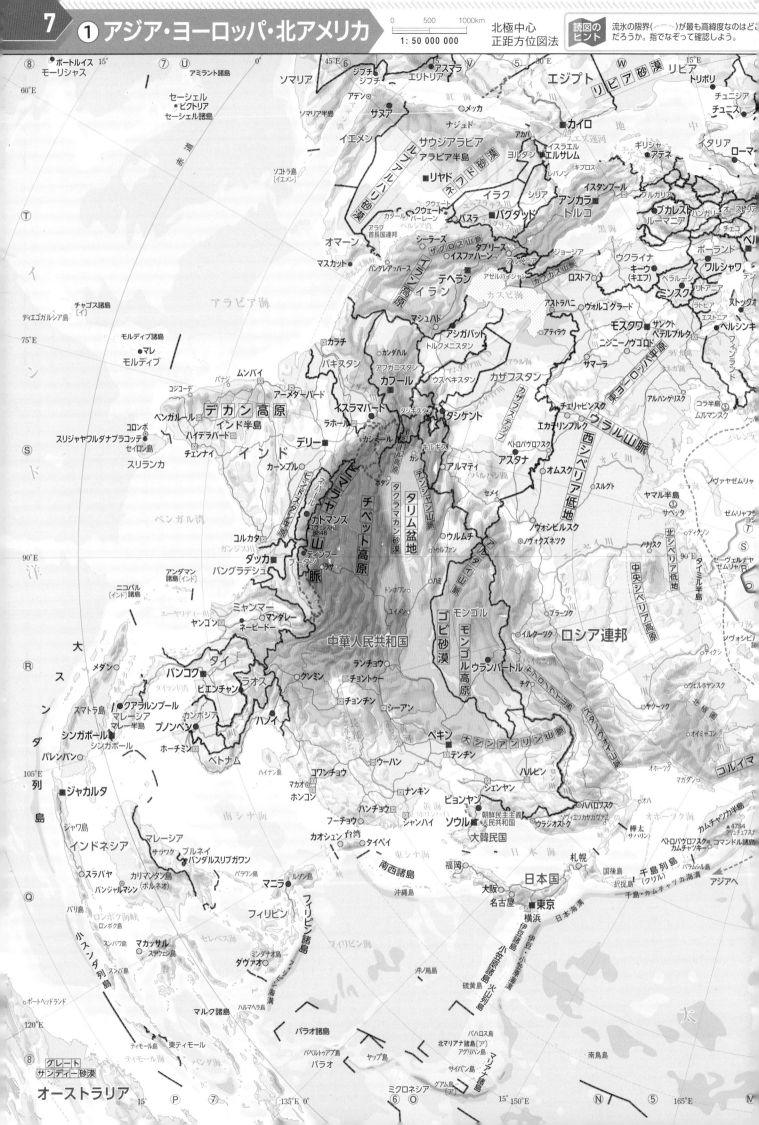

アジア

ヨーロッパ

北アメリカ

ブラジル
ギアナ〔フ〕
パラマリボ　スリナム
ジョージタウン
ガイアナ
トリニダード・トバゴ
小アンティル諸島
グレナダ
ベネズエラ
カラカス
〔リャノ〕
コロンビア
ボゴタ
メデジン　カリ

アルジェリア
西サハラ　15°W
モロッコ
カサブランカ
ラバト
スペイン
マドリード
ポルトガル
リスボン
カナリア諸島〔ス〕
マデイラ諸島〔ポ〕
サンタマリア島
アゾレス諸島〔ポ〕
北回帰線

ベレン

大
西
洋

パリ
ブリュッセル
ロンドン
アイルランド
ダブリン
イギリス
オークニー諸島
ヨーロッパへ
フェロー諸島〔デ〕
アイスランド
レイキャビク

流氷の限界

セントジョンズ
ニューファンドランド島
バミューダ諸島〔イ〕
サントドミンゴ
ドミニカ共和国
ポルトープランス
ハイチ
大
アンティル諸島
西インド諸島
バハマ
ナッソー
キューバ
ハバナ
キングストン
ジャマイカ
諸
島
カリブ海

サンホセ
コスタリカ
マナグア
ニカラグア
エルサルバドル
サンサルバドル
グアテマラシティ
グアテマラ

ファーヴェル岬
ラブラドル海
グリーンランド〔デ〕
ヌーク(ゴットホープ)
イカルイト
バフィン島
ハドソン湾

ラブラドル高原
ラブラドル半島
アンガヴァ半島
ムースニー

ロ ー レ ン シ ア 台 地

モントリオール
オタワ
トロント
デトロイト
ボストン
ニューヨーク
フィラデルフィア
ワシントンD.C.
アパラチア山脈
ジャクソンヴィル
アトランタ
フロリダ半島
メンフィス
ニューオーリンズ
ダラス
ヒューストン
オリサバ山5675
モンテレー
アカプルコ
メキシコシティ
グアダラハラ

北極点
北磁極(2021年)
クインエリザベス諸島
エルズミア島
デヴォン島
カーナック(チューレ)
ヴィクトリア島
バンクス島

北 極 海

カ ナ ダ
イエローナイフ
エドモントン
リジャイナ
ウィニペグ
チャーチル

プレーリー

グレートプレーンズ
ア メ リ カ 合 衆 国
デンヴァー
ソルトレークシティ
エルパソ

ロ ッ キ ー 山 脈
西シエラマドレ山脈
メキシコ
カリフォルニア半島

バロー岬
ウトキアグヴィク(バロー)
アラスカ
フェアバンクス
アンカレジ
アメリカ合衆国
デナリ(マッキンリー)山6190
ホワイトホース
海 岸 山 地
ヴァンクーヴァー
シアトル
ポートランド
サンフランシスコ
ロサンゼルス

ハイダグワイ(クインシャーロット諸島)
ヴァンクーヴァー島

レビヤヒヘド諸島〔メキシコ〕
グアダルーペ島〔メキシコ〕

陸高と
水深(m)
5000
4000
3000
2000
1000
500
200
0
海面下
200
1000
2000
4000
6000
8000

ベーリング海
チュクチ半島
氷の限界
プリビロフ諸島
アリューシャン列島
アリューシャン海溝

日
付
変
更
線

太
平
洋

ミッドウェー諸島〔ア〕
アメリカ合衆国
ハ ワ イ 諸 島
ホノルル
カウアイ島　オアフ島　マウイ島
ハワイ島
ハワイ火山国立公園

赤道

夏に長期間海氷がある範囲(1981〜2010年平均)
2019年9月15日の海氷
北極海を航行する航路の例
サベッタ 北極海のおもな寄港地

0 500 1000km
1:40 000 000
ランベルト正積方位図法
②第二次世界大戦中（1941年）
のアジア

地図本文ラベル

大西洋 ATLANTIC OCEAN
北海
バレンツ海
流氷の限界
カラ海
スヴァールバル諸島
ゼムリャフランツア
ノヴァヤゼムリャ
北シベリア
ウラル山脈
西シベリア低地
アルタイ

カナリア諸島〔ス〕
マデイラ諸島
リスボン ポルトガル
カサブランカ
ラバト
西サハラ
モロッコ アトラス山脈
アルジェ
オラン
アルジェリア

アイルランド
ダブリン
イギリス
ロンドン
ブリュッセル
パリ
アムステルダム
コペンハーゲン
デンマーク
ノルウェー
オスロ
スカンディナヴィア半島
ストックホルム
フィンランド
ヘルシンキ
エストニア
ラトビア
リトアニア
リガ
サンクトペテルブルク
モスクワ
ニジニーノヴゴロド
ムルマンスク
コラ半島
ヤマル半島
オビ川
スルグト
ロシア
チェリャビンスク
エカテリンブルク
サマーラ
オムスク
ノヴォシビルスク
ノヴォクズネツク
セミパラチンスク
アスタナ
カザフステップ
カザフスタン
バルハシ湖
アルマティ
ウルムチ
ドゥシャンベ
ビシュケク キルギス
テンシャン山脈（天山）
タリム盆地
タクラマカン砂漠
パミール高原
カシ
ホタン
クンルン山脈
チベット高原
ヒマラヤ山脈
エヴェレスト山 8848

マドリード
スペイン
バルセロナ
イベリア半島
ローマ
イタリア
チュニス
チュニジア
マルタ
バレッタ
トリポリ
ベンガジ
リビア
サハラ砂漠
ニジェール川
チャド
チャド湖
ンジャメナ
中央アフリカ
バンギ
コンゴ民主共和国
南スーダン
ジュバ
スーダン
オムドゥルマン
ハルツーム
エリトリア
アスマラ
ジブチ
エチオピア
アディスアベバ
エチオピア高原
ソマリア
ソマリア半島

フランス
ドイツ
ベルリン
ブリュッセル
チェコ
ポーランド
ワルシャワ
ウィーン
オーストリア
ブラチスラバ
ハンガリー
ブダペスト
クロアチア
ボスニアヘルツェゴビナ
スロベニア
ルーマニア
ブカレスト
ブルガリア
ソフィア
アルバニア
ティラナ
ギリシャ
アテネ
イスタンブール
アンカラ
トルコ
アナトリア高原
ミンスク
ベラルーシ
キーウ（キエフ）
ウクライナ
ハリキウ
東ヨーロッパ平原
ロストフ
ヴォルゴグラード
黒海
ヴォルガ川
アストラハン
ジョージア
トビリシ
アルメニア
エレバン
アゼルバイジャン
バクー
カスピ海
ウズベキスタン
トルクメニスタン
アシガバット
タシケント
サマルカンド
テヘラン
マシュハド
イラン
イスファハーン
シーラーズ
ザグロス山脈
イラン高原
バスラ
クウェート
シリア
ダマスカス
レバノン
ベイルート
イスラエル
ヨルダン
アンマン
イラク
バグダッド
キプロス
アレクサンドリア
カイロ
エジプト
ナイル川
ギザ
紅海
ジッダ
メッカ
サウジアラビア
ナジド
リヤド
バーレーン
マナーマ
カタール
ドーハ
アラブ首長国連邦
アブダビ
ドバイ
マスカット
オマーン
ネフド砂漠
アラビア半島
ルブアルハリ砂漠
イエメン
サヌア
アデン
アデン湾
ソコトラ島〔イエメン〕
グワルダフィ（カセイル）岬
アラビア海

アフガニスタン
カブール
カンダハル
ラワルピンディ
イスラマバード
ラホール
パキスタン
カラチ
ニューデリー
デリー
インド
ハイデラバード
ムンバイ
プネー
ゴア
ベンガルール
コーチ
チェンナイ
ハイデラバード
ネパール
カトマンズ
ブータン
ティンプー
ヒンドスタン平原
ガンジス川
ヴァラナシ
ダッカ
バングラデシュ
コルカタ
インド半島
デカン高原
ベンガル湾
アンダマン諸島〔インド〕
ニコバル諸島〔インド〕
スリランカ
セイロン島
コロンボ
スリジャヤワルダナプラコッテ
モルディブ
マレ
モルディブ諸島
ラサ
ダージリン
インパール
ミャンマー
ネーピー

セーシェル
ビクトリア
セーシェル諸島
チャゴス諸島〔イ〕
ディエゴガルシア島〔イ〕
INDIAN OCEAN

凡例②

② 第二次世界大戦中（1941年）のアジア
1:111 000 000
0 2000km

国　名	当時の独立国
赤数字	成立年・独立年
黒数字	領有開始年

ソビエト連邦 1922
モンゴル人民共和国 1924（中華民国は成立を認めず）
満州国 1932（国際連盟は独立を認めず）
ハバロフスク
ウランバートル
北平（北京）
中華民国 1912
西安
成都
重慶
漢口（武漢）
広州
南京
上海
青島
朝鮮 1910
京城（ソウル）
日本 東京
千島列島
樺太 1905
小笠原諸島
硫黄島
台湾 1895
香港
マカオ（澳門）〔ポ〕
フィリピン
マニラ
グアム島
南洋群島〔日本の委任統治領〕
パラオ諸島
サイパン島

イラン 1919
アフガニスタン 1919
カブール
カラチ
イギリス領インド
デリー
ネパール
ブータン
ダマン〔ポ〕ディウ〔ポ〕
カルカッタ
ボンベイ
ゴア〔ポ〕
マドラス
ポンディシェリー〔フ〕
カリカル〔フ〕
コロンボ
イギリス領ビルマ
ラングーン
タイ
バンコク
フランス領インドシナ
サイゴン
マレー
クアラルンプール
ペナン〔イ〕
バタヴィア（ジャカルタ）
オランダ領東インド
ブルネイ〔イ〕
ティモール島〔ポ〕
赤道

凡例	
□	イギリス領
□	フランス領
□	オランダ領
□	ポルトガル領
□	アメリカ合衆国領

日本領
1941年の日本の勢力範囲
現在の国界

太平洋

読図の
ヒント

北緯30度線に沿ってシャンハイ，チョントゥー，ラサの3都市の標高を，都市標高を参考にして調べよう。

地名解説
自然　産業
歴史　社会

❶ 尖閣諸島 K6…沖縄県石垣市に属し，5つの小島と岩礁からなる。中国と台湾当局が領有を主張している。（→p.172）

❷ 台湾 K7…1949年，中国共産党との内戦に敗れた中国国民党が，台湾島に政権を移した。近年はICT産業の拠点の一つになっている。

❸ 竹島 M4…島根県隠岐の島町に属し，2つの小島と岩礁からなる。韓国が不法に占拠している。（→p.172）

❹ 黄河 I4…チベット高原に発し，黄土高原を通じて渤海に注ぐ。下流部では土砂の堆積作用が大きく，天井川となっている。

❺ 長江 H-I5…チベット高原に発し，四川盆地を通じて東シナ海に注ぐ。全長6380kmのアジア最長河川。

❻ チベット自治区 C-D5…9割超をチベット族が占める。1965年にチベット自治区が成立。中国統治への反対が根強い。

❸ 台湾 1:3 000 000

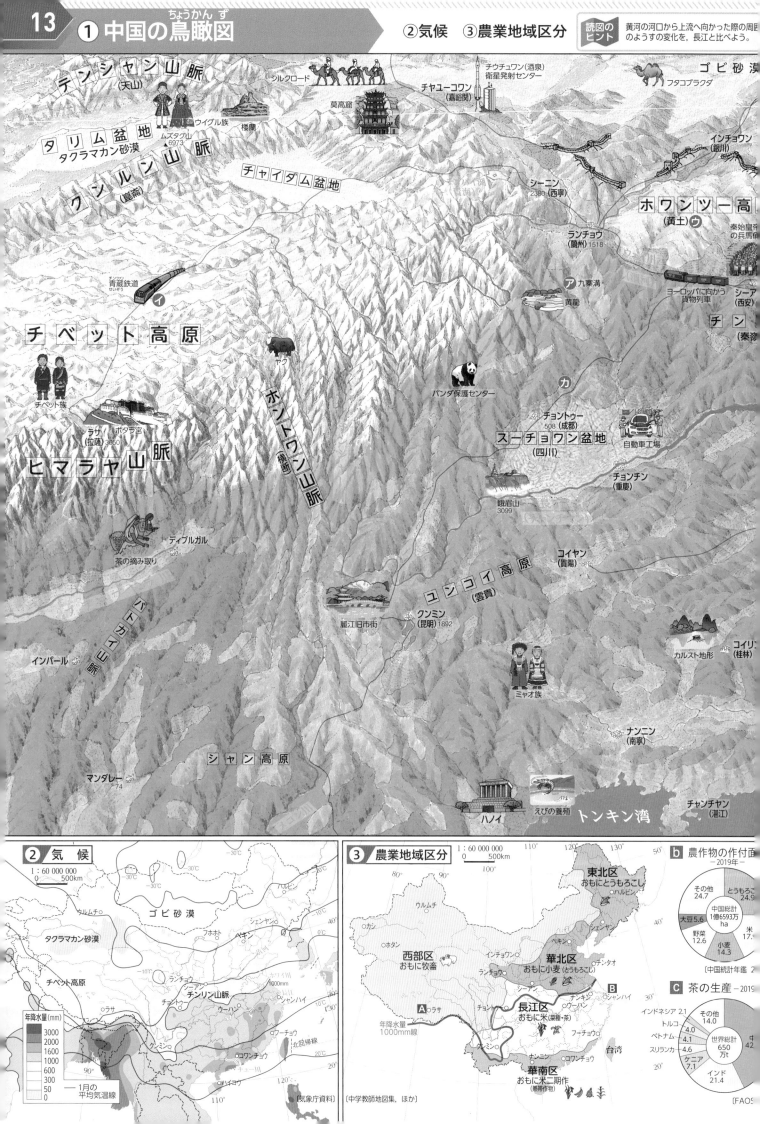

おもな都市の標高

羊
モンゴル族
エレンホト（二連浩特）
パオトウ（包頭）
タートン（大同）
万里の長城
八達嶺
チャンチュン（長春）238
自動車工場
シェンヤン（瀋陽）49
とうもろこしの収穫
アンシャン（鞍山）
フーシュン（撫順）
リヤオトン半島（遼東）
チャンパイ山脈（長白）
ペキン（北京）55
天安門広場
タンシャン（唐山）
テンチン（天津）5
自動車工場
渤海（ポーハイ）
黄河
ターリエン（大連）97
ピョンヤン（平壌）36
ウォンサン（元山）
軍事境界線
タイユワン（太原）779
シーチヤチョワン（石家荘）
ハンタン（邯鄲）
チーナン（済南）58
ツーポー（淄博）
シャントン半島（山東）
イエンタイ（煙台）
チンタオ（青島）
黄海（ホワンハイ）
半導体部品製造
ソウル96
インチョン（仁川）
南大門
朝鮮半島
華北平原
ルオヤン（洛陽）
チョンチョウ（鄭州）
小麦の収穫
シュイチョウ（徐州）
連河を航行する船 オ
田植え
長江（揚子江）
プサン（釜山）69
ハルラ山（漢拏）▲1950
造船業
山脈
シャンヤン（襄陽）
龍門石窟
ホワイ川（淮河）
ナンキン（南京）32
シャンハイ（上海）9
チェジュ島（済州）
三峡
シャダム
ウーハン（武漢）24
ハンチョウ（杭州）
ニンポー（寧波）
東シナ海
長江中下流平原
高速鉄道
液晶テレビ工場
ポーヤン湖（鄱陽）
チャンシャー（長沙）
田植え
武夷山
ウェンチョウ（温州）
ナンリン山脈（南嶺）
茶の摘み取り
ンヤン（衡陽）
フーチョウ（福州）
故宮博物院
尖閣諸島
タイペイ（台北）9
沖縄島
宮古島
アモイ（厦門）
タイジョン（台中）
台湾
西表島
与那国島
石垣島
コワンチョウ（広州）
パソコンの製造
シェンチェン（深圳）
スワトウ（汕頭）
台湾高速鉄道
カオシュン（高雄）
ューハイ（珠海）
マカオ（澳門）
ホンコン（香港）

a ③図A—B間の断面図

自 然
九寨溝（スーチョワン〔四川〕省）カルスト地形の湖沼群。水中の石灰質の影響で，水が美しい青色に映し出される。

バオズ（包子）を買い求める人（シーアン〔西安〕）バオズは小麦粉からつくられた中国風の蒸しパン。

地 形
イ チベット高原を走る青蔵鉄道（チベット自治区）標高5000mを超える鉄道の世界最高所も走る。

文 化
オ 春節（旧正月）を祝う人々（チャンスー〔江蘇〕省）中国では旧暦の正月を盛大に祝う。

生 活
ウ 黄土高原の段々畑（カンスー〔甘粛〕省）平坦な土地が少ないため，斜面を段々畑にして活用している。

災 害
カ 地震の遺構を訪れる人々（スーチョワン〔四川〕省）防災教育のため，2008年の四川大地震の遺構が残されている。

正角円錐図法

1 : 7 900 000

0　100　200km

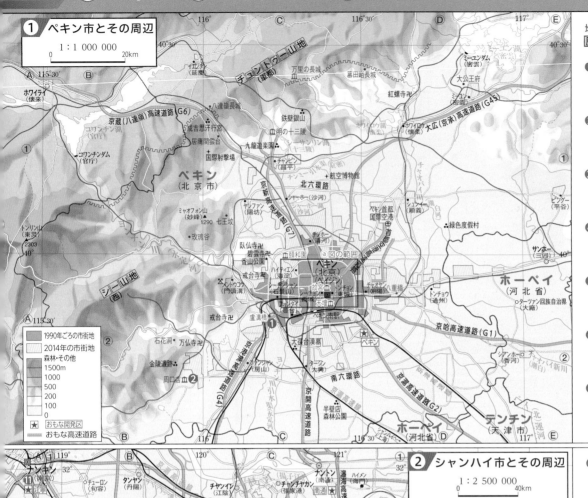

❶ ペキン市とその周辺
1:1 000 000
0 　20km

凡例
- 1990年ごろの市街地
- 2014年の市街地
- 森林・その他
- 1500m / 1000 / 500 / 200 / 100 / 0
- ★ おもな開発区
- おもな高速道路

❷ シャンハイ市とその周辺
1:2 500 000
0 　40km

凡例
- 市街地
- 森林・その他
- 1500m / 1000 / 500 / 200 / 100 / 0
- ★ おもな開発区
- おもな高速道路

❸ チュー川(珠江)デルタ
1:2 000 000
0 　40km

凡例
- 市街地
- 森林・その他
- 1000m / 500 / 200 / 100 / 0
- ★ 経済特区
- 経済特区の境界
- おもな開発区
- おもな高速道路

地名解説
歴史

❶ 盧溝橋 ①C2…1937年7月、日中戦争の発端となった軍事衝突事件の場。永定河にかかる石橋でマルコ=ポーロの旅行記にも記載されている。

❷ 周口店 ①B2…1920～30年代の発掘作業により北京原人の化石が出土した場所。約40万年～2万年前に居住。火の使用が確認されている。

❸ 故宮 ⓐ図…明・清代の宮殿、紫禁城。明の永楽帝が築き、清代に補修。最後の皇帝(宣統帝溥儀)まで居住。現在は博物館となっている。

❹ 天安門 ⓐ図…紫禁城の第一門。1949年、毛沢東がこの楼上から中華人民共和国建国を宣言。この広場は1989年の民主化運動弾圧の場となった

❺ 中南海 ⓐ図…中国共産党や政府要人の居住区で中国政治の中心部。故宮の西側に隣接し、赤色の高い壁で周辺と隔絶されている。

❻ 北京大学 ⓐ図…1898年設立。1917年、陳独秀、魯迅、胡適らを教授に迎え、新文化運動や五・四運動(1919年)をリードした。

❼ 円明園 ⓐ図…清の離宮であったが、アロー戦争末の1860年、イギリス・フランス連合軍に破壊された。西隣には西太后の愛した頤和園がある

❽ スーチョウ(蘇州) ②C2…長江(チャンチヤン)下流デルタに位置する水の都。西のタイ(太)やター(大)運河を通じた物資の集散地として発展。絹織物業でも知られる。

❾ ハンチョウ(杭州) ②C3…隋代に開削され元代に整備されたター(大)運河の南端の港市。南宋時代には都が置かれ(臨安)、絹織物業で繁栄し

❿ ニンポー(寧波) ②D4…唐代には明州といった遣唐使船や勘合貿易船の入港地。弘安の役では南軍の出港地。1842年の南京条約で開港

⓫ ナンキン(南京) ②A1…呉の都、建業がおかれ明の初期にも都。永楽帝の北京遷都後、南京。1927年蔣介石が国民政府を置くも、1937年日本軍が占領

⓬ 外灘(バンド) ⓑ図…「外国人の海」の語が示すように、ホワンプー川(黄浦江)西岸の旧共同租界地を指す。英語名でバンド(埠頭)とも。

⓭ 外白渡橋(ガーデンブリッジ) ⓑ図…呉淞江の端にかかる鉄橋。日中戦争中は日本の支配する口区とホワンプー(黄浦)区の共同租界の境界なった。

⓮ 魯迅記念館 ⓑ図…魯迅が晩年を過ごした旧居近くの記念館。旧日本租界にあり、日中文化人交に貢献した内山書店跡も近い。

⓯ カオルン(九竜)半島 ③C-D3…アロー戦争後北京条約で南端をイギリスが獲得。1898年に半島全域を99年間租借。1997年に香港島とともに返還。

⓰ ターユイ島 ③C3…香港最大の島でランタオ島もいう。国際空港やディズニーランドがあるほか西海岸には高床式水上家屋が残る。

⓱ セナド広場 ⓒ図…世界文化遺産のマカオ歴史街地区の中心をなし、イエズス会社により建立れた聖ポール天主堂跡も近い。

⓲ ハッピーバレー競馬場 ⓓ図…1846年開設の馬場。中国では賭博が禁止されているが、新界沙田競馬場とここでは競馬が開催されている。

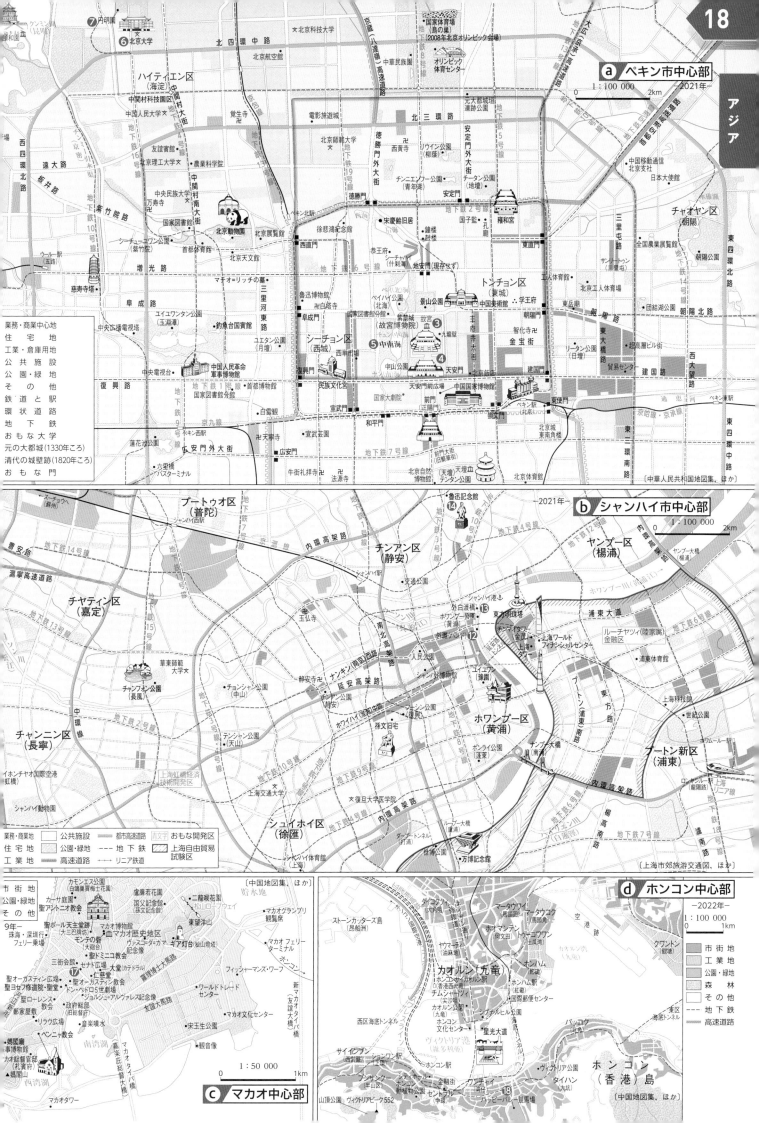

a ペキン市中心部

1:100 000 2km —2021年—

〔中華人民共和国地図集、ほか〕

ハイティエン区（海淀）

⑦ 円明園
⑥ 北京大学
× 北京科技大学

国家体育館（鳥の巣）（2008年北京オリンピック会場）
オリンピック体育センター

中関村科技園区
中国人民大学 ×
北京理工大学 ×
農業科学院

中央民族大学 ×
万寿寺 卍
北京師範大学 ×
徳勝門外大街
安定門外大街

覚生寺 卍

電影旅遊城
西黄寺

チンニエンフー公園（青年湖）

元大都城垣遺跡公園

チャオヤン区（朝陽）
中国移動通信北京支社
日本大使館

北京動物園
北京展覧館
徐悲鴻記念館

トンチョン区（東城）

雍和宮
国子監 卍 孔廟
鐘楼
鼓楼

全国農業展覧館
サンリートゥン（三里屯）
朝陽公園

三里河東路

シーチューユワン公園（紫竹院）
首都体育館
北京天文館

恭王府
シーハイ（什刹海）
地安門（現存せず）

景山公園
中国美術館
学王府

人体育館
北京工人体育館

団結湖公園
朝陽北路
リーワン公園（朝陽）

慈寿塔 卍
マテオ＝リッチの墓
魯迅博物館 卍
白塔寺 卍
阜成門

国家図書館分館

紫禁城（故宮博物院）③
⑤ 中南海
④

玉
生
庭
水
智化寺 卍
金宝街

東岳廟
リータン公園（日壇）
貿易センター
建国路

超高層ビル街

西大望路

ユイユワンタン公園（玉淵潭）
釣魚台国賓館

ユエタン公園（月壇）
西単市場

中山公園
天安門

中央電視塔
中央広播電視台
中国人民革命軍事博物館

中国人民革命軍事博物館

地下鉄1号線
首都博物館
国家図書館分館

民族文化宮

天安門前広場
中国国家博物館
前門（正陽門）

北京駅
北京飯店
ペキン駅

東便門

蓮花池公園
六里橋バスターミナル

宣武門
白雲観 卍

和平門

宣武芸園

牛街礼拝寺 卍
法源寺 卍

前門大街（旧繁華街）

北京城東南角楼

北京自然博物館

（天壇）テンタン公園

北京体育館

b シャンハイ市中心部

—2021年— 1:100 000 2km

〔上海市郊旅游交通図、ほか〕

プートゥオ区（普陀）
魯迅記念館 ⑭

チンアン区（静安）

ヤンプー区（楊浦）
ヤンプー大橋（楊浦）

チヤティン区（嘉定）

華東師範大学 ×

玉仏寺 卍

シャンハイ駅
交通公園

シャンハイ港
外白渡橋
東方明珠塔 ⑬
チンマオタワー（金茂）
上海ワールドフィナンシャルセンター

ルーチヤツィ（陸家嘴）金融区

浦東体育館

チヤンフォン公園（長風）

人民公園
ナンキン（南京西路）

チョンシャン公園（中山）
静安寺 卍
延安高架路

チンアン公園（静安）

チェンホワン（城隍）廟
ユイユワン（豫園）
上海博物館

上海科技館
東方路
プートン新区（浦東）

チャンニン区（長寧）

ホワイハイ（淮海中路）
孫文旧宅

ホワンプー区（黄浦）

テンシャン公園（天山）

中環線

イーホンチャオ国際空港（虹橋）

上海虹橋経済技術開発区

上海交通大学 ×

復旦大学医学院 ×

シュイホイ区（徐匯）

万博記念館

シャンハイ動物園

業務・商業地 | 公共施設 | 都市高速道路 | 青文字 おもな開発区
住宅地 | 公園・緑地 | --- 地下鉄 | 上海自由貿易試験区
工業地 | 高速道路 | +++ リニア鉄道

c マカオ中心部

1:50 000 1km

〔中国地図集、ほか〕

カモンエス公園（白鴿巣賈梅士花園）
カーサ庭園
聖アントニオ教会

二龍喉花園
松山ロープウェイ
マカオグランプリ観覧席

国父記念館（孫文記念館）
マカオ博物館
モンテの砦
マカオ歴史地区
ヴァスコ＝ダ＝ガマ記念像
ギア灯台（松山燈塔）
東望洋山

マカオフェリーターミナル

市街地
公園・緑地
その他

9年—
珠海・深圳へ
フェリー乗場

三街会館
聖ポール天主堂跡（大三巴牌坊）
セナド広場
聖ドミニコ教会
仁慈堂
大堂（カテドラル）
南湾

⑰ 聖オーガスティン広場
聖ヨセフ修道院・聖堂
聖ローレンス教会
鄭家屋敷
媽閣廟媽祖閣事務局
政府総部（旧総督府）
リラウ広場
音楽噴水
宋玉生公園

ペニャ教会
媽閣廟事務局
マカオ総督官邸（礼賓府）
媽閣山（旧総督府）

マカオ文化センター
フィッシャーマンズ・ワーフ
ワールドトレードセンター

ジョルジュ＝アルヴァレス記念像
新マカオタイパ大橋（友誼大橋）
マカオ＝タイパ大橋（友誼大橋）

西湾湖
嘉楽庇総督大橋

マカオタワー

観音像

d ホンコン中心部

—2022年—
1:100 000 1km

市街地
工業地
公園・緑地
森林
その他
--- 地下鉄
高速道路

ダイクウ（大角咀）
マータウワイ（馬頭圍）
マータウコク（馬頭角）

ストーンカッターズ島（昂船洲）
ホワプー（黄埔）
トゥーワコワン（土瓜湾）

ヤウマテイ（油麻地）
カオルン（九竜）
カオルン公園（九竜）
ホンハム駅
国際郵便センター

西区海底トンネル

ホンコン駅
ホンコン文化センター
星光大道

セントラル（中環）
アドミラルティ（金鐘）
ワンチャイ（湾仔）

ヴィクトリア港（維多利亞港）

ヴィクトリア公園
タイハン（大坑）

サイインプン（西営盤）
シャンワン（上環）

ホンコン（香港）島

⑱

山頂公園 ヴィクトリアピーク552

ハッピーバレー競馬場

〔中国地図集、ほか〕

業務・商業中心地
住宅地
工業・倉庫用地
公共施設
公園・緑地
その他
鉄道と駅
環状道路
地下鉄
おもな大学
元の大都城（1330年ころ）
清代の城壁跡（1820年ころ）
おもな門

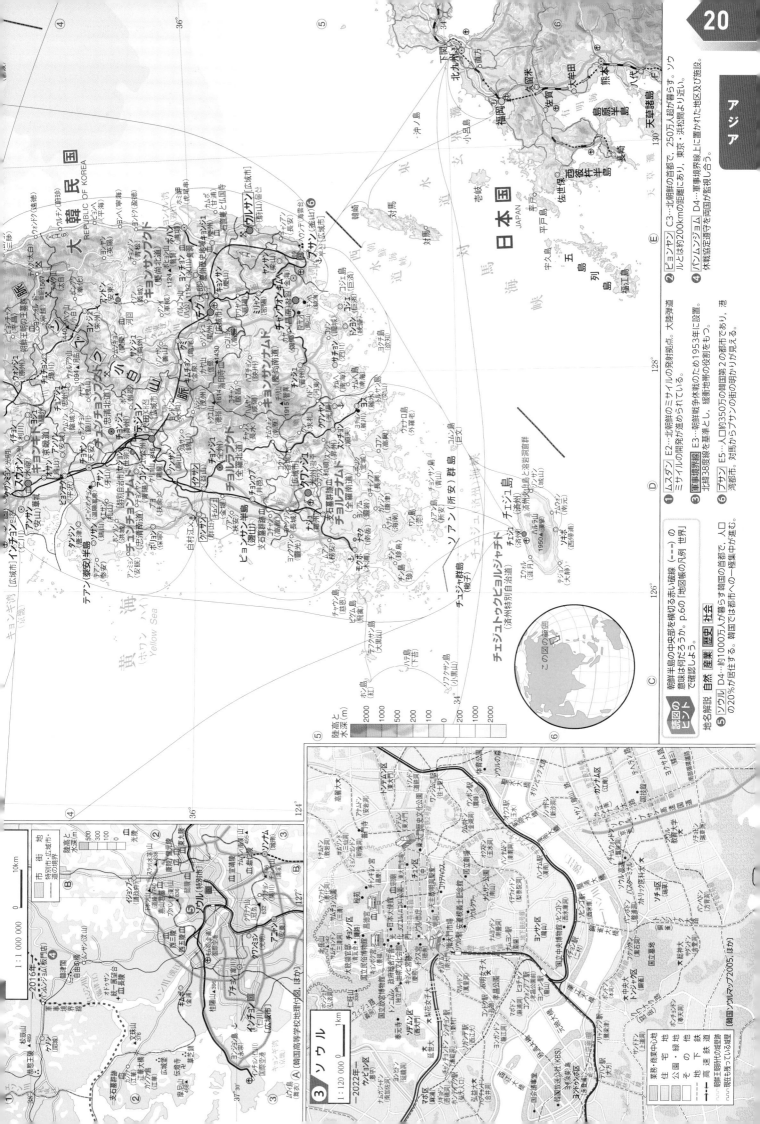

0　200　400　600　800km
1 : 20 000 000

❶東南アジア（地図本体）

クンルン山脈　Kunlun
ホフシル山脈　Hoh Xil Shan
バヤンハル山脈（巴顔喀拉）
タングラ山脈（唐古拉）Tangula Shan
チベット高原　Tibet
ヒマラヤ山脈　Himalaya
中華人民共和国　PEOPLE'S REPUBLIC OF CHINA
チンリン山脈（秦嶺）
ランチョウ（蘭州）
リンシャ（臨夏）
ティエンショイ（天水）
シーアン（西安）
チョントゥー（成都）
チョンチン（重慶）
チャンシャー（長沙）
ナンチャン（南昌）
ウーハン（武漢）
イーチャン（宜昌）
チョントー（鄭州）
ルオヤン（洛陽）
シャンヤン（襄陽）
ホンヤン（衡陽）
コイヤン（貴陽）
クンミン（昆明）
チャンチャン（湛江）
ナンニンペイハイ（北海）
コイリン（桂林）
リウチョウ（柳州）
ウーチョウ（梧州）
コワンチョウ（広州）
ホンコン　HONG KONG（特別行政区）
マカオ　Macao（特別行政区）
ハイコウ（海口）
ハイナン島（海南）

ガンリンボチェ山　Kangrinboqe Feng ▲6638
エヴェレスト山（サガルマータ）チョモランマ　8201
マナスル山 ▲8163
カトマンズ　KATHMANDU
ネパール　NEPAL
ティンプー　THIMPHU
ブータン王国　KINGDOM OF BHUTAN
ダージリン
ゴウハーティ　Guwahati
シロン　Shillong
インパール
ミッチーナ
バモー
ラーショー
マンダレー　MANDALAY
シャン高原　Shan Plat.
チェントン
チンホン（景洪）
ラオカイ
タイゲン
ディエンビエンフー
ハノイ　HANOI
ハイフォン　Hai Phong
タインホア
ヴィン
ラオス人民民主共和国　LAO PEOPLE'S DEMOCRATIC REPUBLIC
ルアンパバーン
ビエンチャン　VIENTIANE
チエンマイ　Chiang Mai
ウドンタニ
コンケン
ナコンラチャシマ
タイ王国　KINGDOM OF THAILAND
インドシナ半島　Indo China Pen.
ボロヴェン高原
パクセー
フエ　Huế
ダナン　Da Nang
ホイアン　Hội An
西沙群島（パラセル諸島）
ベトナム社会主義共和国　SOCIALIST REPUBLIC OF VIET NAM

インド　INDIA
ラクナウ　LUCKNOW
アラハバード　ALLAHABAD
ヴァラナシ（ベナレス）VARANASI (BENARES)
パトナ　PATNA
ナーランダー　Nalanda
ブッダガヤ　Gaya
ビラースプル　Bilaspur
ヒラクドダム　Hirakud D.
ラウルケーラ　Raurkela
ジャムシェドプル　Jamshedpur
ハウラー　HAORA
コルカタ　KOLKATA
ブバネシュワル　Bhubaneswar
コナーラクの太陽神院　Puri
バングラデシュ人民共和国　PEOPLE'S REPUBLIC OF BANGLADESH
ダッカ　DHAKA
チッタゴン　CHITTAGONG
アラカン山脈　Arakan Yoma
シットウェー
ミャンマー連邦共和国　REPUBLIC OF THE UNION OF MYANMAR
ネーピードー　NAY PYI TAW
パゴー山脈　Bago Yoma
ヤンゴン　YANGON
モーラミャイン
ネグレイス岬
ヴィシャーカパトナム　VISHAKHAPATNAM
ヴィジャヤワーダ　VIJAYAWADA
東ガーツ山脈
西ガーツ山脈
チェンナイ（マドラス）CHENNAI (MADRAS)
マハーバリプラム
プドゥチェリー（ポンディシェリー）Puducherry (Pondicherry)
ベンガル湾　Bay of Bengal
アンダマン諸島　Andaman Is.
北アンダマン島
中アンダマン島
南アンダマン島
ポートブレア
小アンダマン島
アンダマン海　Andaman Sea
ニコバル諸島　Nicobar Is.
大ニコバル島　Great Nicobar I.
スリランカ民主社会主義共和国　DEMOCRATIC SOCIALIST REPUBLIC OF SRI LANKA
セイロン島　Ceylon I.
コロンボ　COLOMBO
キャンディ
スリジャヤワルダナプラコッテ　SRI JAYEWARDENEPURA KOTTE
ドンドラ岬
ポーク海峡
バンコク　BANGKOK
アユタヤ
チャチューンサオ
チャンタブリー
ダーウェイ
クラ地峡
ベイツ諸島　Beit
チュムポン
ラノーン
パンガン島
サムイ島
プーケット島　Phuket
スラーターニー
ナコーンシータマラート
ハジャイ
ソンクラー
アロルスター　Alor Setar
コタバル
ジョージタウン　George Town
ペナン島
クアラトレンガヌ
イポー　Ipoh
タハン山 ▲2189
クアンタン
クアラルンプール　KUALA LUMPUR
マレー半島　Malay Pen.
スレンバン
ムラカ　Melaka
ジョホールバール　Johor Baharu
シンガポール共和国　REPUBLIC OF SINGAPORE
シンガポール　SINGAPORE
マレーシア　MALAYSIA
ブルネイ・ダルサラーム国　BRUNEI DARUSSALAM
バンダルスリブガワン　BANDAR SERI BEGAWAN
サラワク　Sarawak
コタキナバル　Kota Kinabalu
カリマンタン（ボルネオ）島　Kalimantan (Borneo)
キナバル山 ▲1767 ラウィット山
バンダアチェ　Banda Aceh
アチェ　Aceh
タパヌリ
ビンタン
メダン　MEDAN
パダン高原
ペマタンシアンタル　Pematangsiantar
ルセル山 ▲3145
2004.12.26 スマトラ沖地震震源地
シムルー島　Pu. Simeulue
ニアス島　Nias
プカンバル　PEKANBARU
リアウ諸島　Kep. Riau
ポンティアナック　Pontianak
シブ　Sibu
スマタン
シンカワン
ランカラヤ
パンカラヤ
バンジャルマシン　Banjarmasin
パダン　Padang
ムンタワイ諸島　Kep. Mentawai
シボルガ
パガイ島　Pu. Pagai
ブキティンギ
ジャンビ　Jambi
バンカ島　Pu.Bangka
パレンバン　PALEMBANG
ブリトゥン島　Pu.Belitung
ブンクル
バンダルランプン　Bandarlampung
ジャカルタ　JAKARTA
ボゴール　BOGOR
スカブミ
バンドン　BANDUNG
チルボン　Cirebon
ボロブドゥール
スマラン　SEMARANG
スラバヤ　SURABAYA
スラカルタ　Surakarta
ヨクヤカルタ
マラン　Malang ▲3676
デンパサル　Denpasar
バリ島　Bali
ジャワ島　Jawa
ジャワ海　Java Sea
大スンダ列島　Greater Sunda Is.
スンダ（ジャワ）海溝　Sunda (Java) Trench ● -7125
クリスマス島　Christmas I.
インドネシア共和国　REPUBLIC OF INDONESIA
南シナ海　South China Sea
南沙群島（スプラトリ諸島）
ミトー
ホーチミン　HỒ CHÍ MINH
カントー　Cần Thơ
バクリウ
カマウ岬
コンダオ島　Côn Đảo
プノンペン　PHNOM PENH
カンボジア王国　KINGDOM OF CAMBODIA
アンコール・ワット
シエムリアプ　Siĕmréab
コンポントム
コンポンチャム
ダラット
ニャチャン
クイニョン
ファンティエト
インド洋　INDIAN OCEAN
赤道

❸スマトラ沖地震 D8…スマトラ島周辺では大きな地震が頻発している。2004年の大地震ではインド洋沿岸全域に、津波による被害が及んだ。

❷シンガポール

1 : 420 000
0　5km

ジョホールバール　Johor Bahru
センバワン　Sembawang
ウッドランズ駅
ウッドランド　Woodland
トンホー　Thong Hoe
マレーシア
ウビン島　Pu. Ubin
プンゴール　Punggol
ニスーン　Nee Soon
自然保護地
ブキパンジャン　Bukit Panjang
チャンギ　Changi
チョアチューカン　Choa Chu Kang
ナンヤン理工大学
シンガポール
ジュロン　Jurong
ブキティマ　Bukit Timah
パヤレバー　Paya Lebar
チャンギ空港
トァス　Tuas
ジュロン工業地域
シンガポール植物園
日本大使館
シンガポール大学
ベドク　Bedok
フェリーターミナル
マーライオン像
サンズスカイパーク　Sands Skypark
イースト・コースト・パーク　East Coast Park
証券取引所
シンガポール海峡
ジュロン島　Jurong
セントサ島　Sentosa
—2021年—

業務・商業地　住宅地
公共施設　その他
工業地　---地下鉄
公園・緑地　高速道路

[Diercke Weltatlas 2015, ほか]

地図の
ポイント ASEAN加盟国は何か国だろうか。凡例の国名表記をもとに確認しよう。

地名解説
自然 産業
歴史 社会

❶ テニアン島 M-N5-6…太平洋西部の北マリアナ諸島にある島で米国の自治領。第一次世界大戦後日本が統治したが、1944年米国が占領。本土空襲や原爆投下の基地となった。

❷ 南沙群島 G7…海底油田や天然ガスの存在が有望視され、また交通・軍事の要所でもあることから、南シナ海に面する6つの国・地域が全域または一部の領有を主張している。中国の実効支配が進む。

アジア

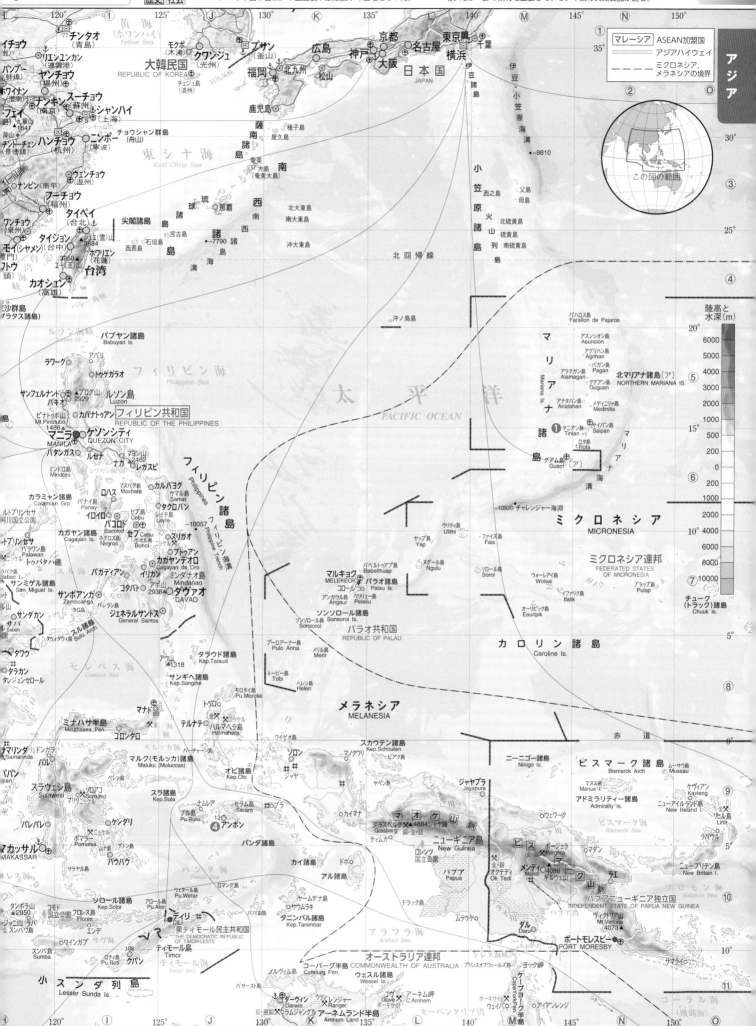

❹ アンボン J9…香辛料産地として欧州諸国の支配が続いた。1623年にはオランダとイギリスが衝突したアンボイナ事件が起きた。現在もキリスト教徒とムスリムの宗教間対立が存在している。

❺ ロンボク海峡 H10-11…水深が深く大型船の通行が可能なため、オーストラリアから鉄鉱石が多く運ばれる。また、中東から日本への原油輸送の代替航路となっている。

0　200　400km
1：11 000 000

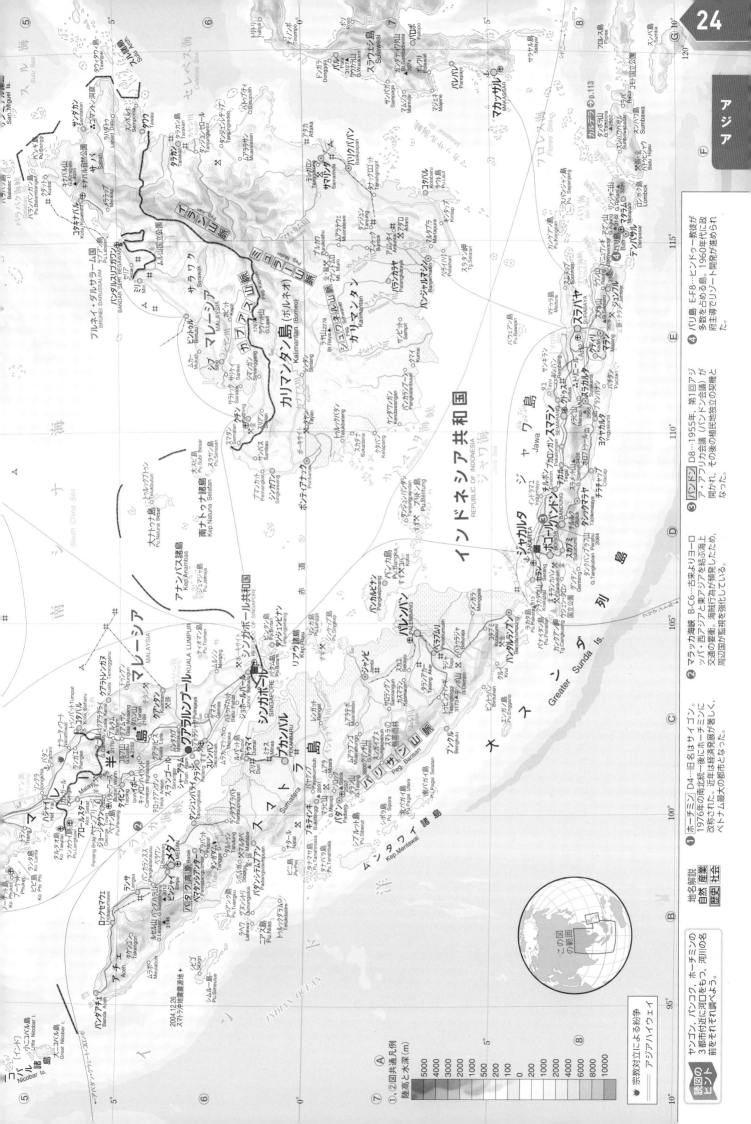

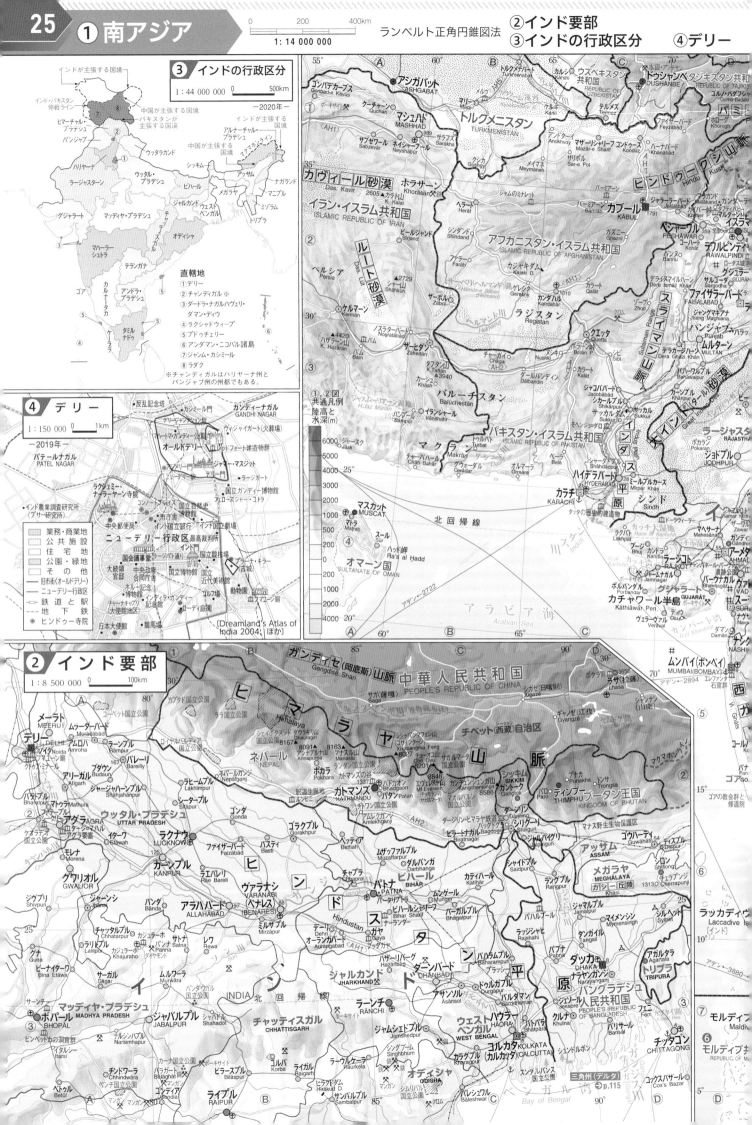

図のヒント
インドととなり合う国々の
おもな宗教を確認しよう。
（→p.143〜144）

地名解説
自然　産業
歴史　社会

① マクマホンライン H3…1914年にイギリ
ス・チベット間で定められた国境線。中国
は認めておらず、国境未確定地域の一つ。

② デリー E3…インドの首都であり、人口
1100万人を超す大都市。新市街ニュー
デリーに行政機能が集中している。

③ ヴァラナシ F3…ヒンドゥー教の聖地。
多くの信者がガート（階段）を伝って
ガンジス川に下り、沐浴を行う。

④ ダッカ H4…高い人口密度を誇るバングラデ
シュの首都。海抜は数mしかなく、雨季やサ
イクロンの襲来時に度々洪水に見舞われる。

⑤ ベンガルール（バンガロール）E6…軍需や航空
宇宙産業の拠点であったことからICT開発熱が高
く、インドにおけるICT産業の集積地となった。

⑥ モルディブ D7…環礁からなる美しい自然が
観光地として名高い。地球温暖化による海水
位上昇で水没が不安視される。

0 500km
1:17 800 000 正距円錐図法

陸高と水深(m)
6000
5000
4000
3000
2000
1000
500
200
0
海面下
200
1000
2000
4000

プラハ PRAHA
チェコ
ポーランド ワルシャワ WARSZAWA
ウィーン WIEN
ブラチスラバ BRATISLAVA
ブダペスト BUDAPEST
ハンガリー
ザグレブ ZAGREB
クロアチア
ボスニア・ヘルツェゴビナ
サラエボ SARAJEVO
ベオグラード BEOGRAD
セルビア
ポドゴリツァ PODGORICA
ティラナ TIRANE
アルバニア
北マケドニア スコピエ SKOPJE
ソフィア SOFIA
ブルガリア
ブカレスト BUCHAREST
ルーマニア
モルドバ
キシナウ CHISINAU
ミンスク MINSK
ベラルーシ共和国
キーウ(キエフ) KYIV
ウクライナ
ハルキウ KHARKIV
ドニプロ DNIPRO
オデーサ ODESA
黒海沿岸低地

モスクワ MOSKVA
ニジニーノヴゴロド NIZHNIY NOVGOROD
カザン KAZAN
ロシア連邦 RUSSIAN FEDERATION
エカテリンブルク YEKATERINBURG
チェリャビンスク CHELYABIN
ウファ UFA
サマラ SAMARA
サラトフ
ヴォルゴグラード VOLGOGRAD
ロストフ ROSTOV-NA-DONU
カスピ海沿岸低地

黒海 Black Sea
イスタンブール ISTANBUL
ブルサ BURSA
アンカラ ANKARA
アナトリア高原 Anatolia
コンヤ KONYA
アンタルヤ ANTALYA
アダナ ADANA
トルコ共和国
ジョージア GEORGIA トビリシ TBILISI
アルメニア共和国 エレバン YEREVAN
アゼルバイジャン共和国 バクー BAKU バクー油田
カフカス山脈
ディヤルバクル DIYARBAKIR
タブリーズ TABRIZ
モスル MOSUL
アルビル
キルクーク
ハラブ(アレッポ) HALAB ALEPPO
ハマー HAMAH
ビスデイルアッズール DAYR AZ-ZAWR
シリア・アラブ共和国 SYRIAN ARAB REPUBLIC
ダマスカス DAMASCUS
ベイルート BEIRUT
レバノン共和国 LEBANESE REPUBLIC
テルアビブ TEL AVIV-YAFO
イスラエル国 STATE OF ISRAEL
エルサレム JERUSALEM
アンマン AMMAN
ヨルダン・ハシェミット王国 HASHEMITE KINGDOM
バグダッド BAGHDAD
イラク共和国 REPUBLIC OF IRAQ
バビロン
カルバラ
ナジャフ
バスラ AL BASRAH
クウェート KUWAIT
クウェート国 STATE OF KUWAIT

トルクメニスタン TURKMENISTAN
アシガバット ASHGABAT
マシュハド MASHHAD
サブゼワール Sabzevar
テヘラン TEHERAN
エルブールズ山脈
ゴム QOM
イラン・イスラム共和国 ISLAMIC REPUBLIC OF IRAN
ペルシア Persia
カヴィール砂漠 Das. Kavir
イスファハーン ESFAHAN
アフワーズ AHVAZ
イラン高原 Plat. of Iran
ケルマーン KERMAN
シーラーズ SHIRAZ
ザグロス山脈

カイロ CAIRO
ギザ GIZA
アレクサンドリア ALEXANDRIA
ポートサイド
スエズ
リビア砂漠 Libyan Des.
リビア高地 Libyan Plat.
シナイ半島 Sinai
アスワン Aswan
アスワンハイダム Aswan High D.
エジプト・アラブ共和国 ARAB REPUBLIC OF EGYPT
ルクソル Luxor
北回帰線

アラビア砂漠 Arabian Des.
ネフド砂漠(ナフド) An Nafud
サウジアラビア王国 KINGDOM OF SAUDI ARABIA
ヒジャーズ
メディナ(マディーナ) MEDINA (AL MADINAH)
メッカ(マッカ) MECCA (MAKKAH)
ジッダ JIDDAH
ターイフ
リヤド RIYADH
ダンマン(ダンマーム) AD DAMMAM
バーレーン王国 STATE OF BAHRAIN
マナーマ MANAMA
ドーハ DOHA
カタール QATAR
ドバイ DUBAYY
アブダビ ABU DHABI
首長国連邦 UNITED ARAB EMIRATES
マスカット MUSCAT
オマーン国 SULTANATE OF OMAN
ルブアルハリ砂漠 Ar Rub al Khali
アラビア半島 Arabian Pen.

スーダン共和国 THE REPUBLIC OF THE SUDAN
オムドゥルマン OMDURMAN
ハルツーム KHARTOUM
ホワイトナイル川 White Nile R.
ヌビア砂漠 Nubian Des.
ポートスーダン Bur Sudan
エリトリア国 STATE OF ERITREA
アスマラ ASMARA
エチオピア連邦民主共和国 FEDERAL DEMOCRATIC REPUBLIC OF ETHIOPIA
イエメン共和国 REPUBLIC OF YEMEN
サヌア SAN'A
アデン ADEN
紅海 Red Sea
地中海 MEDITERRANEAN SEA
キプロス島 Cyprus
キプロス共和国 REPUBLIC OF CYPRUS ニコシア NICOSIA
ギリシャ
アテネ ATHINA
クレタ島 Kriti

1960年の湖岸線
アラル海
カラクーム Pes. Karakumy

中央アジア・西アジア諸国の首都のうち，あなたの
住む町と最も緯度が近いものを，p.83～86で住む
町の緯度を確認して見つけよう。

地名解説
自然　産業
歴史　社会

① セメイ（セミパラティンスク）H1…ソ連時代多くの
核実験が行われた都市。この地で2006年に中央ア
ジア非核条約が結ばれた。

② カフカス山脈 D2…アルプス＝ヒマラヤ造山帯の
一部で5000m級の急峻な山々をもつ。1999年
に世界自然遺産に登録された。

④ サマーワ D3…イラク復興特別支援措
法に基づき2004年から2006年ま
で陸上自衛隊の宿営地が置かれた。

⑤ ペルシア湾 E4…平均水深100mと
浅く，真珠の一大産地だった。油田
の発見によってエネルギー政策上，
重要な海域となった。

⑥ ガワール油田 D4…1948年に発見さ
れた世界最大の油田。集油面積は東京
都の面積の2倍以上の5400km²とされ
る。

⑦ ドバイ E4…アラブ首長国連邦の構成
国の一つ，ドバイ首長国の首都。石油
資源には恵まれていないが金融の中心
地で，都市開発が進む。

メソポタミア D3…ティグリス川と
ユーフラテス川に挟まれた肥沃な沖
積平野，及びここに築かれた古代文
明の名称。

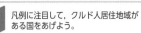

地図のヒント：凡例に注目して，クルド人居住地域がある国をあげよう。

地名解説　自然／産業／歴史／社会

❶ BTCパイプライン　D1…バクーからトビリシ，ジェイハンを結ぶパイプライン。ロシアもイランも通過しない地政学上重要なルートを通っている。

❷ ラムサール　F2…湿地とその生態系を保護するための国際条約の締結地。カスピ海に臨むリゾート地でもある。

凡例：
- クルド人居住地域
- アメリカ同時多発テロ以降大きなテロがあった地域
- メッカ おもなイスラームの聖地
- アジアハイウェイ

この図の範囲

❸ クルディスタン　D2…2000〜3000万人いるとされるクルド人の居住する地域。国家建設が熱望されるも，周辺国との対立があり困難を極める。

❹ シリア　C-D2-3…ゴラン高原をめぐってイスラエルと対立。2011年のアラブの春とそれに続く内戦により多くの難民が発生している。

❺ スエズ運河　B3…スエズ地峡を貫く国際運河で，1869年に開通した。アジアとヨーロッパを最短航路で結んでいる。

❻ メッカ　C5…イスラーム最大の聖地。一生に一度は行うべきとされる巡礼（ハッジ）や日常の礼拝（サラー）を行う対象地である。

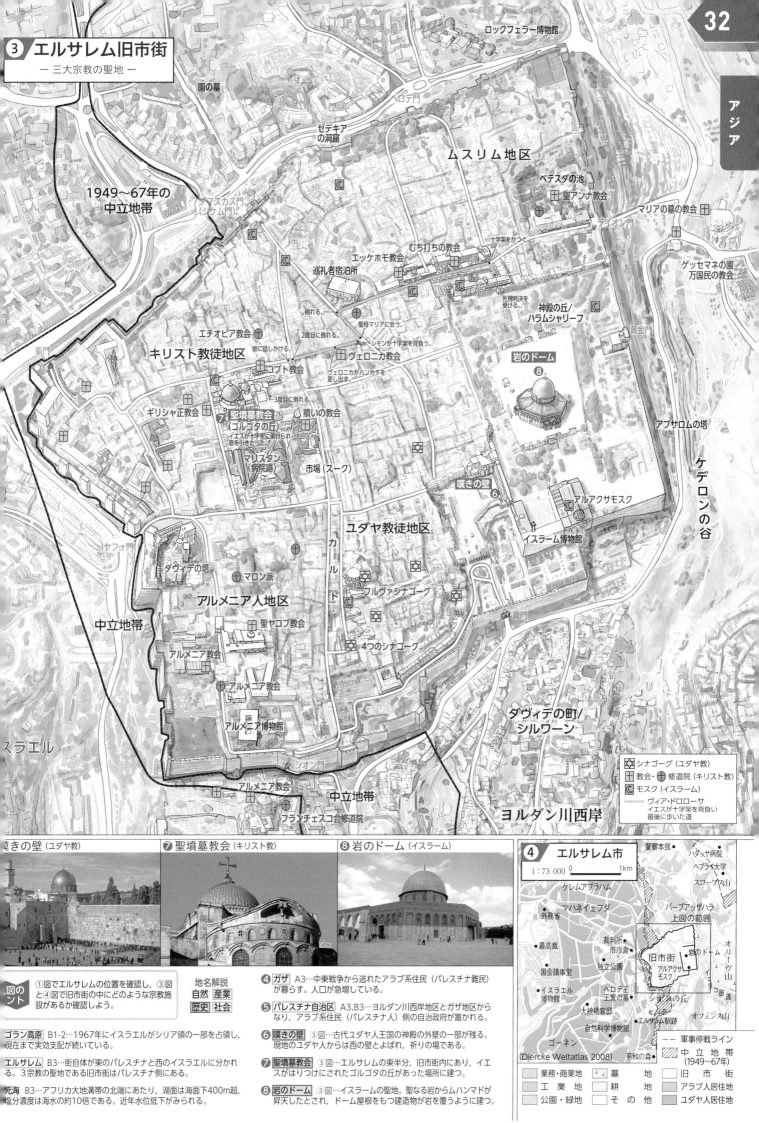

②アフリカの独立国

0 200 400 600 800 1000km

1:28 500 000

ランベルト正積方位図法

地図のポイント　ギニア湾に注ぐニジェール川の流路を確認しよう。

地名解説　自然　産業　歴史　社会

❶ カッファ　G4…カッファはコーヒーの語源。エチオピア高原南西部にあたり，コーヒー（アラビカ種）発祥の地といわれる。

❷ サヘル　C-E3…サハラ砂漠南縁部に広がる地域。1970年代以降しばしば大干ばつが発生し，砂漠化が進んでいる。

❸ ヨハネスバーグ　②B2…南アフリカ共和国最大の人口を抱える経済の中心都市。2002年に持続可能な開発に関する世界首脳会議（第2回地球サミット）が行われた。

正距円錐図法

②国境の変遷

読図のヒント
②◉図を見て，1949年時点に示されているが現在の地図にはない国を確認しよう。

0 100 200 300 400km
1：14 500 000

ⓐ 第一次世界大戦前（1914年）

② 国境の変遷
1：55 000 000　　0　　500km

ⓐ〜ⓒ図
共通凡例
（共）共和国
（王）王　国
（公）公　国

ⓑ 第二次世界大戦前（1938年）

ⓒ 第二次世界大戦後（1949年）

[Putzger Historischer Weltatlas]

オランダ
NETHERLANDS　EU加盟国
――――　北海の境界
※経済的資源を管理する権利などに関する国際的な境界。

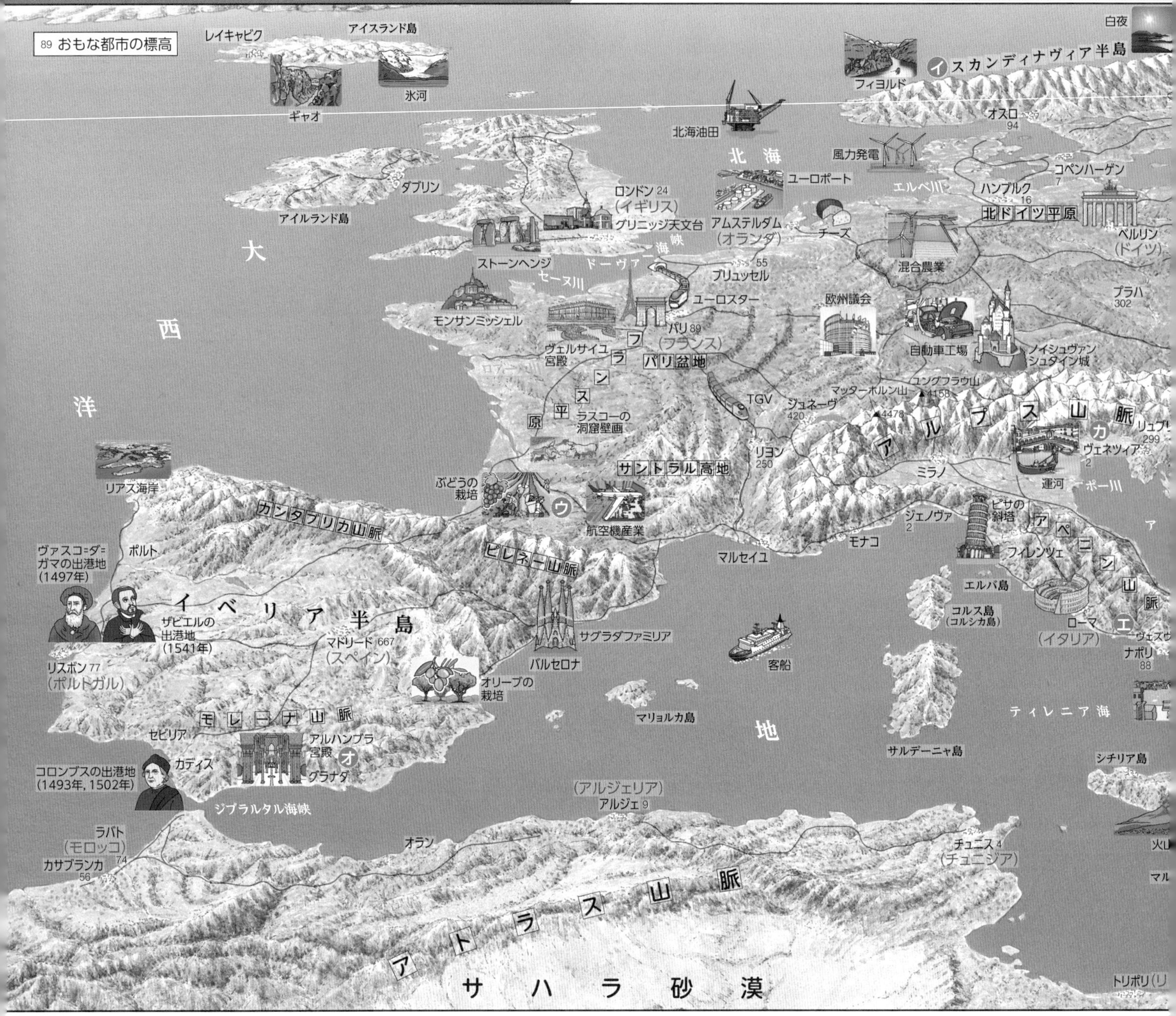

89 おもな都市の標高

レイキャビク
アイスランド島
ギャオ
氷河
大西洋
アイルランド島
ダブリン
ロンドン 24（イギリス）
グリニッジ天文台
ストーンヘンジ
ドーヴァ海峡
モンサンミッシェル
セーヌ川
ヴェルサイユ宮殿
パリ 89（フランス）
パリ盆地
フランス平原
ラスコーの洞窟壁画
ぶどうの栽培
サントラル高地
ウ
航空機産業
リアス海岸
カンタブリカ山脈
ヴァスコ=ダ=ガマの出港地（1497年）
ポルト
ピレネー山脈
イベリア半島
ザビエルの出港地（1541年）
マドリード 667（スペイン）
サグラダファミリア
バルセロナ
リスボン 77（ポルトガル）
モレーナ山脈
セビリア
オリーブの栽培
アルハンブラ宮殿　オ　グラナダ
カディス
コロンブスの出港地（1493年，1502年）
ジブラルタル海峡
マリョルカ島
客船
ラバト（モロッコ）
カサブランカ 56
オラン
（アルジェリア）アルジェ 9
アトラス山脈
ア
サハラ砂漠
トリポリ（リ）

北海油田
北海
風力発電
ユーロポート
アムステルダム（オランダ）
チーズ
ブリュッセル
欧州議会
ユーロスター
混合農業
自動車工場
TGV 420
ジュネーヴ
マッターホルン山 4478
ユングフラウ山 4158
ノイシュヴァンシュタイン城
リヨン 250
アルプス山脈
ミラノ
ヴェネツィア
運河
ポー川
ジェノヴァ 2
モナコ
マルセイユ
ピサの斜塔
フィレンツェ
エルバ島
コルス島（コルシカ島）
ローマ（イタリア）
ナポリ 88
ヴェズヴ
ティレニア海
サルデーニャ島
シチリア島
火山
マル
チュニス 4（チュニジア）

スカンディナヴィア半島
白夜
フィヨルド
オスロ 94
コペンハーゲン 7
ハンブルク 16
北ドイツ平原
ベルリン（ドイツ）
エルベ川
プラハ 302
リュブ 299

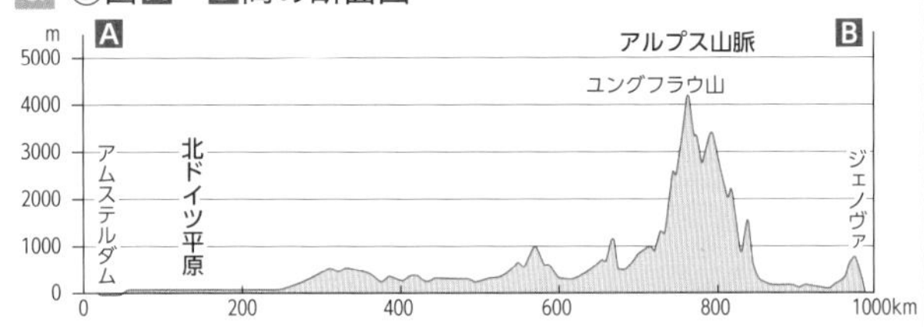

a ③図Ａ−Ｂ間の断面図

m		
5000		アルプス山脈
4000		ユングフラウ山
3000		
2000		
1000	北ドイツ平原	ジェノヴァ
0	アムステルダム	

A　　　　　　　　　　B
0　200　400　600　800　1000km

③ 農業地域区分

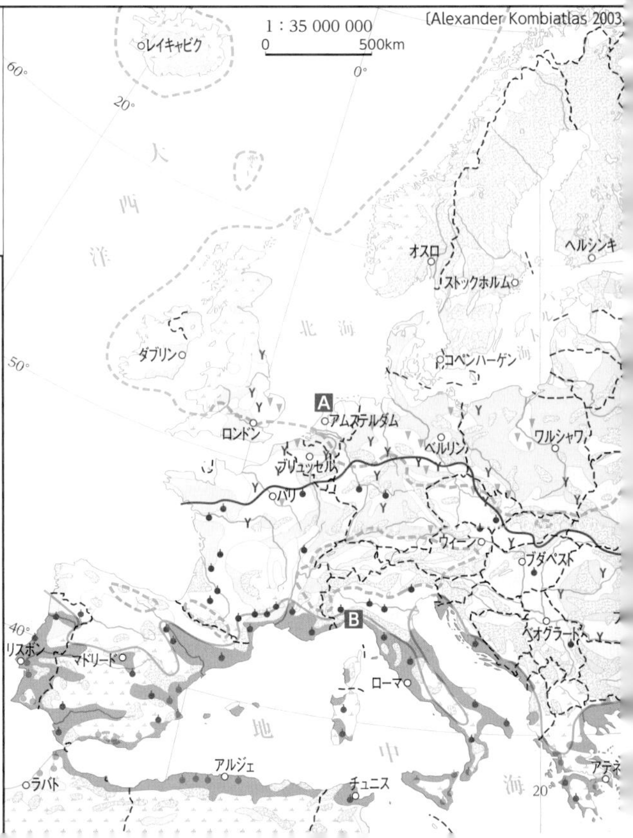

- 畑作地　　Ｙ 小　麦
- 混合農業　▼ てんさい
- 酪農　　　♠ ぶどう
- 地中海式農業　柑橘類（かんきつるい）
- 牧羊・移牧／牧牛・遊牧　ぶどう栽培北限
- 森林　　　オリーブ栽培北限
- ツンドラ・荒れ地　氷期の氷河の最大範囲
- 非農業地

1：35 000 000
0　500km
[Alexander Kombiatlas 2003]

レイキャビク
60°
20°
オスロ
ヘルシンキ
ストックホルム
ダブリン
コペンハーゲン
50°
ロンドン
Ａ アムステルダム
ベルリン
ワルシャワ
ブリュッセル
パリ
ウィーン
ブダペスト
ベオグラード
リスボン
マドリード
Ｂ
ローマ
アテネ
40°
アルジェ
ラバト
チュニス
20°

2 気候

1：77 000 000
0　1000km
降水量 0 50 100 200 300 400 500 (mm)
—— 月平均気温
→ 暖流
→ 偏西風

b 冬の降水量（12〜3月）と気温（1月）

北極圏
北大西洋海流
−20℃
−10℃
0℃
10℃
20°
40°
20℃

c 夏の降水量（6〜9月）と気温（7月）

北極圏
北大西洋海流
10℃
20℃
20°
40°
[CRU資料，ほか]

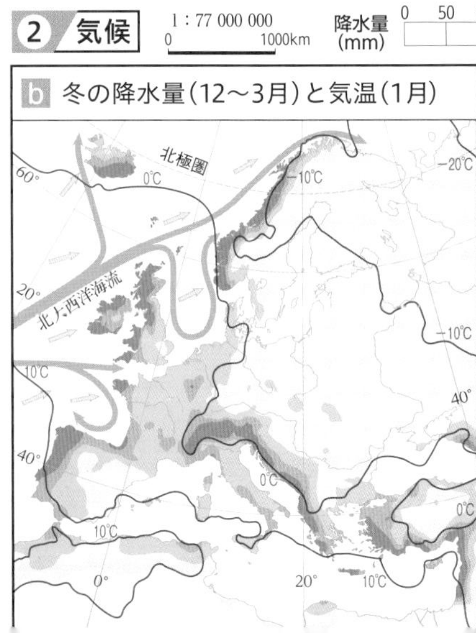

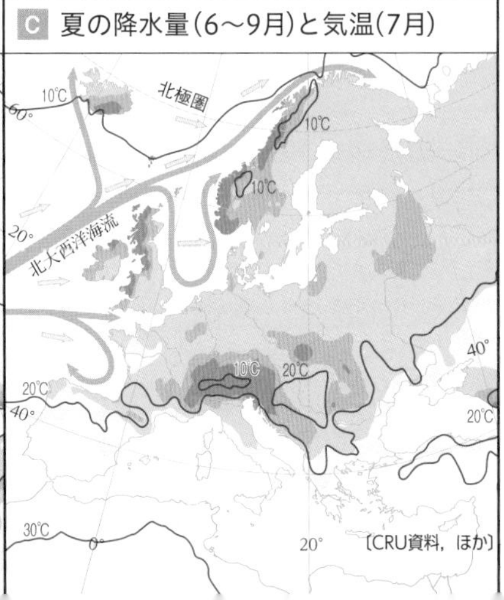

バレンツ海
ノヴァヤゼムリャ
オーロラ
ムルマンスク　コラ半島
（フィンランド）
ヘルシンキ
51
ノーベル賞
ックホルム
タリン（エストニア）
32
サンクトペテルブルク
6
シベリア鉄道
ルト海
酪農
リガ
（ラトビア）
モスクワ 147
（ロシア）
カリーニングラード
ビリニュス（リトアニア）
東　ヨーロッパ平原
ヴォルゴグラード
黒土地帯
ワルシャワ
（ポーランド）
ミンスク
（ベラルーシ）
キーウ（キエフ）
（ウクライナ）
ドニプロ
ロストフ
カ　ル　パ　テ　ィ　ア　山　脈
小麦の収穫
ひまわり栽培
アゾフ海
ソチ カフカス山脈
ヨーロッパ
ン
198
ブダペスト 138
（ハンガリー）
キシナウ（キシニョフ）
（モルドバ）
オデーサ
クリム半島
（クリミア）
ヤルタ
ザグレブ
157
ベオグラード 132
（ルーマニア）
ブカレスト 90
ドナウ川
（ダニューブ川）
黒　海
鉄門
テ　チ　ル（アルプス山脈
ポドゴリツァ
ソフィア 595
スコピエ
238
バルカン半島
ボスポラス
海峡
イスタンブール 18
ブルサ
アンカラ
（トルコ）
カッパドキア
ハラブ
ドゥブロヴニク
テッサロニキ
エ
ー
ゲ
海
ア
パムッカレ
アナトリア高原
ト
ロ
ス
山
脈
アルベルベッロ
ア
海
イ
アテネ 28
（ギリシャ）
白い家
ミコノス島
イズミル
25
アンタルヤ
ニコシア（キプロス）
イオニア海
客船
クレタ島
地
中
海
キプロス島
ベイルート
29
ゴラン高原
778
アンマン
（ヨルダン）
コンテナ船
岩のドーム
エルサレム 757
（イスラエル）
スエズ運河
ベンガジ
リビア高地
アレクサンドリア
カイロ
116
（エジプト）
ギーザ
ピラミッドとスフィンクス
スエ
リビア砂漠

ミコノス島とエーゲ海（ギリシャ）　強い日差しを反射するように，壁を白い漆喰（しっくい）で塗った建物が多い。

イ　フィヨルド（ノルウェー）　氷河が削ったU字谷に海水が浸入してできた，奥深い入り江である。

ウ　ぶどうの収穫（フランス）　水はけのよい丘陵の斜面で栽培されることが多い。おもにワインの原料となる。

自 然

地 形

生 活

ピザを運ぶ店員（イタリア）　トマトやオリーブなど，地中海沿岸地域でよくとれる具材が多く使われる。

オ　フラメンコを踊る人々（スペイン）　歌と踊り，ギターの伴奏で構成される，情熱的な民族舞踊である。

カ　高潮で浸水したヴェネツィア（イタリア）　低地のため，低気圧や風などの影響で高潮被害にあいやすい。

文 化

災 害

❶ アイセル湖 D2…ゾイデル海を堤防で締め切りつくられた淡水湖。大規模なポルダー（干拓地）が造成された。

❷ ハーグ D2…1899年と1907年に万国平和会議を開催。現在国際司法裁判所・国際刑事裁判所がある。

❸ ロッテルダム D2…ヨーロッパ最大の貿易港のある都市。港内のユーロポートはEUの玄関口といわれる。

❹ ヴァイマール F2…1919年，社会権の概念を盛り込んだ現代憲法のさきがけとなるヴァイマール憲法が制定された。

ヨーロッパ

❺ オシフィエンチム（アウシュヴィッツ） I2…ナチス・ドイツによるユダヤ人大量虐殺が行われた強制収容所跡がある。

❻ ニュルンベルク F3…第二次世界大戦後，ナチス・ドイツの戦争指導者に対する国際軍事裁判が行われた。

❼ ヴィシー D4…第二次世界大戦中ドイツに敗れたフランスで，ペタン元帥を国家主席とする対独協力政府が置かれた。

❽ ジュネーヴ E4…世界保健機関（WHO）や世界貿易機関（WTO）など，多くの国際機関本部が設置されている。

❾ トゥールーズ C5…フランス南西部のガロンヌ川上流域に位置する工業都市。ヨーロッパの航空産業の中心地である。

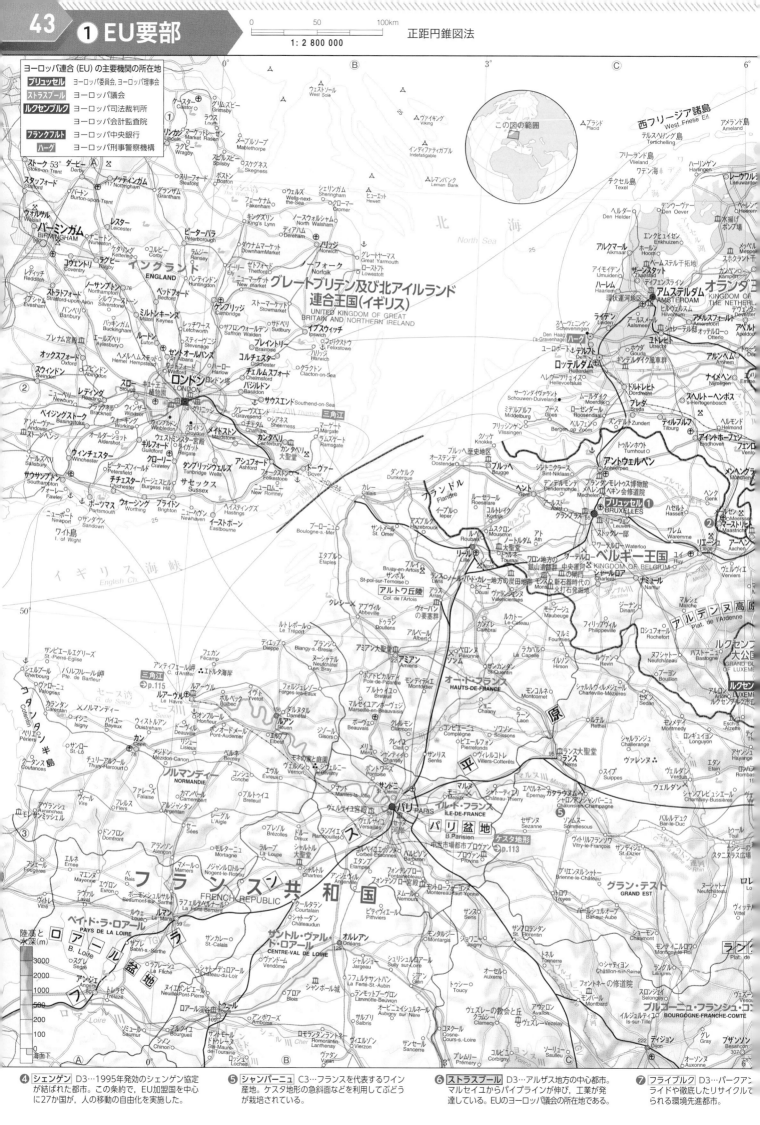

0　　50　　100km
1 : 2 800 000
正距円錐図法

ヨーロッパ連合（EU）の主要機関の所在地
ブリュッセル	ヨーロッパ委員会，ヨーロッパ理事会
ストラスブール	ヨーロッパ議会
ルクセンブルク	ヨーロッパ司法裁判所
	ヨーロッパ会計監査院
フランクフルト	ヨーロッパ中央銀行
ハーグ	ヨーロッパ刑事警察機構

この図の範囲

北　海
North Sea

西フリージア諸島　West Friese Eil

グレートブリテン及び北アイルランド
連合王国（イギリス）
UNITED KINGDOM OF GREAT
BRITAIN AND NORTHERN IRELAND

イングランド
ENGLAND

アムステルダム
AMSTERDAM

オランダ王国
KINGDOM OF
THE NETHERL

ハーグ

ロンドン

ロッテルダム

ブリュッセル
BRUXELLES

ベルギー王国
KINGDOM OF BELGIUM

フランドル
Flandre

イギリス海峡
English Ch.

アルトワ丘陵
Col. de l'Artois

オー・ド・フランス
HAUTS-DE-FRANCE

アミアン大聖堂
アミアン
Amiens

アルデンヌ高原
Plat. de l'Ardenne

ルクセンブルク
大公国
GRAND DU
DE LUXEME

ルクセン
LUXEMI

コタンタン半島
Cotentin

ノルマンディー
NORMANDIE

セーヌ川
三角江 p.115

ルアーヴル
Le Havre

ルーアン
Rouen

パリ盆地
B.Parisien

ケスタ地形
p.113

ベイ・ド・ラ・ロアール
PAYS DE LA LOIRE

フランス共和国
FRENCH REPUBLIC

パリ
PARIS

イル・ド・フランス
ÎLE-DE-FRANCE

シャンパーニュ
CHAMPAGNE

グラン・テスト
GRAND EST

陸高と
水深(m)
3000
2000
1000
500
200
100
海面下

ロアール盆地

ロアール川
Loire

サントル・ヴァル
ド・ロアール
CENTRE-VAL DE LOIRE

オルレアン
Orléans

ブルゴーニュ・フランシュ・コ
BOURGOGNE-FRANCHE-COMTÉ

④ シェンゲン　D3…1995年発効のシェンゲン協定
が結ばれた都市。この条約で，EU加盟国を中心
に27か国が，人の移動の自由化を実施した。

⑤ シャンパーニュ　C3…フランスを代表するワイン
産地。ケスタ地形の急斜面などを利用してぶどう
が栽培されている。

⑥ ストラスブール　D3…アルザス地方の中心都市。
マルセイユからパイプラインが伸び，工業が発
達している。EUのヨーロッパ議会の所在地である。

⑦ フライブルク　D3…パークアン
ライドや徹底したリサイクルで知
られる環境先進都市。

地図の
ポイント

陸高の色に注目して，海抜0m
以下となっている地域がある国
を読み取ろう。

地名解説
自然　産業
歴史　社会

①ブリュッセル C2…ベルギーの首都。
ヨーロッパ連合 (EU) や北大西洋条
約機構 (NATO) の本部がおかれる。

②マーストリヒト C2…1992年，
EUの憲法であるマーストリヒト
条約がこの地で調印された。

③フランクフルト D2…マイン河畔の歴史的都市で，
ヨーロッパ中央銀行，ドイツ連邦銀行のある国際
金融都市でもある。

44

ヨーロッパ

パリ中心部
1:40 000
1km

パリ周辺
c
－2019年－
1:620 000
0 5km

【Diercke Weltatlas 2008, ほか】

- 1700年頃の市街地
- 現在の市街地
- 工業・空港用地
- 農地・森林・その他
- 市界(20区)
- 再開発地域

ヨーロッパ

⑩ **バスティーユ広場**…1789年のパリ民衆による牢獄襲撃事件の場。フランス革命の発端となる。牢獄は圧政の象徴とされた。

⑪ **ノートルダム寺院**…ゴシック建築を代表するパリ司教座聖堂。13世紀に完成。1804年, ナポレオンの戴冠式を挙行。2019年大規模火災により大半を焼失。

⑫ **凱旋門**…アウステルリッツの戦勝(1805年)を記念しナポレオンが建立。ここから星(エトワール)状に道路が伸びる。

⑬ **アンヴァリッド**…「廃兵院」ともいわれる旧軍病院。ナポレオンの墓があることでも有名。軍事博物館も併設されている。

⑭ **カルティエラタン**…12世紀設立のパリ(ソルボンヌ)大学などを擁する学生街。ラテン地区の意。1968年の五月革命の中心地。

⑮ **ヴェルサイユ宮殿**…ルイ14世の命で建立されたバロック式宮殿。1871年ドイツ帝国樹立や1919年ヴェルサイユ条約締結の地。

【Diercke International Atlas 2010, ほか】

ローマ中心部
1:40 000
1km

ローマ周辺
d
－2019年－
1:700 000
0 5km

【イタリア ラツィオ区分図, ほか】

- 市街地
- 公園・森林
- 工業・空港用地
- その他
- アウトストラーダ(高速道路)

⑯ **フォロロマーノ**…古代ローマの公共広場(フォロは英語でフォーラム)。集会や裁判が行われたが, 西ローマ滅亡後廃墟に。

⑰ **旧アッピア街道**…「全ての道はローマに通ず」といわれた古代ローマの軍道の一つ。石で舗装され, イタリア南部と結んだ。

⑱ **サンピエトロ大聖堂**…バチカン市国にあるカトリックの総本山。聖ペテロをまつる。16世紀にミケランジェロらも加わり再建。

⑲ **サンジョヴァンニインラテラーノ大聖堂**…14世紀まで教皇庁が置かれていた。1929年, 隣接する宮殿においてラテラノ協定が締結, バチカン市国の独立が決定された。

② イスタンブール
1:50 000　0　1km　―2019年―

新市街　旧市街　ハレム　マルマラ海 Marmara Denizi

業務・商業地　公共施設　市場（バザール）　住宅地
緑地（公園・墓地）　その他　--- 地下鉄　連絡船　城壁跡
ℂ モスク　＋ 教会
[Istanbul Citymap, ほか]

③ カイロ周辺
1:200 000　0　5km　―2012年―

旧市街　耕　地
新市街（19世紀に開発）　砂漠・荒れ地
住宅地　--- 地下鉄
集落（農村）　▲ ピラミッド
公園・緑地　―― 市　界
墓地

カイロ県　ギーザ県
[ARAB WORLD MAP LIBRARY, ほか]

読図の
ヒント
スエズ運河北端のポートサイドからの航路が
ある都市を確認しよう。

地名解説
自然 産業
歴史 社会

①ジブラルタル B3…地中海の海上交通の要衝。18世紀よりイギリス領で海軍基地があるが，スペインは返還を要求している。

②ドナウ川 H2…ドイツのシュヴァルツヴァルトを源流に，東に流れて黒海に注ぐ国際河川。ウィーン，ブダペストなど中・東欧の主要都市を流れている。

ヨーロッパ

エーゲ海 H-I3…ギリシャとトルコの間にあり，大小3000の島々がある。エーゲ文明の発祥地で，景観にも恵まれているため，世界中から観光客が訪れる。

④イスタンブール I2…アジアとヨーロッパにまたがるトルコ最大の商業都市。東ローマ（ビザンツ）帝国，オスマン帝国時代の遺跡が混在する観光都市でもある。

⑤北マケドニア H2…2019年国名変更。マケドニアは古代王国を由来とする地域名称で，地域の約5割を占めるギリシャは一貫して「マケドニア」の国名使用に反対していた。

0　50　100km
1 : 6 000 000　正距円錐図法

読図のヒント　p.6の「地図帳の凡例世界」の領土記号も参考にして，アフリカ大陸にあるスペインの都市を探そう。

地名解説
自然
産業
歴史
社会

❶ バスク地方 E3…インド・ヨーロッパ語族と系統が異なるバスク語を話す人々が多く住む。ゲルニカはスペイン内戦時，ドイツの無差別攻撃を受けた。ピカソの絵でも有名。

❷ リアスバハス海岸 A3…山地や丘陵が沈水した谷に海水が浸入してできた海岸。入り組んだ海岸が特徴で「リアス海岸」の語源。

❸ カタルーニャ F3…独自の文化や言語をもつ。2010年以降スペインからの独立を求める動きがさかんになり，2017年に行われた独立を問う住民投票では賛成が9割に達した。

❹ セウタ C7…地中海に面するモロッコ国内にあるスペイン領。地中海の出入口にあたり軍事拠点であるため，スペインは返還に応じていない。

② アルプス
― 鳥瞰図 ―

メンヒ山 4099
ユングフラウ山 4158
モンテローザ山 4634
アイガー山 3970
マッターホルン山 4478
モンブラン山 4810

ツェルマット　シャモニー
マルティニ
ヨーロッパ
ラロシュ
ジュネーヴ
インターラーケン
トゥーン湖
ブリエンツ湖
トゥーン
レマン湖
ローザンヌ
フリブール
ベルン

③ スイス
1:1 800 000
0　　50km

スイス連邦
SWISS CONFEDERATION

フランス共和国
FRENCH REPUBLIC

ドイツ連邦共和国
FEDERAL REPUBLIC OF GERMANY

オーストリア共和国
REPUBLIC OF AUSTRIA

リヒテンシュタイン公国
PRINCIPALITY OF LIECHTENSTEIN

イタリア共和国
ITALIAN REPUBLIC

水河特急　おもな観光特急

---

⑤ **ラショードフォン** ③B1…隣接するルロクルとともに2009年時計製造業の代表的都市として世界文化遺産に登録される。町並みはスイス国定重要文化財。

⑥ **ベルン** ③C2…13万人が住むスイスの首都。荘厳な大聖堂などがあり、中世ヨーロッパの町並みが残されている点が評価され、1983年に旧市街地が世界遺産に登録された。

⑦ **氷河特急** ③D-E2…サンモリッツからツェルマットまでを8時間で結ぶ観光列車。1930年に開通し、アルプスの名峰、山間の急流や渓谷を車窓から眺めることができる。

⑧ **ダヴォス** ③E2…アルプスのリゾート地。毎年世界の政財界や学界の有識者が集まり、世界経済フォーラム年次総会（ダヴォス会議）が開催されている。

⑨ **マッターホルン** ③C3…スイスとイタリアの国境に位置する4478mの岩山。氷河地形のホーンの代表的な山で、険しい峰のため、19世紀半ばまで霊峰として畏れられていた。

オークニー諸島
Orkney Is.
新石器時代遺跡

北海
North Sea

グレートブリテン島
Great Britain

アイルランド島
Ireland

北アイルランド
NORTHERN IRELAND

グレートブリテン
及び北アイルランド連合王国
UNITED KINGDOM OF GREAT BRITAIN
AND NORTHERN IRELAND

アイルランド
IRELAND

アイリッシュ海
Irish Sea

ウェールズ
WALES

イングランド
ENGLAND

アラン諸島
Aran Is.

ヘブリディーズ諸島

ハイランド
Highland

スコットランド
SCOTLAND

サザン高地
Southern Uplands

ペニン山脈

カンブリア山地
Cumbrian Mts.

湖水地方
Lake District

カンブリア山脈
Cambrian Mts.

マンチェスター
Manchester

バーミンガム
BIRMINGHAM

ロンドン
LONDON

イギリス海峡
English Channel

ブリストル海峡
Bristol Ch.

コーンウォール半島
Cornwall

地名解説
自然
産業
歴史
社会

❶ 北海 F-G2…浅堆（バンク）が分布する好漁場。北海油田の開発により，国際的な境界が決められている。（→p.37）

❷ スコットランド D-E2…2014年にイギリスからの独立を問う住民投票が行われたが，反対票が過半数を占め残留が決まった。

❸ グレートブリテン及び北アイルランド連合王国 C-E3…イギリスとよばれるが，イングランド，ウェールズ，スコットランド，北アイルランドからなる。独自の言語や紙幣をもつところも…

❹ ストックトン～ダーリントン F3…1825年スティーヴンソンによる蒸気機関車が貨車と客車を引いて世界初の試験走行に成功した。

❺ マンチェスター E4…産業革命によって，ランカシャー地方最大の綿工業都市となる。19世紀イギリス自由主義運動の中心地。

❻ ユーロトンネル G5…英仏間のドーヴァー海峡を横切る海底トンネル。ロンドンとパリ，ブリュッセルを結ぶユーロスターが…

②図のポイント　②図を見て、スカンディナヴィア半島の西岸に広がる海岸地形の特徴を読み取ろう。

イェーテボリ　②C4…スウェーデンの南西部に位置し、港湾都市として産業が発達。世界有数の自動車会社の本社と工場がある。

⑦ルレオ　②E2…キルナ鉱山などから産出される鉄鉱石の積出港。冬季はボスニア湾が凍結するため、鉄鉱石は不凍港であるノルウェーのナルヴィクから輸出される。

⑩オンカロ最終処分場　②E3…世界初の高レベル放射性廃棄物の最終処分施設で、2020年代運用開始予定。原子力発電所から出る使用済み核燃料を、10万年先まで地下深くに密閉する。

⑧ソグネフィヨルド　②A3…U字谷の沈水によって形成された数多くの細長い湾が複雑に伸びる。世界最深（約1300m）・最長（約200km）のフィヨルドである。

⑪カリーニングラード　②E5…第二次世界大戦後、ドイツからソ連領となった。ソ連構成国のリトアニアが1990年に独立したため、現在はロシア連邦の飛地である。

地名解説
自然　産業
歴史　社会

❶ チョルノービリ（チェルノブイリ）F3…1986年，原子力発電所で事故が発生し，放射性物質が広範囲に拡散した。周囲30kmは立ち入り禁止地域となり，周辺国にも深刻な影響を与えた。（→p.135）

❷ プラハ B3…1968年，自由化政策を進めるチェコスロバキアに，ワルシャワ条約機構が軍事介入を行った。冷戦時代の象徴的事件とされる。

ヨーロッパ

陸高と
水深（m）
4000
3000
2000
1000
500
200
海面下
200
1000
2000

0　　200　　400km
1 : 15 000 000
正距円錐図法

中央シベリア高原
Sredne Sibirskoye Plosk.
シベリア
Siberia

北極圏
サハ共和国
REPUBLIC OF SAKHA

チェルスキー山脈
Khr. Cherskogo

極東

カムチャツカ半島
Kamchatka

ヴェルホヤンスク山脈
Verkhoyanskiy Khr.

ロシア連邦
RUSSIAN FEDERATION

ヤクーツク
Yakutsk

ヤクーツク盆地

オホーツク海
Sea of Okhotsk

ブリヤート共和国
BURYAT REPUBLIC

アルダン高原
Aldanskoye Nagor'ye

ハバロフスク地方
Khabarovsk Kray

シャンタル諸島
Shantarskiye Os.

スタノヴォイ山脈
Stanovoy Khr.

樺太（サハリン）
Sakhalin

モンゴル
MONGOLIA

大シンアンリン山脈

中華人民共和国
PEOPLE'S REPUBLIC OF CHINA

ハルビン
哈爾濱

ウラジオストク
Vladivostok

ナホトカ
Nakhodka

シホテアリン山脈
Sikhote-Alin'

千島（クリル）列島
Kuril'skiye

ペキン
北京

チャンチュン
長春

ソウル
朝鮮民主主義
人民共和国
DEMOCRATIC PEOPLE'S
REPUBLIC OF KOREA

大韓民国
REPUBLIC OF KOREA

ピョンヤン
平壌

日本国
JAPAN

奥羽山脈

大和堆

日本海
Japan Sea

チンタオ
青島

黄海
（ホワンハイ）
Yellow Sea

伊豆諸島

太平洋
PACIFIC OCEAN

この図の範囲

陸高水深
3000
2000
1000
500
200
0
1000
2000
4000
6000
8000

地名解説
自然　産業
歴史　社会

① アムール川 C2…中国とロシアの国境付近を流れる国際河川。未確定国境が2008年に画定し、2020年には中国とロシアが共同で建設した橋が開通した。

② 樺太（サハリン）E2…大陸棚の油田・ガス田開発が行われている（サハリン開発）。日本の商社も参加しており、外国資本による大型開発プロジェクトとなっている。

③ ウラジオストク D3…不凍港でロシア極東地域における玄関口。ソ連時代は極東艦隊の拠点であったため、19__年までは外国人の立ち入りが禁止されていた。

0　500　1000km

北極点

ボーフォート海
クイーンエリザベス諸島
エルズミーア島
カーナック
スヴァールバル諸島
流氷の限界
ヤンマイエン島〔Jan Mayen〕
モスクワ
ロシア連邦

アラスカ半島
グリーンランド〔デ〕
バフィン島
ギュンビョルン山 3700
アイスランド
レイキャビク
フェロー諸島
オークニー諸島
ヘルシンキ
オスロ
ストックホルム
コペンハーゲン
ハンブルク
ベルリン
ワルシャワ
ウィーン

カ　ナ　ダ
CANADA
エドモントン
ウィニペグ
グレートプレーンズ
ラブラドル半島
ローレンシア台地
ニューファンドランド島
カボット〔1497～98年〕
アイルランド
ダブリン
イギリス
ロンドン
パリ
フランス
ドイツ
ブダペスト
ベオグラード
ローマ
イタリア
ダマスカス
アンマン

バンクーヴァー
シアトル
ロッキー山脈
アメリカ合衆国
UNITED STATES OF AMERICA
オタワ　モントリオール
シカゴ
ニューヨーク
NEW YORK
ワシントンD.C.
アパラチア山脈
マドリード
スペイン
ポルトガル
リスボン
アルジェ
チュニス
トリポリ
リビア砂漠
カイロ

サンフランシスコ
ロサンゼルス
LOS ANGELES
中央平原
大西洋
アゾレス諸島〔ポ〕
サンタマリア島
ザンビーク
マディラ諸島〔ポ〕
カサブランカ
モロッコ
MOROCCO
アトラス山脈
アハガル高原
サハラ砂漠
SAHARA
リビア
LIBYA

チワワ
ヒューストン
ニューオーリンズ
フロリダ半島
メキシコ湾
バミューダ諸島〔イ〕
コロンブス〔1492～93年〕
北回帰線
西サハラ
アルジェリア
ALGERIA
マリ
ニジェール

メキシコ
MEXICO
グアダラハラ
メキシコシティ
MEXICO CITY
ユカタン半島
ハバナ　キューバ
HAVANA　CUBA
ジャマイカ
JAMAICA
西インド諸島
ヴェルデ岬〔1500年〕
カーボベルデ
CABO VERDE
プライア
ヴェルデ岬諸島
ダカール　セネガル
SENEGAL
ヌアクショット
モーリタニア
MAURITANIA
ナイアメ
バマコ
ナイジェリア
NIGERIA
アブジャ

アカプルコ
グアテマラ
グアテマラシティ
エルサルバドル
ハイチ
キングストン
サントドミンゴ
ドミニカ共和国
エルプエルトリコ海溝
ビサウ
ギニアビサウ
コナクリ
ギニア
コートジボワール
ガーナ
アクラ
ラゴス
カメルーン
CAMEROON
ヤウンデ

ホンジュラス
テグシガルパ
マナグア
ニカラグア
サンホセ
コスタリカ
COSTA RICA
パナマ
PANAMA
パナマシティ
カラカス
ベネズエラ
VENEZUELA
トリニダード・トバゴ
ジョージタウン
ガイアナ
パラマリボ
スリナム
ギアナ
モンロビア
リベリア
LIBERIA
アビジャン
ヤムスクロ
リーブルビル
ガボン
ギニア湾

ボゴタ
BOGOTA
コロンビア
COLOMBIA
オリノコ川
キト
QUITO
エクアドル
ECUADOR
チンボラソ山 6310
赤道
ガラパゴス諸島〔エクアドル〕
イサベラ島
アマゾン川
マナオス
ベレン
ブラジルの大西洋岸諸島
フォルタレーザ
ロマンシュ海淵
Romanche Gap
7728
コンゴ共和国
カビンダ〔アンゴラ〕
ルアンダ
LUANDA

太平洋
PACIFIC OCEAN
東太平洋海嶺
ペルー
PERU
セルバ
ブラジル
BRAZIL
ブラジル高原
レシフェ
サルヴァドル
アセンション島〔イ〕
Ascension
大西洋中央海嶺
アンゴラ
ANGOLA

リマ
LIMA
ペルー海溝
アンデス山脈
ラパス
LA PAZ
ボリビア
BOLIVIA
チチカカ湖
ブラジリア
BRASILIA
カンポ
リオデジャネイロ
RIO DE JANEIRO
サンパウロ
SÃO PAULO
トリンダデ島〔ブラジル〕
Trindade
南回帰線
セントヘレナ島〔イ〕
St. Helena
ウィントフック
ナミビア
NAMIBIA

ラ・ギメス島〔チリ〕
Sala y Gómez
サンフェリクス島〔チリ〕
チリ
CHILE
チリ海溝
グランチャコ
パラグアイ
PARAGUAY
アスンシオン
カブラル〔1500～02年〕
南アフリカ共和国
REPUBLIC OF SOUTH AFRICA
ケープタウン
CAPE TOWN
喜望峰
アガラス岬

フアンフェルナンデス諸島〔チリ〕
マゼラン〔1519～21年〕
アコンカグア山 6959
サンティアゴ
SANTIAGO
ブエノスアイレス
BUENOS AIRES
モンテビデオ
MONTEVIDEO
ウルグアイ
URUGUAY
パンパ
アルゼンチン
ARGENTINA
パタゴニア
地球の正反対側に置いた日本（対蹠点）
トリスタンダクーニャ諸島〔イ〕
Tristan da Cunha
大西洋中央海嶺
ゴフ及びインアクセシブル島
ゴフ島
Gough

（m）
6000
4000
2000
1000
500
200
海面下
200
1000
2000
4000
6000
8000
流氷の限界

チロエ島
チチャ島
フエゴ島
オルノス岬
フォークランド諸島
（マルビナス諸島）
サウスジョージア島
South Georgia

40°
ウェリントン島
年間氷結している範囲
アレクサンダー島
サウスサンドウィッチ諸島
South Sandwich
サウスオークニー諸島
South Orkney
60°

高木岬
南極半島
南極圏
ヴィンソンマッシフ
4897
マリーバードランド
南極点
バークナー島
コーツランド
あすか基地
やまと山脈
昭和基地

変更線

読図のヒント　ヨーロッパから北アメリカ大陸西岸への航路は大航海時代と現代ではどのように変化しただろうか。マゼランの航路とp.61～62を見比べよう。

地名解説　自然｜産業｜歴史｜社会

④ **セントヘレナ島**　I6…イギリス領で、スエズ運河開通までは船舶交通の要衝だった。1815年のワーテルローの戦いで敗れたナポレオンが流され、1821年に没した地でもある。

⑤ **フォークランド諸島**　F-G8…20世紀までは航行の拠点として重要だった。1982年、領有権をめぐりアルゼンチンが侵攻し、イギリスとの間で戦争となった。

⑥ **昭和基地**　K-L9…1957年に開設され、気象などの観測が行われている。ほぼ年間を通して氷雪におおわれ、植生はないが、多種の生物がいる。

0　300　600　900km
1 : 26 000 000
ランベルト正積方位図法

②ハワイ諸島
③領土の変遷と行政区分

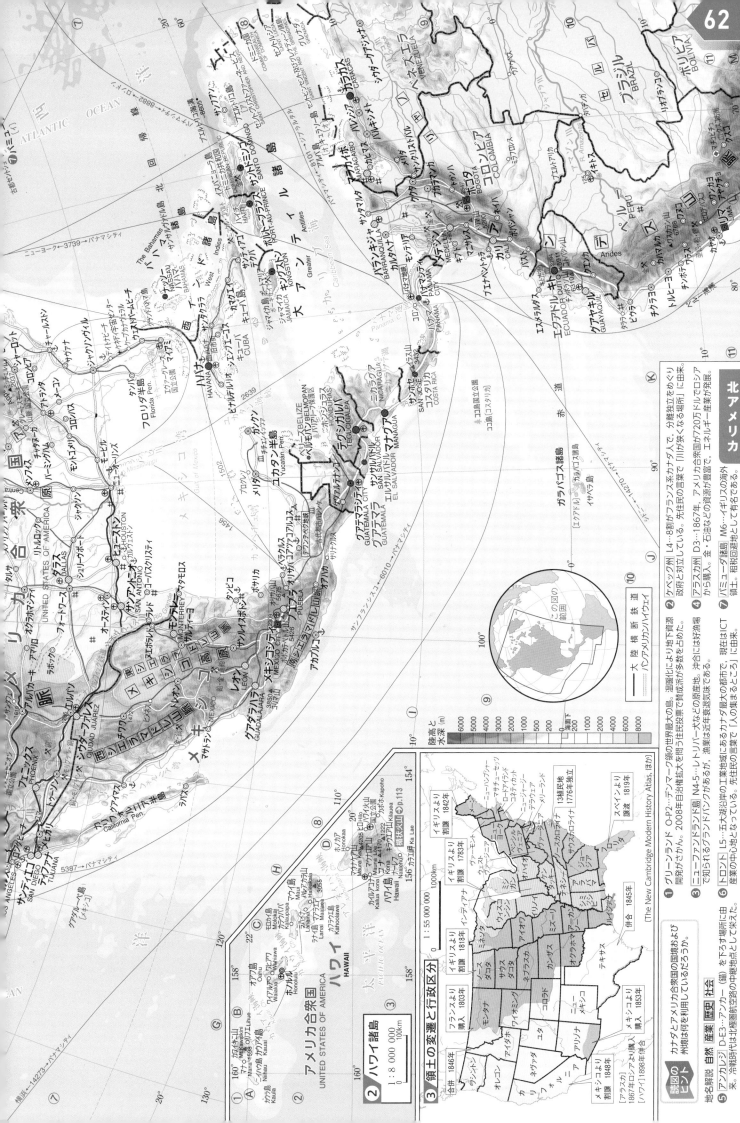

0　200　400km
1:14 000 000

陸高と
水深(m)
4000
3000
2000
1000
500
200
0
海面下
200
1000
2000
3000
4000
6000
8000

この図の範囲

国立公園
（赤文字）
パンアメリカンハイウェイ

CANADA カナダ

BRITISH COLUMBIA ブリティッシュコロンビア
ALBERTA アルバータ
SASKATCHEWAN サスカチュワン
MANITOBA マニトバ

ヴァンクーヴァー島 Vancouver I.
ヴァンクーヴァー Vancouver
ヴィクトリア Victoria
カルガリー CALGARY
レッドディア Red Deer
サスカトゥーン Saskatoon
レジャイナ Regina
ウィニペグ Winnipeg
ハドソンベイ Hudson Bay

WASHINGTON ワシントン
シアトル Seattle
タコマ Tacoma
オリンピア Olympia
スポケーン Spokane

OREGON オレゴン
ポートランド Portland
セーラム Salem
ユージーン Eugene

IDAHO アイダホ
ボイシ Boise

MONTANA モンタナ
ヘレナ Helena
ビリングズ Billings
グレートフォールズ

NORTH DAKOTA ノースダコタ
ビスマーク Bismarck
ファーゴ Fargo
グランドフォークス Grand Forks

SOUTH DAKOTA サウスダコタ
ピア Pierre
ラピッドシティ Rapid City
スーフォールズ Sioux Falls

MINNESOTA ミネソタ
ミネアポリス Minneapolis
セント St.

WYOMING ワイオミング
シャイアン Cheyenne
ロックスプリングズ

NEVADA ネヴァダ
カーソンシティ Carson City
リノ Reno
ラスヴェガス Las Vegas

UTAH ユタ
ソルトレークシティ Salt Lake City
プロヴォ Provo

NEBRASKA ネブラスカ
リンカーン Lincoln
オマハ Omaha
グランドアイランド Grand Island

IOWA アイオワ
デモイン Des Moin

CALIFORNIA カリフォルニア
サンフランシスコ San Francisco
オークランド Oakland
サクラメント Sacramento
サンノゼ San Jose
フレズノ Fresno
ベーカーズフィールド
ロサンゼルス Los Angeles
ロングビーチ Long Beach
サンバーナーディノ
パサデナ Pasadena
サンタバーバラ
サンディエゴ San Diego

COLORADO コロラド
デンヴァー Denver
コロラドスプリングズ Colorado Springs
プエブロ Pueblo
グランドジャンクション

KANSAS カンザス
トピカ Topeka
ウィチタ Wichita
カンザスシティ Kansas City

MISSOU ミズーリ
スプリングフィー Springfield

OKLAHOMA オクラホマ
オクラホマシティ Oklahoma City
タルサ Tulsa

ARIZONA アリゾナ
フェニックス PHOENIX
トゥーソン Tucson
フラッグスタッフ Flagstaff

NEW MEXICO ニューメキシコ
サンタフェ Santa Fe
アルバカーキ Albuquerque
ロズウェル Roswell
ラスクルーセス

TEXAS テキサス
エルパソ El Paso
ダラス DALLAS
フォートワース Fort Worth
オースティン Austin
ヒューストン HOUSTON
サンアントニオ SAN ANTONIO
ラボック Lubbock
アマリロ Amarillo
アビリーン Abilene
ウェーコ Waco
ビッグスプリング
コーパスクリスティ Corpus Christi
ラレド Laredo
ブラウンズヴィル Brownsville

ARKAN アーカンソー
リトルロック Little Rock

LOUISI ルイジアナ

UNITED STATES OF AMERICA アメリカ合衆国

UNITED MEXICAN STATES メキシコ合衆国

Sierra Madre Occidental 西シエラマドレ山脈
Sierra Madre Oriental 東シエラマドレ山脈

ティファナ TIJUANA
メヒカリ Mexicali
エンセナーダ Ensenada
シウダーフアレス CIUDAD JUAREZ
エルモシーヨ Hermosillo
チワワ Chihuahua
モンテレー MONTERREY
レイノサ Reynosa
マタモロス Matamoros
ヌエボラレド Nuevo Laredo
サルティーヨ Saltillo
トレオン Torreón
ドゥランゴ Durango
マサトラン Mazatlán
サカテカス
アグアスカリエンテス Aguascalientes
サンルイスポトシ San Luis Potosí
レオン LEON
グアダラハラ GUADALAJARA
テピク Tepic
タンピコ Tampico
シウダーマデロ
シウダービクトリア

Baja California カリフォルニア半島
Gulf of California カリフォルニア湾
C. San Lucas サンルカス岬
ラパス La Paz
ロレト Loreto

PACIFIC OCEAN 太平洋

Rocky Mts. ロッキー山脈
Colorado Plat. コロラド高原
Great Basin グレートベーズン
Coast Range 海岸山脈
Great Plains 大平原

イエローストーン国立公園
グランドキャニオン国立公園
ヨセミテ国立公園
グレートソルト湖 Great Salt Lake
Colorado川 コロラド川
Missouri川 ミズーリ川
Rio Bravo del Norte
Rio Grande リオグランデ川

ジョンソン宇宙センター

図のヒント グレートプレーンズを流れる河川はどの方向に流れているだろうか。

地名解説 自然 産業 歴史 社会

❶ イエローストーン D-E2-3…1872年に指定された世界最初の国立公園。多くの野生生物や火山性の大地，間歇泉などで有名。

❷ シカゴ I3…地名は「ネギのあるところ」に由来し，農作物の集散地として発展。現在でも穀物の相場を決める商品取引所がある。

❸ デトロイト J3…「モーターシティー」ともよばれていたが，自動車産業衰退に伴い市街地は荒廃。2013年に財政破綻に陥った。

北アメリカ

❹ ニューヨーク L3…世界の商業・経済・文化の一大中心地で，「ウォール街」には金融機関や証券取引所が集中する。

❺ ワシントンD.C. K4…D.C.はコロンビア特別区の略称。どの州にも属さない連邦政府の直轄地で，ホワイトハウスが街の中心に位置する。

❻ ヒューストン G6…メキシコ湾岸油田による石油化学工業がさかん。NASAのジョンソン宇宙センターがあり，航空宇宙産業も発展している。

❼ ニューオーリンズ H5-6…ミシシッピ川河口に位置し，市街地の大部分が海抜0m以下。仏領ルイジアナの首都として発達した。ジャズの発祥の地でもある。

【①図の①〜⑧の州名】
①ヴァーモント
②ニューハンプシャー
③マサチューセッツ
④ロードアイランド
⑤コネティカット
⑥ニュージャージー
⑦デラウェア
⑧メリーランド

❷ ワシントンD.C.

1:75 000　0　　　1km

コロンビア特別区 DISTRICT OF COLUMBIA （ワシントンD.C.）

業務中心地／高速道路
住宅地／鉄道
公園・緑地／地下鉄
公共施設／桜並木
その他

[Diercke Weltatlas 2008, ほか]

① 北アメリカの鳥瞰図

5 おもな都市の標高

航空機産業
シアトル
セントヘレンズ山 2549
ヴァンクーヴァー
レーニア山 4392
カルガリー 1084

ロ

ツ

グ

シャスタ山 4317
フランクス山 4005
イエローストーン
デヴィルズタワー
ラシュモア山

レ

ア

キ

小麦の収穫

シエラネヴァダ山脈
米の収穫
サンフランシスコ
サンノゼ

グレートベースン

ソルトレークシティ 1289
エルバート山 4398
ロングズ山 4346
デンヴァー 1611

ー

ト

プ

ラスヴェガス
HOLLYWOOD
ロサンゼルス
ディズニーランド
サンディエゴ
ティファナ

アンテロープキャニオン
デスヴァレー
グランドキャニオン
セドナ
フェニックス
モニュメントヴァレー

ー

山

ウ
レ

センターピボット

エ
牛の肥育場

ー
ン
ズ

カ

太

平

洋

グアダルーペ島

カリフォルニア湾

西
シ
エ
ラ
マ
ド
レ
山
脈

シウダーファレス
エルパソ

メ
キ
シ
コ
高
原

脈

綿花の収穫

シェールガスの採掘

サンアントニオ 247

ダラ
182

東
シ
エ
ラ
マ
ド
レ
山
脈

モンテレー 515

---

② 気候

1:100 000 000
0   1000km

160
60
140
40
-10℃
0℃
10℃
40°
北回帰線
20°
20℃
28℃
-10℃ 年平均気温
10℃

年降水量 (mm)   0 250 500 1000 2000 3000

〔CRU資料，ほか〕

0° 120°   100°

---

③ 農業地域区分

1:40 000 000
0   1000km

〔Goode's World Atlas 2010〕

グレートスレーヴ湖
グレートベア湖
チャーチル
ハドソン湾
小麦（夏季）
ヨーロッパへ

非
農
業
地
帯

エドモントン
ウィニペグ湖
ヴァンクーヴァー
シアトル
日本・中国へ
（小麦・ズ麦）ポートランド
春小麦地帯
リジャイナ
ウィニペグ

酪
農
ケベック
モントリオール
オタワ
地

日本へ
（果実）
サンフランシスコ
A
放牧
Y
デンヴァー
冬小麦地帯
カンザスシティ

ニューヨーク
フィラデルフィア
ボルティモア
ワシントンD.C.
B

帯

とうもろこし・大豆地帯

ロサンゼルス
Y
地中海式農業
（灌漑農業）

放牧

混合農業
チャールストン
ヨーロッパへ
（綿花・たばこ）

企業的牧畜
（フィードロット）

ガルヴェストン
ニューオーリンズ
綿花地帯
ジャクソンヴィル
園芸農業

メキシコ湾

凡例:
春小麦
冬小麦
とうもろこし・大豆栽
混合農
地中海
園芸農
酪農
企業的
放牧（牧
綿花栽
たばこ
各種農
その他
非農業
Y 稲作
～ 1月の気
--- 最終霜の最大

ハドソン湾　アンガヴァ半島　ラブラドル海
ジェームズ湾
カエデ並木
ケベック
スペリオル湖　オタワ
大陸横断鉄道　モントリオール 35
プレーリードッグ
プ ミネアポリス 256 セントポール 中
とうもろこしの収穫
大陸横断鉄道 ミシガン湖 トロント 173 オンタリオ湖
オマハ 399 レ シカゴ 203 デトロイト 195 ナイアガラ滝
カンザスシティ イ エリー湖 クリーヴランド 製鉄所遺産 リンカンの演説(1863年)
央 自動車工場 ア ゲティスバーグ ニューヨーク 7
リ セントルイス 174 大豆の収穫 パ フィラデルフィア
小麦の収穫 ラ ワシントンD.C. 5
平 チ 岩倉使節団立寄地(1872年) ボストン 6
ア ミッチェル山 2037
山 大
原 脈 ペリーの出港地(1852年) ノーフォーク 西
ジョンソン宇宙センター 穀物エレベーター
外輪船 アトランタ 312 洋
ヒューストン オ ニューオーリンズ 綿花の収穫 北アメリカ
タンカー 海洋油田 ミシシッピ川 ウォルト・ディズニー・ワールド ケネディ宇宙センター クルーズ客船 バハマ諸島
メキシコ湾 フロリダ半島 マイアミ 4
オレンジの収穫

a ③図A—B間の断面図

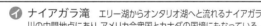

イ ナイアガラ滝　エリー湖からオンタリオ湖へと流れるナイアガラ川の中間地点にあり、アメリカ合衆国とカナダの国境にもなっている。

イエローストーン国立公園(ワイオミング州)　火山地帯に位置し、間歇泉や色彩豊かな熱水池が見られる。

ウ センターピボット(テキサス州)　地下水をくみ上げ、回転スプリンクラーで円形に散水する灌漑方式である。

地形

生活

自然

ステーキを運ぶ店員(テキサス州)　アメリカ合衆国は肉牛の飼育がさかんで、牛肉がよく食べられる。

オ ジャズの演奏(ニューオーリンズ)　アフリカ系の人々特有のリズムと、ヨーロッパ系の人々の西洋音楽が結びついてできた。

カ 住宅を襲う竜巻(オクラホマ州)　アメリカ合衆国中部では、竜巻避難シェルターが設置されている住宅も多い。

文化

災害

図の
ヒント　五大湖から川や海に繋がっている運河を探そう。

地名解説
自然　産業
歴史　社会

❶ ブレトンウッズ　G2…1944年，連合国国際通貨金融会議が開催された都市。ドルを基軸通貨とするブレトンウッズ協定が結ばれた。

❷ スリーマイル島　F2…1979年原子力発電所で放射能漏れ事故が発生。ワシントンD.C.から約150kmの距離に位置する。

❸ アトランタ　E4…ピードモント台地に位置する滝線都市として栄えた。五輪開催都市で，航空産業などが有名。

❷ ニューヨーク周辺
1:500 000　0　5km

- 中心地
- 市街地
- 工業地
- 公園・緑地
- その他
- 高速道路

-2019年-
〔Diercke Weltatlas 2008, ほか〕

❸ ニューヨーク中心部
1:65 000　0　1km

- 金融中心地
- 業務・商業中心地
- 公共施設
- 住宅地
- 工業地・港湾施設
- 公園・緑地
- 高速道路
- 鉄道
- 地下鉄

-2019年-
〔Diercke Weltatlas 2008, ほか〕

陸高と水深(m)
2000 1000 500 200 100 0 200 1000 2000 4000

国立公園（赤文字）

この図の範囲

北アメリカ

② グランドキャニオン ー鳥瞰図ー

グランドキャニオン・ヴィレッジ

マーサ ポイント

ブラト ポイント

サウスリム South Rim

ノースリム North Rim

グランドビュー ポイント

ウォタンズ スローン

フレイヤ キャッスル

ビッシュヌ テンプル

ジュピター テンプル

カリフォルニア コンドル

デザートビュー展望台

エルク

北

③ サンフランシスコ周辺

1：1 000 000　0　20km

サン・パブロ湾

サンラファエル
サンラファエル橋
リッチモンド
Richmond
コンコード
Concord

サン・パブロ貯水池

エルセリート

カリフォルニア大学
バークレー校
バークレー
Berkeley

ゴールデン
ゲートブリッジ
（金門橋）
アルカトラズ島
サンフランシスコ
オークランド
ベイブリッジ

フォートポイント

サンフランシスコ
San Francisco
サンフランシスコ動物園

オラクルパーク

オークランド
国際空港

アラメダ

ダブリン

太

ダリーシティ
Daly City

サンフランシスコ湾

ヘイワード
Hayward

パシフィカ

サウスサンフランシスコ

サンフランシスコ国際空港

文 カリフォルニア
州立大学

平

サンマテオ橋

フリーモント
Fremont

洋

レッドウッドシティ

ダンバートン橋

ハーフムーンベイ

サ

ン

タ

ク

ル

ー

ズ

山

地

スタンフォード大学

文

シリコンヴァレー

サニーヴェール
Sunnyvale
サンノゼ国際空港

サンタクララ
Santa Clara

サンノゼ
SAN JOSE

	市街地
	公園・緑地
	その他
───	鉄道
（地下）	

読図のヒント
グランドキャニオンを形作ったコロラド川を、河口から上流までたどろう。

地名解説　自然　産業　歴史　社会

❶ シアトル　B2…太平洋に面した交通・海上貿易の拠点。世界規模で展開するコーヒーチェーン店の発祥の地としても知られる。

❷ サンフランシスコ　B4…1951年に第二次世界大戦を終結させるための講和会議が開かれ、日米安全保障条約がこの地で結ばれた。

❸ シリコンヴァレー　B4…半導体，コンピュータ，情報技術産業の中心地の俗称。産学協同の研究機関など先端技術産業が集積している。

❹ ロサンゼルス　C5…ヒスパニックをはじめ多民族で構成される国内第2の都市。石油・電子・映画産業がさかん。

❺ ソルトレークシティ　D3…ユタ州の州都。キリスト教系の新興宗教であるモルモン教の本部が置かれる。

❻ ネヴァダ原子力実験場　C4…1951年に開設。大気中での核実験から地下実験，臨界前核実験など1000回近くの実験が繰り返されている。

❼ グランドキャニオン国立公園　D4…コロラド高原の隆起とコロラド川の侵食により深さ1600mの大渓谷が形成された。谷の高度により生態系も変化する。

④ ロサンゼルス ー鳥瞰図ー

サンガブリエル山地

2019年

ウィルソン山天文台

ウィルソン山
1747

ベーカーズフィールド

サンフェルナンドヴァレー

ローズボウル
パサディナ

ユニバーサル
スタジオ
グリフィス公園
天文台

サンタモニカ山地

ハリウッド
ハリウッド
ボウル
ドジャー
スタジアム

リトル東京
ダウンタウン
ユニオン駅
イーストロサンゼルス

ロデオドライブ
ロサンゼルス

カリフォルニア大学
ロサンゼルス校
（UCLA）

ビヴァリーヒルズ

ロサンゼルス
メモリアルコロシアム

南カリフォルニア
大学

サウスゲート

ダウニー

サンタモニカ

ザ・フォーラム

コンプトン

アナハイム

ディズニーランド

ロサンゼルス
国際空港

カリフォルニア
州立大学

レドンドビーチ

トランス

ロングビーチ

カリフォルニア
海軍航空基地

サンタアナ

太

サンペドロ

ターミナル島

平

クインシー号

パロスヴェルデス丘陵

ビセンテ岬

ロサンゼルス港

サンペドロ湾

サンセットビーチ

洋

	中心街
	住宅地
	工業地
	公園・緑地
───	鉄道
----	メトロレール

⑤ ロサンゼルスの居住区

1：1 700 000　0　15km

ロサンゼルス郡の境界

バーバンク
グレンデール
パサデナ
タウンタウン
アルハンブラ
サンタモニカ
サウスゲート

アナハイム
ロングビーチ

ローズ・ヒルズ
記念公園

フラートン

アナハイム
エンゼル
スタジアム

ロス・アラミトス
海軍航空基地

サンタアナ

サンディエゴ

おもな居住区
	ヨーロッパ系
	アフリカ系
	アジア系
	ヒスパニック

(Geographische Rundschau 1996.2)

サウスダコタ SOUTH DAKOTA

ネブラスカ NEBRASKA

カンザス KANSAS

テキサス TEXAS

ニューメキシコ NEW MEXICO

コロラド COLORADO

0　200　400km
1:15 000 000
ランベルト正積方位図法

❷メキシコシティ
❸パナマ運河

主な地名（地図上の表記）

アメリカ合衆国　UNITED STATES OF AMERICA
メキシコ合衆国　UNITED MEXICAN STATES
グアテマラ共和国　REPUBLIC OF GUATEMALA
エルサルバドル共和国　REPUBLIC OF EL SALVADOR
ベリーズ　BELIZE
ホンジュラス　HON...

カリフォルニア CALIFORNIA
ニューメキシコ NEW MEXICO
アリゾナ ARIZONA
テキサス TEXAS
オクラホマ OKLAHOMA
アーカンソー ARKANSAS
ミシシッピ MISSISSIPPI
ルイジアナ LOUISIANA
アラバ... ALABA...
テネ... TENN...

サンディエゴ SAN DIEGO
ティファナ TIJUANA
エンセナダ Ensenada
フェニックス PHOENIX
メヒカリ Mexicali
ツーソン Tucson
シウダーフアレス CIUDAD JUAREZ
エルパソ El Paso
ダラス DALLAS
フォートワース Fort Worth
ヒューストン HOUSTON
サンアントニオ SAN ANTONIO
オースティン Austin
ニューオーリンズ New Orleans
モントレー MONTERREY
ラレド Laredo
ブラウンズビル Brownsville
マタモロス Matamoros
レイノサ Reynosa
エルモシーヨ Hermosillo
ロスモチス Los Mochis
クリアカン Culiacán
ドゥランゴ Durango
トレオン Torreón
サルティーヨ Saltillo
マサトラン Mazatlán
サカテカス Zacatecas
アグアスカリエンテス Aguascalientes
グアダラハラ GUADALAJARA
レオン LEÓN
サンルイスポトシ San Luis Potosí
ケレタロ Querétaro
プエルトバヤルタ Puerto Vallarta
コリマ Colima
マンサニーヨ Manzanillo
メキシコシティ MEXICO CITY
ネツァワルコヨトル NEZAHUALCOYOTL
プエブラ PUEBLA
ベラクルス Veracruz
タンピコ Tampico
アカプルコ Acapulco
オアハカ Oaxaca
トゥストラグティエレス Tuxtla Gutiérrez
メリダ Mérida
カンペチェ Campeche
ユカタン半島 Yucatán Pen.
ベリーズ Belize
ベルモパン BELMOPAN
グアテマラシティ GUATEMALA CITY
サンサルバドル SAN SALVADOR
テグシガルパ TEGUCIGALPA
マナグ... MANAGU...

カリフォルニア半島 Baja California
西シエラマドレ山脈 Sierra Madre Occidental
東シエラマドレ山脈 Sierra Madre Oriental
メキシコ高原
南シエラマドレ山脈 Sierra Madre del Sur
リオグランデ川 Rio Grande
メキシコ湾 Gulf of Mexico
カンペチェ湾 B. de Campeche
太平洋 PACIFIC OCEAN
北回帰線
オリサバ山 5675
ポポカテペトル山 5426
テワンテペク湾 G. de Tehuantepec
テワンテペク地峡

---

❷ メキシコシティ —2011年—

1:800 000
0　　10km

シウダーロペスマテオス Ciudad López Mateos
ナウカルパンデフアレス Naucalpan de Juárez
エカテペック Ecatepec
チマルワカン Chimalhuacán
ネツァワルコヨトル Nezahualcoyotl
テスココ Texcoco
イスタパルカ Ixtaplaluca
チャルコ Chalco
ソチミルコ Xochimilco
アメカメカ Amecameca

標高(m)
4000
3500
3000
2500
2000

高級住宅地
一般住宅地
スラム
商業地
工業地
高速道路
●おもなバスターミナル
1500年頃のテスココ湖の湖岸線
メキシコシティに卓越する風向き

---

❸ パナマ運河 —鳥瞰図—

パナマ PANAMA
パナマシティ
コロン
ガトゥン湖
ガトゥン閘門
アグアクララ閘門
ペドロミゲル閘門
ミラフロレス閘門
ココリ閘門

2016年に水路拡張工事が完了。従来と比べて最大積載能力が約3倍の大型船も通過が可能になった。
ココリ閘門 新水路に作られた閘門

運河断面図

運河水面海抜26m
ガトゥン閘門
ペドロミゲル閘門
ミラフロレス閘門
カリブ海
ガトゥン湖
ミラフロレス湖
0　10　20　30　40　50　60

〔Diercke Weltatlas 2008, ほか〕

2000

000

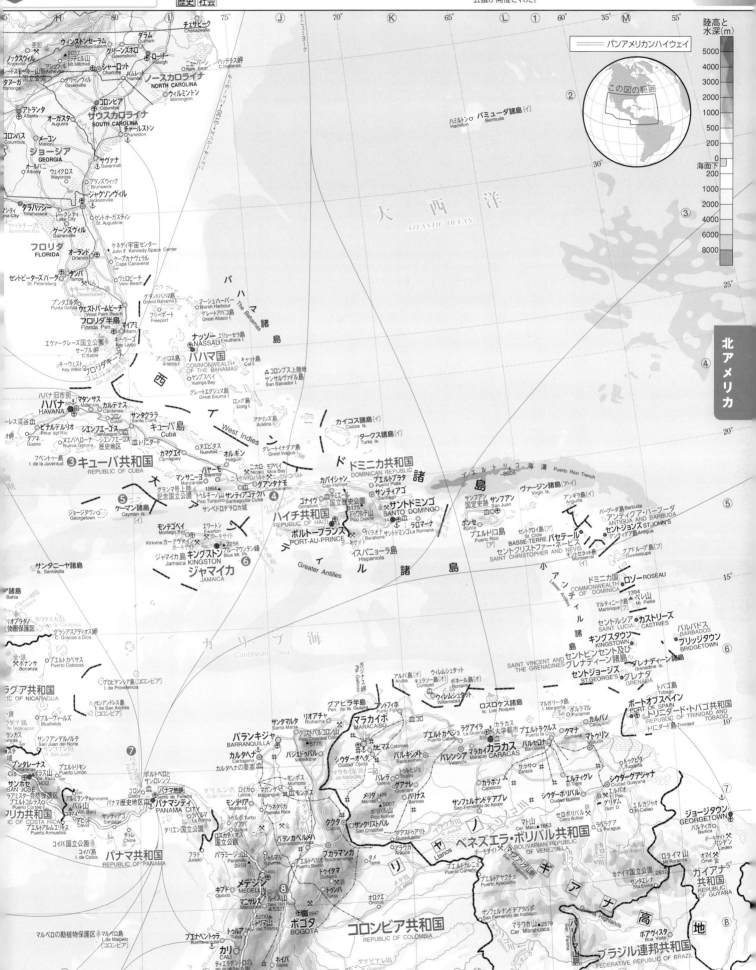

地図のヒント　太平洋とカリブ海，両方の海に面する国を探してみよう。

地名解説　自然　産業　歴史　社会

① ユカタン半島 F-G5…石灰岩からなる台地で，サバナ気候に属する。マヤ文明の遺跡が点在する。

② カンクン G4…カリブ海に面したリゾート地。WTO閣僚会議（2003年），COP16（2010年）などの国際会議が開催された。

北アメリカ

パンアメリカンハイウェイ

この図の範囲

陸高と水深(m)

キューバ H-I4…1962年，ソ連がキューバに建設した核ミサイル施設をめぐり，米ソ間の軍事的緊張感が増し，核戦争勃発の危機に瀕した。

ブルーマウンテン峰 I5…高級コーヒー"ブルーマウンテン"の産地。良質コーヒーの栽培に必要な「土壌」「気温」「雨量」「水はけ」「日照」で好条件が揃う。

④ グアンタナモ I4…1903年に，アメリカ合衆国がグアンタナモ湾周辺地域を永久租借し，軍事基地をおいた。

⑦ パナマ運河 H-I6-7…太平洋とカリブ海を結ぶ運河。1914年の開通以降アメリカ合衆国が管理していたが，1999年運河管理権がパナマに返還された。2016年に拡張工事が完了。

⑤ ケーマン諸島 H-I5…イギリスの海外領土。外国資本の企業に税制上の優遇措置をとる租税回避地として有名。

⑧ ルイス山 I8…コロンビアの首都ボゴタの西に位置する火山。1985年の噴火では，死者が2万人を超える大惨事となった。土石流や偽情報が被害を拡大させた。

ランベルト正積方位図法

1:21 000 000

0　200　400　600km

0　100　200　300km
1：16 000 000　ランベルト正積方位図法

主な国名・地域名

BOLIVARIAN REPUBLIC OF VENEZUELA
ベネズエラ・ボリバル共和国

REPUBLIC OF SURINAME
スリナム共和国

REPUBLIC OF GUYANA
ガイアナ共和国

ギアナ
GUIANA

REPUBLIC OF COLOMBIA
コロンビア共和国

REPUBLIC OF ECUADOR
エクアドル共和国

REPUBLIC OF PERU
ペルー共和国

THE PLURINATIONAL STATE OF BOLIVIA
ボリビア多民族国

FEDERATIVE REPUBLIC OF BRAZIL
ブラジル連邦

REPUBLIC OF PARAGUAY
パラグアイ共和国

REPUBLIC OF CHILE
チリ共和国

ARGENTINE REPUBLIC
アルゼンチン共和国

ウルグアイ東方共和国

主な地形

アマゾン盆地　Bacia Amazonica　AMAZONAS
セルバ　Selvas
ギアナ高地　Guiana Highlands
ロライマ　RORAIMA
アンデス山脈　Andes
アルティプラノ　Altiplano
マットグロッソ　MATO GROSSO
マットグロッソ高原　Plat. do Mato Grosso
ブラジル高原　Plat. do Brasil
パレシス山脈　Serra dos Parecis
パンタナール　Pantanal
グランチャコ　Gran Chaco
アタカマ砂漠　Salar de Atacama
パンパ　Pampas

主な都市

MEDELLÍN メデジン
BOGOTÁ ボゴタ
CALI カリ
QUITO キト
GUAYAQUIL グアヤキル
LIMA リマ
Callao カヤオ
LA PAZ ラパス
SANTA CRUZ サンタクルス
Sucre スクレ
MANAUS マナオス
Porto Velho ポルトヴェーリョ
ASUNCIÓN アスンシオン
SANTIAGO サンティアゴ
CÓRDOBA コルドバ
ROSARIO ロサリオ
BUENOS AIRES ブエノスアイレス
MONTEVIDEO モンテビデオ

水域

PACIFIC OCEAN 太平洋
Peru Trench ペルー海溝
Chile Trench チリ海溝
Lago Titicaca チチカカ湖

② **ブラジリア**　1：210 000
0 ────── 5km
[Diercke Weltatlas 2015, ほか]

凡例（ブラジリア）
- 業務・商業中心地
- 高層住宅地
- その他の住宅地
- 公共施設
- 官庁・大使館
- 工業地
- 公園・緑地
- 森林
- その他
- ---- 地下鉄
- 高速道路

─2019年─

南アメリカ

読図のヒント ①図の凡例「熱帯林」に注目し，熱帯林に囲まれた畑作地があるところを見つけてみよう。（→p.128⑧）

地名解説 自然 産業 歴史 社会

❶ セルバ C2…アマゾン川流域とその周辺に広がる熱帯林。ポルトガル語の「森林」に由来する。

❷ セラード E3…まばらな低木と草原からなるサバナ。「閉じられた」に由来し，低木により見通しがあまりきかない草原である。

❸ ブラジリア E3…内陸部開発の拠点として，ブラジル高原に建設された計画都市。1960年にリオデジャネイロより首都移転。

❹ パンタナール D3…世界最大級の熱帯性湿地。雨季には洪水により約8割が冠水するが，乾季には牛の放牧地帯となる。

❺ カンポ D4…ブラジル高原南部に広がる草丈の長い熱帯草原。セラードと異なり低木のない見通しのきく草原である。

❻ リオデジャネイロ E4…1992年に地球サミットが開催され，環境と開発に関するリオ宣言が合意された。2016年夏季オリンピック開催都市。

❼ パンパ C5…ブエノスアイレスを中心に広がる温帯草原。先住民の言葉で「草原」に由来する。肥沃な土壌に恵まれ農牧業がさかん。

❽ モンテビデオ D5…ウルグアイの首都。南米南部共同市場（MERCOSUR）やラテンアメリカ統合連合（ALADI）の本部がおかれる。

③ **リオデジャネイロ**　1：300 000
0 ────── 5km
─2019年─
[Diercke Weltatlas 2015, ほか]

凡例（リオデジャネイロ）
- 高級住宅地
- 中級住宅地
- 一般住宅地
- 商業地
- 工業地
- 森林・公園
- その他
- ---- 地下鉄
- ── 市 境
- ファベーラ（スラム）
- 警官が常駐するファベーラ
- 貧しい人たちの保護施設
- マラカナンスタジアム／オリンピックやワールドカップのおもな競技場
- 国立公園

読図のヒント	太平洋にあるおもな核実験場☢がある国を確認しよう。

地名解説 自然 産業 歴史 社会

① **ミッドウェー諸島** J3…太平洋戦争時にアメリカ合衆国が基地を置く。1942年のミッドウェー海戦で日本が敗北した。

② **ハワイ諸島** K3…世界有数のリゾート地。太平洋戦争は、1941年の日本軍によるオアフ島の真珠湾攻撃により始まった。

③ **グアム島** H4…太平洋地域におけるアメリカ海軍主力基地の所在地。観光地としても人気がある。

④ **ガラパゴス諸島** M-N5…エクアドル領で，独自の進化を遂げた固有種の動植物が多く，ダーウィンの進化論のヒントになった。

⑤ **ツバル** I5…標高は平均1.5m，最高地点でも約4mと低い。地球温暖化による海面上昇に伴い，近年，高潮被害が発生している。

⑥ **ムルロア環礁** K6…1995年，フランスが凍結していた核実験を再開。世界的な反核運動が広まり，1996年に終了した。

⑦ **ラパヌイ島** M6…一般に英語名のイースター島で知られるチリ領の島。先住民が残したモアイとよばれる巨大な石像がある。

⑧ **マダガスカル島** C6…世界第4位の面積の島。アフリカ州に属しているが，5世紀頃マレー系の人々が移住し，稲作文化がある。

78

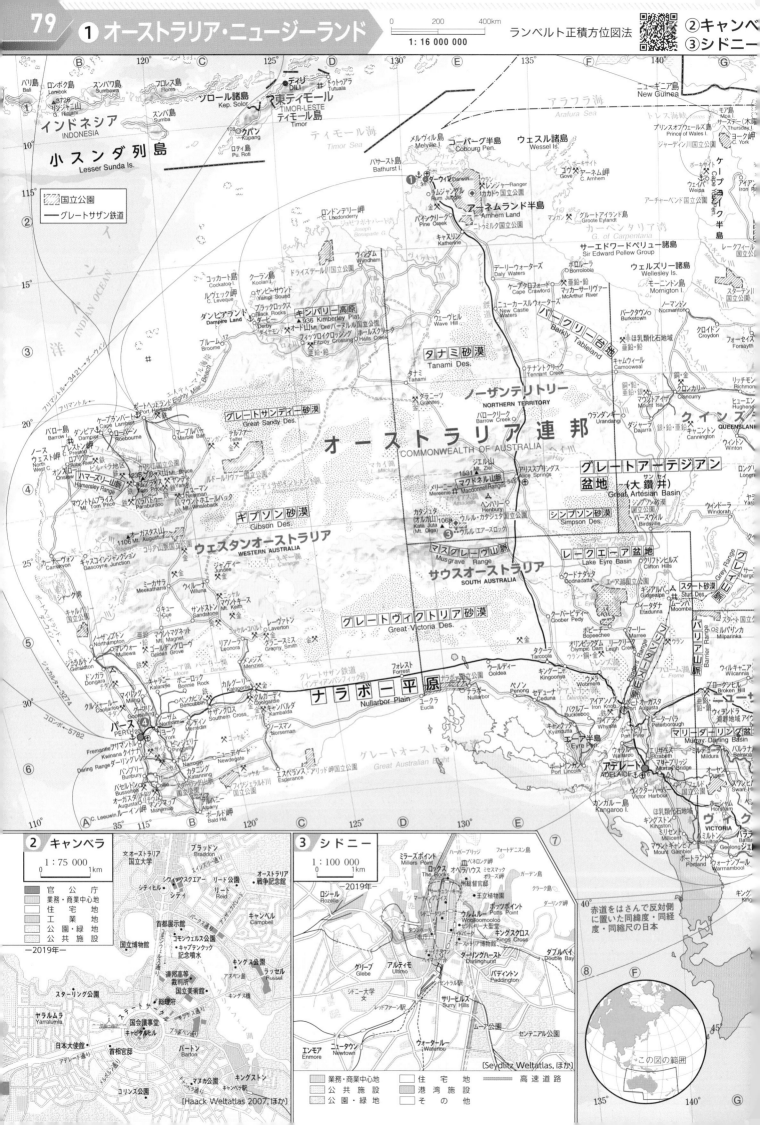

読図のヒント　オーストラリアとニュージーランドでそれぞれ一番標高の高い山を探そう。

地名解説　自然　産業　歴史　社会

① ダーウィン E2…アジアに近い位置にあるため多文化都市となっており、先住民アボリジニが人口に占める割合も高い。

② グレートバリアリーフ H-I3…全長約2000kmにもわたる世界最大のサンゴ礁（堡礁）で、世界自然遺産に登録されている。世界中から観光客が訪れる。

③ ウルル E5…エアーズロックともよばれ、世界で2番目に大きいとされる一枚岩。アボリジニの聖地でもある。

④ パース B6…オーストラリア西部の中心都市。グレートサザン鉄道で東部の大都市と結ばれる。

⑤ ワイラケイ地熱発電所 N7…1958年に稼働した、ニュージーランドで最も古い地熱発電所。周辺には火山帯に沿って地熱発電所が立地。付近には温泉観光地もある。

⑥ ウェリントン M8…ニュージーランドの首都。時差の関係で、世界のおもな外国為替市場の中でもっとも早い時間に取引が開始されることで有名。

⑦ ミルフォードサウンド L8…ニュージーランドでサウンドはフィヨルドの意。国内最大の国立公園内にあり、マオリ語の「テワヒポウナム」の名称で世界遺産となった。

ヴィクトリア山 Mt. Victoria 4073▲
オーエンスタンレー山脈 Owen Stanley Range
ポートモレスビー PORT MORESBY
ダントロカスト―諸島 D'Entrecasteaux Is.
ウッドラーク島 Woodlark I.
ファーガソン島 Fergusson I.
サマライ Samarai
ルイジアード諸島 Louisiade Arch.
ロッセル島 Rossel I.
タグラ島 Tagula I.

パプアニューギニア独立国 INDEPENDENT STATE OF PAPUA NEW GUINEA

ソロモン諸島 SOLOMON ISLANDS
マライタ島 Malaita
ホニアラ HONIARA
ガダルカナル島 Guadalcanal
マラマシケ島 Maramasike
サンクリストバル島 San Cristobal
レンネル島 Rennell
東レンネル島

サンタクルーズ諸島 Santa Cruz Is.
エンディニ島 Ndeni
ヴァニコロ島 Vanikoro

ポリネシア POLYNESIA
太
①
②
③

トレス諸島 Torres Is.
バンクス諸島 Banks Is.
サンタマリア島 Santa Maria I.

メラネシア MELANESIA
バヌアツ共和国 REPUBLIC OF VANUATU
エスピリトゥサント島 Espíritu Santo
ニューヘブリディーズ諸島 New Hebrides
マレクーラ島 Malakula
エピ島 Epi
首長ロイ・マタの地 Tanna
ポートビラ PORT VILA
エファテ島 Efaté
エロマンガ島 Erromanga
タナ島 Tanna

コーラル海（珊瑚海）Coral Sea

グレート大堡礁バリア Great Barrier Reef
堡礁 →p.116 ②
グレートバリアリーフ

ケアンズ Cairns
タリー Tully
ガーネット Garnet
タウンズヴィル Townsville
ボウエン Bowen
コリンズヴィル Collinsville 1277▲
ダルリンプル山 Mt. Dalrymple
ボウエン Bowen
マッカイ Mackay
クレルモン Clermont
マールバラ Marlborough
ロックハンプトン Rockhampton
カーティス島 Curtis I.
グラッドストン Gladstone
モウラ Moura
エメラルド Emerald
スプリングシュア Springsure

ノーサンバーランド諸島 Northumberland Is.
セント・マニフォルド岬 C. Manifold
サンディー岬 Sandy C.
ヘービー湾 Hervey Bay
フレーザー島 Fraser I.
メリーバラ Maryborough
バンダバーグ Bundaberg
ギンピー Gympie
マーゴン Murgon

チェスターフィールド諸島 Is. Chesterfield [フ]

ニューカレドニアの礁湖
ウヴェア島 Ouvéa
ロワイヨーテ諸島 Loyauté
リフ島 Lifou
ニューカレドニア島（ヌーヴェルカレドニ島）New Caledonia I. (Nouvelle Calédonie) [フ]
ヌーメア Nouméa
マレ島 Maré

南回帰線

チャールヴィル Charleville
ローマ Roma
セントジョージ St. George
ディランバンディ Dirranbandi
ムーニー Moonie
ウォリック Warwick
トゥウンバ Toowoomba
イプスウィッチ Ipswich
ブリズベン BRISBANE
ゴールドコースト Gold Coast
バイロン岬 C. Byron
リズモア Lismore

マンギンダイ Mungindi
モーリー Moree
アーミデール Armidale
ケンプシー Kempsey
グラフトン Grafton
ポートマクウォーリー Port Macquarie

グレートディヴァイディング山脈 Great Dividing Range

ニューイングランド山脈 New England Range

バリントン山 1585 Mt. Barrington

ウォルゲット Walgett
ニンガン Nyngan
ボーク Bourke

銀・鉛・亜鉛
銅・金

ニューサウスウェールズ NEW SOUTH WALES

ダボ Dubbo
パークス Parkes
バサースト Bathurst
ゴウラ Gowra
メイトランド Maitland
ニューカースル Newcastle
ウォレンゴン Wollongong
ポートケンブラ Port Kembla
シドニー SYDNEY
ボタニー湾 Botany Bay

リヴァプール山脈 Liverpool Range

ナランデラ Narrandera
ワガワガ Wagga Wagga
リートン Leeton
キャンベラ CANBERRA
首都特別地区
コジアスコ国立公園 Kosciusko National Park
アルバリー Albury
コジアスコ山 2229 Mt. Kosciusko
ボゴング山 1986 Mt. Bogong
ナマジ国立公園

ノーフォーク島［オー］Norfolk I.

ロードハウ諸島 Lord Howe Is.

オーストラリアアルプス山脈 Australian Alps
ボンバラ Bombala
オーボスト Orbost
スノーウィー川国立公園
ハウ岬 C. Howe

メルボルン MELBOURNE
バーンズデール Bairnsdale
ポートアルバート Port Albert
ウィルソン岬 Wilsons Promontory
ファーノー諸島 Furneaux Group
フリンダーズ島 Flinders I.

バンクス海峡 Banks Strait
ローンセストン Launceston
デヴォンポート Devonport
セントメアリーズ St. Marys

タスマニア TASMANIA
タスマニア島 Tasmania
ホバート Hobart

タスマン海 Tasman Sea

スリーキングス諸島 Three Kings Is.
ノース岬 North C.
オカイハウ Okaihau
カイタイア Kaitaia
ファンガレイ Whangarei
ダーガヴィル Dargaville

北島 North I.
オークランド AUCKLAND
コロマンデル半島 Coromandel Pen.
グレートバリア島 Great Barrier
マヌカウ Manukau
ハミルトン Hamilton
ワイトモ洞窟 Waitomo
ロトルア Rotorua
プレンティ湾 Bay of Plenty
イースト岬 East C.
タウランガ Tauranga
ワイラケイ地熱発電所
ニュープリマス New Plymouth
タラナキ（エグモント）山 Taranaki (Mt. Egmont)
ギズボーン Gisborne
ネーピア Napier
トンガリロ国立公園
ヘースティングス Hastings
ワンガヌイ Wanganui
パーマストンノース Palmerston North
マスタートン Masterton
ウェリントン WELLINGTON
ロワーハット Lower Hutt

ニュージーランド NEW ZEALAND

南島 South I.
フェアウェル岬 C. Farewell
ネルソン Nelson
ブレナム Blenheim
ウェストポート Westport
グレイマス Greymouth
ホキティカ Hokitika
アーサーズ峠 Arthur's P.
サザンアルプス山脈 Southern Alps
クック山 3724 Mt. Cook
カイクーラ Kaikoura
クライストチャーチ Christchurch
ミルフォードサウンド Milford Sound
テワヒポウナム
ティマル Timaru
オアマル Oamaru
クイーンズタウン Queenstown
ダニーデン Dunedin
インヴァカーギル Invercargill

チャタム諸島 Chatham Is. [ニュー]
チャタム島 Chatham I.

陸高と水深(m)
3000
2000
1000
500
200
海面下
200
1000
2000
4000
6000
8000

オセアニア

0　　　200　　　400km
1：9 000 000
ランベルト正積方位図法

陸高と
水深(m)
1000
500
200
海面下
200
1000
2000
4000

南回帰線

コーラル海
(珊瑚海)
Coral Sea

この図の範囲

グレートバリアリーフ
(大堡礁)
Great Barrier Reef

カーペンタリア湾
G. of Carpentaria

モーニントン島 140°
Mornington I.

ノーマントン
Normanton

バークタウン
Burketown

クイーンズランド
QUEENSLAND

スターテン川国立公園

ケアンズ
Cairns

クランダ
Kuranda

レーヴェンズホー
Ravenshoe

タリー
Tully

ピンチンブルック島
Hinchinbrook I.

フォーセイス
Forsayth

クロイドン
Croydon

マグネティック島
Magnetic I.

タウンズヴィル
Townsville

チャーターズタワーズ
Charters Towers

ボウエン
Bowen

ヒューエンデン
Hughenden

リッチモンド
Richmond

カムウィール
Camooweal

センチュリー
Century
亜鉛・鉛

ほ乳類化石地域

マウントアイザ
Mount Isa
銅・鉛
亜鉛・銀

クロンカリー
Cloncurry

アーネスト・ヘンリー
Ernest Henry
銅・金

ダジャラ
Dajarra

ウランダンギー
Urandangi

フォスフェイトヒル
Phosphate Hill
リン

コリンズヴィル
Collinsville
石炭

ダルリンプル山
Mt. Dalrymple
1277

マカイ
Mackay

ウィントン
Winton

マタバラ
Muttaburra

アラマック
Aramac

クレーモント
Clermont
金

マールバラ
Marlborough

C. マニフォルド
C. Manifold

ノーサンバーランド諸島
Northumberland Is.

ロングリーチ
Longreach

バーコールデン
Barcaldine

エメラルド
Emerald
石炭

スプリングシュア
Springsure

モウラ
Moura
石炭

ロックハンプトン
Rockhampton

カーティス島
Curtis I.

マウントモーガン
Mount Morgan

グラッドストン
Gladstone

マニフォルド岬
C. Manifold

グレートアーテジアン盆地
(大鑽井)
Great Artesian Basin

シンプソン砂漠
Simpson Des.

シンプソン砂漠国立公園

ヤラカ
Yaraka

タンボウ
Tambo

シオドー
Theodore

バンダバーグ
Bundaberg

ハーヴェイ湾
Hervey Bay

サンディー岬
Sandy C.

チルダーズ
Childers

フレーザー島
Fraser I.

バーズヴィル
Birdsville

ウィンドラ
Windorah

オーストラリア連邦
COMMONWEALTH OF AUSTRALIA

チャールヴィル
Charleville

クイルピー
Quilpie

メリーバラ
Maryborough

ギンピー
Gympie

マルーチドー
Maroochydore

ナンバー
Nambour

モートン島
Moreton I.

レークエーア盆地
Lake Eyre Basin

クリフトンヒルズ
Clifton Hills

ギジアルパ
Gidgealpa

ムーンバ
Moomba

サーゴミンダ
Thargomindah

カナマラ
Cunnamulla

ローマ
Roma

マイルズ
Miles

ドルビー
Dalby

トゥウンバ
Toowoomba

イプスウィッチ
Ipswich

ブリスベン
BRISBANE

チタン

ゴールドコースト
Gold Coast

スタート砂漠
Sturt Des.

スタート国立公園

セントジョージ
St. George

ゴンドワナ雨林

ガンディウィンディ
Goondiwindi

ディランバンディ
Dirranbandi

ウォリック
Warwick

リンセー山
Mt. Lindsay
1239

バイロン岬
C. Byron

リズモア
Lismore

エーア湖国立公園

サウスオーストラリア
SOUTH AUSTRALIA

ミルパリンカ
Milparinka

フリンダーズ山脈
Flinders Range

ウーラン
ビヴァリー
Beverley

バリア山脈
Barrier Range

ワネアリング
Wanaaring

ブレワリナ
Brewarrina

ウォルゲット
Walgett

モーリー
Moree

マンギンダイ
Mungindi

グレンイネス
Glen Innes

グラフトン
Grafton

ボピーチー
Bopeechee

マリー
Marree

リーグクリーク
Leigh Creek

バーク
Bourke

ナラブライ
Narrabri

アーミデール
Armidale

コフスハーバー
Coffs Harbour

トレンズ湖
L. Torrens

ブロークンヒル
Broken Hill
亜鉛・鉛・銀

ウィルキャニア
Wilcannia

コバー
Cobar
銅・亜鉛

ニンガン
Nyngan

ギルガンドラ
Gilgandra

タムワース
Tamworth

ケンプシー
Kempsey

ポートクウォーリー
Port Macquarie

アイアンノブ
Iron Knob
鉄

ポートオーガスタ
Port Augusta

ピーターバラ
Peterborough

アイヴァンホー
Ivanhoe

ニューサウスウェールズ
NEW SOUTH WALES

ウェリントン
Wellington
銅・金

コンドブリン
Condobolin

リヴァプール山脈
Liverpool Range

バリントン山
Mt. Barrington
1585

テーリー
Taree

ワイアラ
Whyalla

ポートピリー
Port Pirie

マリーダーリング盆地
Murray Darling Basin

ウィランドラ湖群地域

ダボー
Dubbo

パークス
Parkes

オレンジ
Orange

キャディアヒル
Cadia Hill
金

バサースト
Bathurst

オベロン
Oberon

囚人遺跡群

セスノック
Cessnock
石炭

マイトランド
Maitland

ニューカッスル
Newcastle

ウォラルー
Wallaroo

エリザベス
Elizabeth

マリーブリッジ
Murray Bridge

ミルデューラ
Mildura

ヘイ
Hay

グリフィス
Griffith

リートン
Leeton

ナランデラ
Narrandera

フォーブズ
Forbes

カウラ
Cowra

ブルーマウンテンズ地域

ブルーマウンテンズ国立公園

コスフォード
Gosford

シドニー
SYDNEY

オペラハウス

ウロンゴン
Wollongong

ポートケンブラ
Port Kembla

アデレード
ADELAIDE

ヴィクターハーバー
Victor Harbour

バルラナルド
Balranald

オーエン
Ouyen

デニリクイン
Deniliquin

グルバーン
Goulburn

ヤス
Yass

ニューラ
Newra

カンガルー島
Kangaroo I.

キングストン
Kingston

スワンヒル
Swan Hill

ワガワガ
Wagga Wagga

キャンベラ
CANBERRA
(首都特別地区)
575

モリャ
Moruya

ミリセント
Millicent

ホーシャム
Horsham

イーチューカ
Echuca

シェパートン
Shepparton

ワンガラッタ
Wangaratta

アルバリー
Albury

コジアスコ国立公園

コジアスコ山
Mt. Kosciuszko
2229

ボンバラ
Bombala

ワイペフィールド国立公園

ベンディゴ
Bendigo

小ゴッグ山
Mt. Bogong
1986

ブラ山
Mt. Buller
1804

ビーガ
Bega

ベアンズデール
Bairnsdale

スノーウィー川国立公園

C. Howe
ハウ岬

マウントギャンビア
Mount Gambier

ほ乳化石地域

アララト
Ararat

バララト
Ballarat
1324

王立展示館と
カールトン庭園

ヴィクトリア
VICTORIA

オーストラリアアルプス山脈
Australian Alps

メルボルン
MELBOURNE

モーウェル
Morwell
石炭

ポートアルバート
Port Albert

モー
Moe

オーボスト
Orbost

ポートランド
Portland

ワーナンブール
Warrnambool

コラック
Colac

ジェロング
Geelong

ウォンサギー
Wonthaggi

ウィルソン岬
Wilsons Promontory

キングフィッシュ
Kingfish

オトウェイ岬
C. Otway

タスマン海

1 北極

おもな探検ルート凡例
- 年間氷結している範囲
- おもな気象観測所
- 流氷の限界

おもな探検ルート
- ベーリング（ロシア）1728年）
- ノルデンショルト（スウェーデン）のベガ号（1878〜79年）
- ナンセン（ノルウェー）のフラム号（1893〜96年）
- アムンゼン（ノルウェー）のヨーア号（1903〜06年）
- ピアリー（アメリカ合衆国）1909年）
- アムンゼン（ノルウェー）のノルゲ号（飛行船）（1926年）
- 植村直己（日本）（1978年）

ラブラドル海
ハドソン湾
グレートスレーヴ湖
カナダ
ロッキー山脈
150°W
ラブラドル半島
イエローナイフ
ホワイトホース
5959 ローガン山
バフィン島
サマセット島
2540 植村山
メーク○
ゴットホープ
北極圏（66 33 89 N）
クインエリザベス諸島
カーナック（チューレ）
エルズミーア島
アンカレジ○
6190 ▲デナリ（マッキンリー）山
アメリカ合衆国
アラスカ
アラスカ半島
アリューシャン列島
太平洋
C

レイキャビク
グリーンランド（デ）
アイスランド
ボーフォード海
ウトキアグヴィク（バロー）
ノーム
チュコト半島

大西洋
アイルランド
ダブリン
イギリス
③ ロンドン
フランス
パリ
オランダ
スイス
ドイツ
ベルリン
ノルウェー
オスロ
スウェーデン
ストックホルム
フィンランド
ヘルシンキ
トロムセー
ムルマンスク
ラトビア
リガ
ベラルーシ
ミンスク
ポーランド
ワルシャワ
ハンガリー
チェコ
①
イタリア
ルーマニア
ブカレスト
トルコ
E
黒海
カザフスタン
ドニプロ
キーウ（キエフ）
ウクライナ
ロシア連邦
モスクワ
ウラル山脈
エカテリンブルク
オビ川
ノリリスク
ヤクーツク
60°E
G
90°E
120°E 中国
F

北磁極 +（2021年）
スヴァールバル諸島
ゼムリャフランツァヨシファ
セーヴェルナヤゼムリャ
ノヴァヤゼムリャ
カラ海
タイミル半島
エニセイ川
レナ川
北極点
1909年4月6日、アメリカのピアリーが初到達
80°N
ウランゲリ島
日付変更線

陸高と水深（m）
4000
3000
2000
1000
500
200
海面下
200
1000
2000
3000
4000
6000
8000

カムチャツカ半島
ペトロパブロフスク=カムチャツキー
千島列島
樺太（サハリン）
札幌
日本

オセアニア・両極

2 南極

60°E
90°E
120°E
オーストラリア
メルボルン回

南極海
タスマニア島
150°E

ミールヌイ基地
×鉄（ロシア）
南極圏（66°33′39″S）
+南磁極（2021年）
クインメリーランド
ウィルクスランド
ヴィクトリアランド

ランバート氷河
アメリカ高地
エンダービーランド
▲3355 メンジス山
×鉄
×鉄
昭和基地 B
1957年開設 日本初の南極観測基地
オングル島
みずほ基地 1978〜1986年
やまと山脈
あすか基地 1985〜1992年
ドームふじ基地 1995年開設
×鉄 クインモードランド
1911年12月14日、ノルウェーのアムンゼンが初到達
ついで1912年1月17日、イギリスのスコットが到達
②
①
南極高原
コーツランド
×鉄
×鉄
南極点
アムンゼン・スコット基地（アメリカ合衆国）

3488 ヴォストーク基地（ロシア）
80°S
2140 永田山
4350 マーカム山
クマード基地
×鉄
3794 ロス島 エレバス山
バレニー諸島
ニュージーランド
南島
クライストチャーチ

ロス棚氷
日付変更線
180°

ベルグラーノII基地（アルゼンチン）
バークナー島
ロンネ棚氷
4897 ヴィンソンマッシーフ
エルズワースランド
パーマーランド
高木岬
サウスオークニー諸島
サウスジョージア島
エドゥアルド・フレイ・モンタルバ基地（チリ）
フォークランド諸島（マルビナス諸島）
アルゼンチン
エコ島 チリ

ルーズヴェルト島
大和雪原
マリーバードランド
A
シャルコー島
アレクサンダー島
南極半島
ドレーク海峡
南極海

陸高と水深（m）
3000
2000
1000
500
200
0
2000
6000
8000

凡例
- 棚氷の範囲
- 年間氷結している範囲
- おもな観測基地
- 日本の観測基地
- ×鉱産資源の所在地

おもな探検ルート
- アムンゼン（ノルウェー）（1911〜12年）
- スコット（イギリス）（1911〜13年）
- 白瀬矗（日本）（1910〜12年）
- イギリス隊（1957〜58年）
- ソ連隊（1959〜60年）
- アメリカ隊（1960〜61年）
- 日本隊（1967〜69年）

流氷の限界
大西洋
J
③
I
ウェッデル海

3 南極大陸の断面図
※A—Bは西経140度線〜東経40度線

0　1000km
ドームふじ基地 ▼（日本）
A
B
5000 4000 3000 2000 1000 0m -1000 -2000 -3000 -4000 -5000

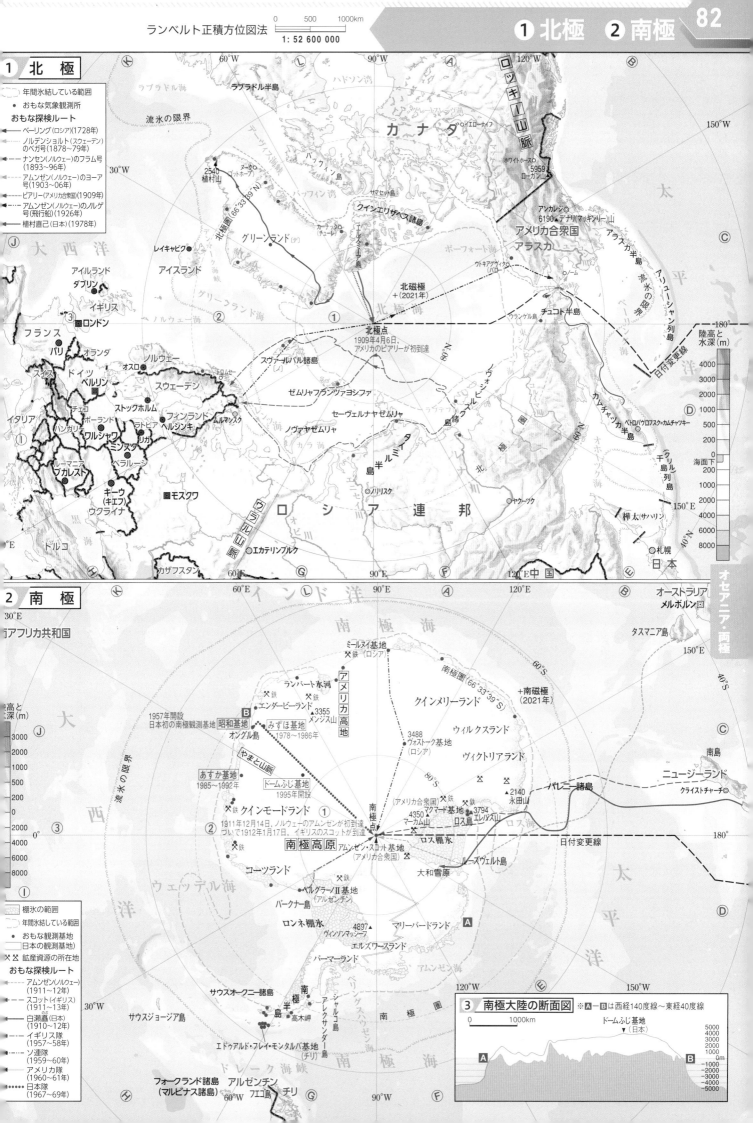

※p.83〜84，85〜86の近隣の国・地域の都市記号は，日本編の都市記号を適用している。

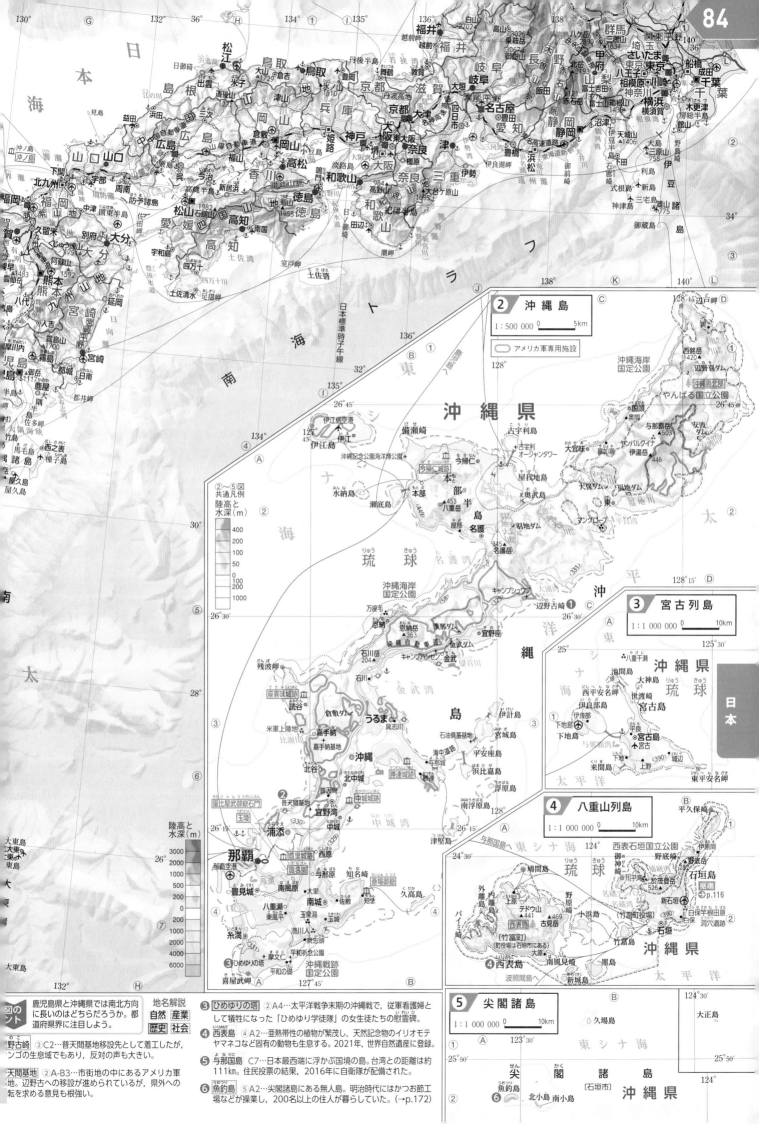

図のヒント 鹿児島県と沖縄県では南北方向に長いのはどちらだろうか。都道府県界に注目しよう。

地名解説
自然　産業
歴史　社会

野古崎　②C2…普天間基地移設先として着工したが、ンゴの生息域でもあり、反対の声も大きい。

天間基地　②A-B3…市街地の中にあるアメリカ軍地。辺野古への移設が進められているが、県外への転を求める意見も根強い。

③ひめゆりの塔　②A4…太平洋戦争末期の沖縄戦で、従軍看護婦として犠牲になった「ひめゆり学徒隊」の女生徒たちの慰霊碑。

④西表島　④A2…亜熱帯性の植物が繁茂し、天然記念物のイリオモテヤマネコなど固有の動物も生息する。2021年、世界自然遺産に登録。

⑤与那国島　C7…日本最西端に浮かぶ国境の島。台湾との距離は約111km。住民投票の結果、2016年に自衛隊が配備された。

⑥魚釣島　⑤A2…尖閣諸島にある無人島。明治時代にはかつお節工場などが操業し、200名以上の住人が暮らしていた。（→p.172）

日本

② 小笠原諸島
1:1 000 000   10km

③ 伊豆・小笠原諸島
1:8 500 000   100km

0 5 10 15 20km
1:1 000 000
正角円錐図法

② 福岡市中心部　③ 五島列島
④ 大隅諸島
⑤ 大島（奄美大島）

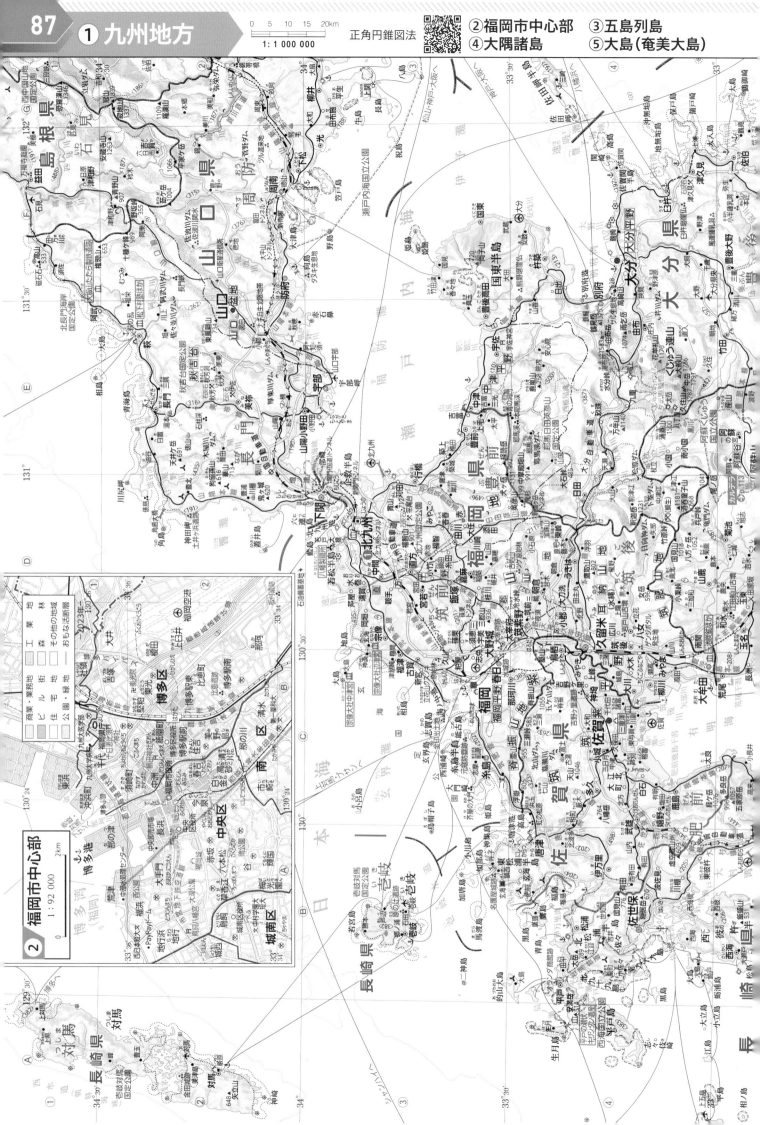

② **福岡市中心部**
1:92 000
0　　　　2km
博多湾（福岡）

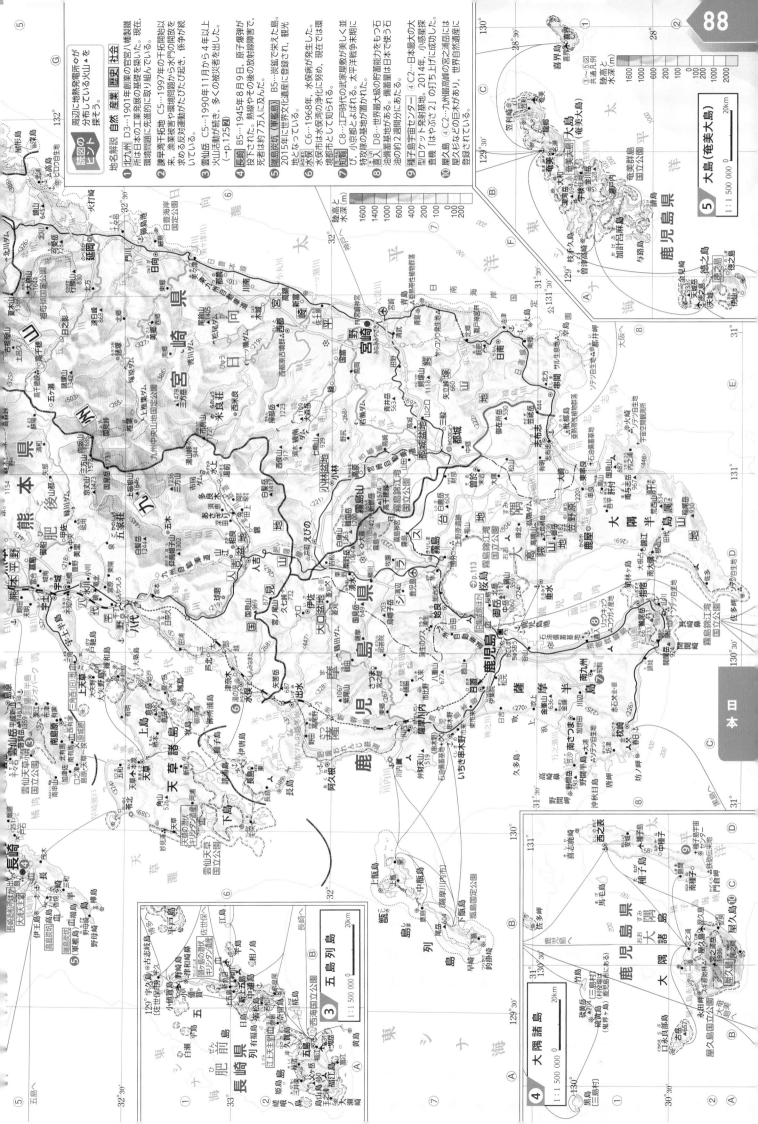

読図のヒント 四国の名前の元になった旧国名を確認しよう。

地名解説 　自然　産業　歴史　社会

① 萩 B4…江戸時代は長州藩の城下町だった。幕末から明治維新にかけて活躍した長州志士の多くが学んだ松下村塾は、この地にあった。

② 岩国 D4…在日米軍と自衛隊が使用する岩国基地がある。2006年、在日米軍厚木基地からの移転受け入れの是非を問う住民投票が行われた。

③ 広島 D4…1945年8月6日、史上初めて原子爆弾が投下された。元安川河畔に残された原爆ドームは、1996年に世界文化遺産に登録された。

④ 呉 E4…明治時代半ばから軍港として発展し、戦艦大和などが建造された。現在も海上自衛隊の拠点となっている。

⑤ 石見銀山 D2…16世紀に発見された銀鉱山。1923年の閉山まで、約400年にわたり採掘された。2007年、世界文化遺産に登録された。

⑥ 境港 F1…日本有数の水揚高のある港町。妖怪漫画キャラクターの像が100体以上設置された「水木しげるロード」で観光客が増加し、中心市街地活性化のモデルケースとして知られる。

⑦ 四万十川 F7…自然環境がよく保存され、「最後の清流」とよばれる。護岸工事にも景観を守る工夫がなされている。

⑧ 本州四国連絡橋 E-J3-4…児島・坂出ルート（鉄道併設）、神戸・鳴門ルート、尾道・今治ルート（歩行者・自転車専用道併設、瀬戸内しまなみ海道）の三つがある。

⑨ 満濃池 G4…日本最大の灌漑用のため池。空海が弘仁12（821）年に改築したと伝えられる。周辺には豊かな自然が広がり、国の名勝となっている。

⑩ 祖谷渓 G5…吉野川の支流、祖谷川が刻む急峻なV字谷。平家の落人伝説が残り、植物のつるでつくられた吊り橋、かずら橋（国指定重要有形民俗文化財）が設けられている。

⑪ 吉野川 I4…四国三郎の異名をもつ大河。徳島平野では中央構造線に沿って流れる。香川用水の水源としても重要である。

日本

地名解説　自然　産業　歴史　社会

読図のヒント 琵琶湖の水が、どの都道府県を通って海に注ぐか確認しよう。

① 若狭湾 D3…リアス海岸に原子力発電所が建ち並ぶ。敦賀と美浜の間に高速増殖炉もんじゅが建設されたが、2016年に廃炉が決定した。

② 関ヶ原 E4…古来交通の要衝として繁栄。現在も鉄道や道路などの重要路線が通る。関ヶ原の戦いの古戦場としても有名。

③ 明石 B-C5…1886年、日本の標準時子午線に指定された東経135度が通る。1910年に日本で初めて子午線の標識を立てたことから「子午線のまち」とよばれている。

④ 百舌鳥・古市古墳群 C-D5…古墳時代の最盛期に築造され、大阪府堺市、羽曳野市、藤井寺市にある49基の古墳群からなる。2019年、世界文化遺産に登録された。

⑤ 伊勢神宮 F6…神社本庁の本宗とされ、「お伊勢さん」ともよばれ、古くから多くの人々の信仰を集めている。内宮、外宮など125社からなる。正式名称は「神宮」。

⑥ 広川 C6…津波防災教育の教材として知られ、11月5日の世界津波の日の由来となった逸話「稲むらの火」の舞台。津波防災教育センターが建てられた。

⑦ 北山 D7…廃藩置県の際、三重県や奈良県に属するのではなく、和歌山県の飛地となった。

⑧ 熊野古道 D7…古代から熊野三山へ詣でる道として知られる。三重、奈良、和歌山の3県にわたる。2004年、世界文化遺産に登録された。

標高と水深（m）　2000　1600　1000　600　200　100　0　100　200　1000　2000

名解説

❶ 京都 F2…1997年，地球温暖化防止京都会議が開催され，京都議定書が採択された。1994年，17の歴史的建造物が世界文化遺産に登録された。

❷ 関西文化学術研究都市 E-F4…京都・大阪・奈良にまたがる丘陵地に建設された，大学や企業の研究所などを集めた新都市。

❸ 明日香 F5…高松塚古墳やキトラ古墳，石舞台古墳など飛鳥時代の遺跡が多く，6世紀末〜7世紀末に都であったとされる。

❽ 兵庫県南部地震震源地 C4…1995年1月に発生したマグニチュード7.3の地震により多くの死者を出した。断層の動きを淡路島の野島断層で見学できる。

❾ 姫路城 A3…日本の城郭建築を代表する史跡建造物として1993年に世界文化遺産に登録された。

② 奈良盆地

1：100 000

0   2km

商業・業務地
住宅地
公園・緑地
工業地
森林
その他の地域
おもな活断層

-2022年-

0 1km
1:60 000

135°42′ Ⓐ Ⓑ 135°45′ Ⓒ Ⓓ 135°48′

寺
鳴滝
沢山 ▲516
釈迦谷山 △291
JR八ツ池
西方寺卍
北区
大宮
西賀茂
御土居
賀茂別雷神社
(上賀茂)
カキツバタ群落
水生植物園
国立京都国際会館
圓通寺
叡山電鉄本線 やせひえい ざんぐち
鞍馬街道
②
御経坂峠
梅ヶ畑
真休寺卍
桃山 ▲466
光悦寺卍
鷹峯
御土居
藤林町
紫竹
小山
上賀茂
鞍馬口通
松ヶ崎
五山送り火
東山 ▲186
修学院
修学院離宮
大北山
大文字山 △231
五山送り火
原谷乾町
今宮神社卍
大徳寺卍
紫野
北大路通
北大路
船岡山 △112
京都府立植物園
植物園前
府立大
北大路
京都ノートルダム女子大
京都工芸繊維大
(松ヶ崎)
五山送り火
山端
鷺森神社卍
曼殊院
一乗寺
圓光寺卍
詩仙堂丈山寺
本願寺北山別院
瓜生山

白砂山 △268
宇多天皇陵
衣笠
衣笠山 △201
龍安寺
(金閣寺)
敷地神社卍
盲学校
聖護院
紫野高
北区役所
清明高
下鴨
賀茂御祖神社(下鴨)
高野
北白川
左京区
35°02′
左京区
琵琶町

クリーンセンター
北嵯峨
名古曽滝跡
大沢池
衣笠
立命館大
今日庵(裏千家)
宝鏡寺卍
相国寺卍
同志社大女子大
同志社大
京都大
夢う公園
北白川
北白川天神宮卍
京都朝鮮中高級学校
慈照寺(銀閣寺)
②

右京区
山越
広沢池
龍安寺
仁和寺(御室)
北野
北野天満宮卍
洛星高
西陣
室町幕府跡
西陣織会館
京都御苑
京都御所
府立医大
鴨沂高
京都大
吉田
吉田神社卍
浄土寺
黒谷町
真如堂卍
慈照寺庭園
大文字山(五山送り火)

嵯峨大沢
嵯峨広沢
嵯峨
周山街道
隠翁文庫
福王子神社卍
御室
等持院
妙心寺卍
花園
嵐電北野線
豊ヶ岡
千本通
大将軍八神社卍
中立売通
京都府庁
京都仙洞御所
府立医大
京都大医学部
阿闍梨病院
聖護院
鹿ヶ谷
ノートルダム女学院高
鹿ヶ谷

丸太町通
御室
花園
花園駅
京都学園大
円町
平安女学院大 高文
大極殿跡
丸太町
烏丸丸太町
堀川丸太町
京都市役所
二条城
一の丸
ロームシアター
平安神宮
岡崎公園
岡崎
南禅寺
禅林寺(永観堂)
南禅寺

山陰本線(嵯峨野線)
トロッコ
嵯峨
車折
太秦安井
花園大
西ノ京
西京高
御池通
朱雀門跡
二の丸
朱雀
京都国際マンガミュージアム
二条城前
一の丸
京都市役所
日本銀行
京都文化博物館
中京区
京都市芸術センター
本能寺卍
みやこめっせ
京都教育大
京都市動物園
黒谷庭園
南禅院
南禅寺

嵐山
嵐電嵐山本線
広隆寺卍
太秦映画村 蚕の社卍
右京区役所
京都先端科学大
山ノ内
洛陽総合高
西大路
三条通
三条通
河原町三条
立命館大
京都両洋高
新撰組
壬生寺
堀川高
六角堂
本能寺
錦市場
四条大宮
祇園四条
京都華頂大・短大
知恩院卍
高台寺卍
円山公園
将軍塚

嵐山公園
嵐山東公園
梅津
梅宮大社卍
太秦
天塚古墳
嵐電嵐山本線
山ノ内
京都外大西高
京都外大国語大・短大
四条通
四条通
壬生寺
壬生
京都市役所
四条大宮
四条河原町
池坊短大
京都市役所
建仁寺卍
祇園町
高台寺
八坂の塔
東山区役所

京都市

松尾大社卍
梅津
西院
京都光華女子大・短大
京都両洋高
五条通
大宮
松原通
七条通
西本願寺卍
清水寺卍
成就院庭園
日ノ岡

松室
桂川運動公園
西京極
上桂
西院
京都市体育館
京都市立病院
中堂寺
京都産業大附属高
五条通
たんばぐち
丹波口
龍谷大
平安高
龍谷大
東本願寺
下京区
五条大橋
五条河原町
清水五条
六波羅蜜寺
穴太寺
清水寺 △242
清水山
京都薬科大

西芳寺(苔寺)卍
地蔵院卍
上桂
松尾
西京区
西京総合運動公園
西七条
七条通
七条通
西七条
朱雀
京都鉄道博物館
梅小路
梅小路公園
西本願寺
京都国立博物館
京都女子大
今熊野
上花山
山科区
③

山田
西京区役所
西京極
西ノ庄
桂
桂川
八条通
西ノ京
八条通
吉祥院
京都水族館
梅小路京都西
京都タワー
下京区役所
京都
東福寺
本町
東山トンネル
京都薬科大
北花山
厨子奥
京都府警

御陵

桂宮
桂橋
吉祥院中河原
西寺跡
羅城門跡(東寺)
教王護国寺(東寺)卍
九条通
西九条
近鉄京都線
南区役所
東九条
泉涌寺
孝明天皇陵
西山
栗栖野
御陵

京都大
御陵
天皇の杜古墳
牛ヶ瀬
吉祥院新田
吉祥院天満宮卍
十条通
鳥羽離宮跡
京阪本線
福稲
稲荷山 △233
伏見稲荷大社
京都工学院高
新十条通
深草

文京都経済短大
樫原
三ノ宮神社卍
下津林
吉祥院
南区
塔南高
上鳥羽
久世橋通
名神高速道路
警察学校
青少年科学センター
京都教育大附属高
藤森神社卍

文京都明徳高
樫原廃寺跡
来迎寺卍
十条通
上鳥羽
第二京阪道路
鳥羽大橋
白河天皇陵
京都野鳥の森学園都市
日ノ岡
稲荷山

ニュータウン
物集女町
原野
羽束師
城南宮卍
中島
京阪本線
竹田
伏見区
小栗栖

上里北ノ町
上里南ノ町
井ノ内
向日市
向日市役所
向日町
向日神社卍
長岡宮跡
東海道新幹線
京阪国道
鳥羽
下鳥羽
伏見区役所
桓武天皇陵
伏見桃山城
伏見桃山
東部クリーンセンター

長岡京市
桓武天皇
羽束師
坂本龍馬墓
伏見公園
桃山町
勧修寺卍

長岡京市役所
上植野町
久我
下鳥羽
三栖公園
巨椋池干拓地
勧修寺

長岡天神
乙訓高
立命館高
龍安寺城
久世橋運動公園
運転免許試験場
羽束師橋
南部クリーンセンター
水環境保全センター
京大防災研究所
宇治川公園
華やか西大寺
宇治市
東宇治高

35°00′
34°58′
34°56′

日本

2023年
■ 商業・業務地
■ ビル街
□ 住宅地
□ 公園・緑地
■ 工業地
■ 森林
□ その他の地域
━━ おもな活断層

135°42′ Ⓐ Ⓑ 135°45′ Ⓒ Ⓓ 135°48′

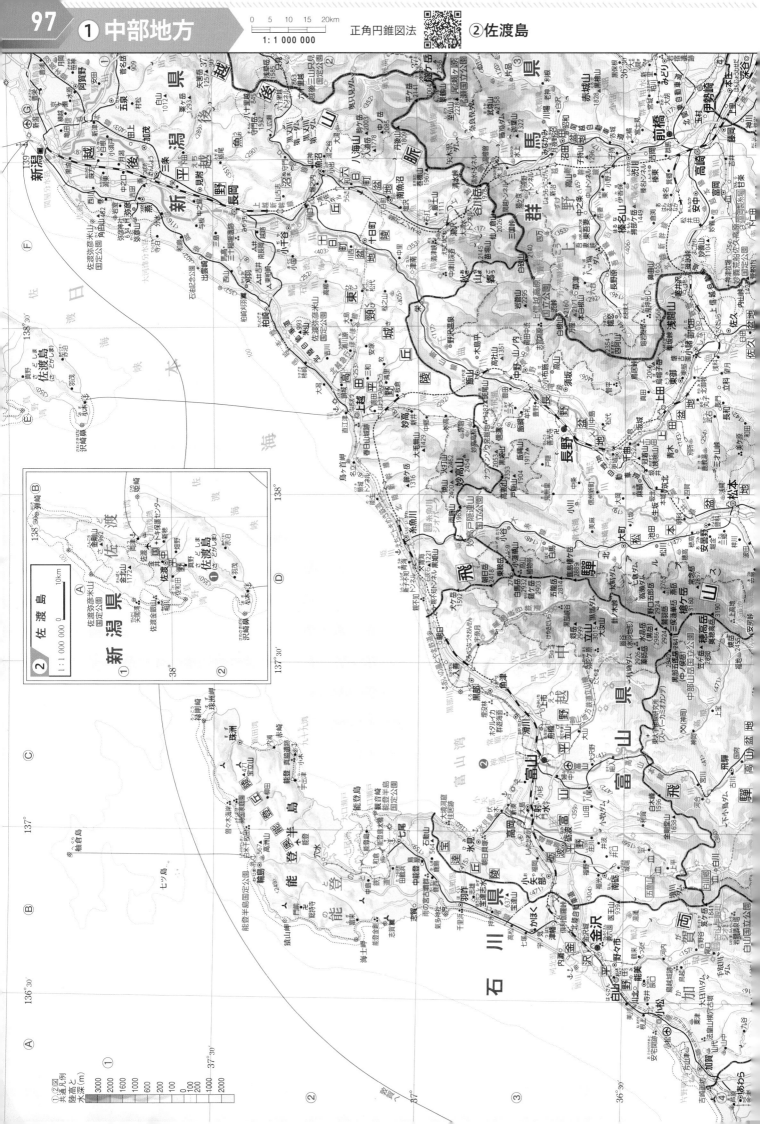

正角円錐図法 　　❷佐渡島

1：1 000 000

0　5　10　15　20km

東京都

東京都

② 神通川 C3…1968年、流域に多発していたイタイイタイ病は、鉱山から排出されたカドミウムが原因と認定された。

③ 御嶽山 C5…長野県と岐阜県の県境にまたがる火山で、活火山では国内2位の高さを誇る。2014年9月の噴火は、死者60人あまりが出る大惨事となった。

④ 信玄堤 E-F5…水害を防ぐために武田信玄が釜無川沿岸に築いたとされる堤防。竜王町付近にその一部が残る。

⑤ 山梨リニア実験線 F5…1997年より運用開始。2027年、東京－名古屋間で開業する中央新幹線の一部になる予定。

⑥ 新東名高速道路 D-E7…東京と名古屋を結ぶ日本の大動脈、東名高速道路に並行してつくられた。災害発生時の代替路・緊急輸送路としての機能ももつ。

⑦ 豊田 C6…日本を代表する自動車会社の本社がある企業城下町。パークアンドライドなどのITS（高度道路交通システム）実験地区。

地名解説
自然　産業
歴史　社会

誤図のヒント
① 佐渡島
② A2…トキの保護と増加が目的のトキ保護センターがある。トキは、乱獲と環境破壊により日本から一度は姿を消すが、わずかに中国などに生息するもののみである。

日本

0 2.5 5 7.5 10km
1：500 000　正角円錐図法

県名

岐阜県　愛知県　三重県　静岡県

主な地名

徳山ダム　菊花石　板取　奥三界岳　中央アルプス国定公園　東白川　寒陽気山　付知　苗木　中津川　坂下　福岡

横山ダム　根尾谷断層　美山　美濃　白川　黒川　恵那峡　大井ダム

揖斐関ケ原養老国定公園　揖斐川　本巣　高富　関　富加　八百津　飛騨木曽川国定公園　笠置ダム　御嵩　恵那　阿木川ダム

大野　真正　北方　岐阜　各務原　美濃加茂　可児　リニア中央新幹線（予定線）　瑞浪　小里川ダム　明智

神戸　瑞穂　巣南　犬山　扶桑　明治村　土岐　多治見　美濃　核融合科学研究所　岩村

垂井　関ケ原　大垣　安八　羽島　江南　大口　小牧　春日井　瀬戸　尾張旭　笠原

養老　海津　稲沢　岩倉　豊山　師勝　北名古屋　長久手　トヨタ博物館　あいち海上の森センター　陶磁資料館　黒田ダム

養老山地　八開　美和　あま　清須　名古屋　バンテリンドームナゴヤ　名古屋城　熱田神宮前　日進　東郷　みよし　豊田　豊田スタジアム

石灰石　藤原岳　員弁　愛西　津島　蟹江　弥富　飛島　豊明　岡崎

鈴鹿国定公園　桑名　朝日　長良川河口堰　木曽岬　揖斐長良大橋　ポートメッセなごや　東海　大府　富士松　岩津　岡崎　額田　本宮山　新城

四日市　四日市港　川越　名古屋港　知多　半田　刈谷　安城　知立　西尾　蒲郡　豊川　豊橋

鈴鹿　国府　白子　常滑　中部国際空港（セントレア）　産業技術センター　武豊　高浜　碧南海浜水族館　一色　吉良　幸田　御津　小坂井

亀山　津　鈴鹿サーキット　知多半島　衣浦港　半田　寺津　前島　篠島　三河港　田原　湖西

三重県　伊勢湾　知多湾　矢作川　三河湾　渥美半島

津　南知多　日間賀島　佐久島　三河湾国定公園　野田　伊良湖岬

松阪　本居宣長旧宅　答志島　神島　遠州灘

伊勢　伊勢神宮（外宮）　伊勢神宮（内宮）　朝熊ケ岳　鳥羽　伊勢志摩国立公園

多気　玉城　御薗　二見　伊良湖水道　赤羽根

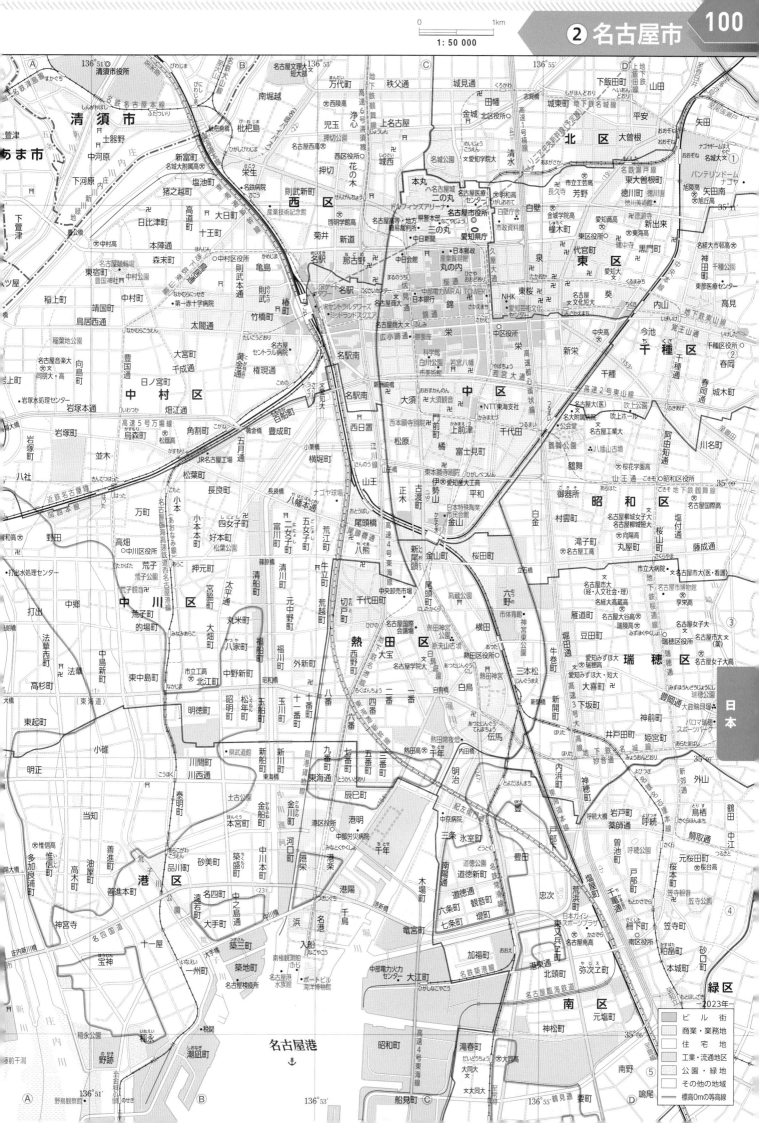

1:50 000

0　　　　　　1km

清須市　清須市役所
あま市

萱津　五条川　新川橋　すぐち
士器野　しんかわばし　名鉄名古屋本線
下河原　枇杷島　ひがしびわじま
中河原　庄内川　南堀越　名古屋文理大
新富町　東海道新幹線　短大
猪之越町　塩池町　西高
下萱津　日比津町　栄町　西区役所
高道町　名鉄病院　花の木
大日町　則武新町　押切
十王町　西区　城西
本陣通　本陣　則武本通　菊井　新道
森末町　亀島　名古屋西高

名古屋城
二の丸

北区
北区役所
清水
名城公園
愛知学院大
長寿寺
徳川園
東大曽根町
徳川美術館

金山学院大
橦木町
東区役所
代官町
東区
黒門町
愛知商高
新出来
車道
名大附属高
葵
NHK
東桜
愛知芸術文化
センター
千種区
千種区役所
城木町
吹上公園
吹上ホール

中区役所
栄
新栄
中央高
高速2号東山線
今池
覚王山通
池下
いけした

白川公園
若宮八幡
名古屋大(医)
名大附属病院
名古屋工業大
千代田
鶴舞公園

昭和区
昭和区役所
名古屋女子大
名古屋柳城短大
向陽高
桜山通
滝子町
桜山
丸屋町
藤成通

市大病院
名古屋市大(医・看護)
名古屋市大谷高
瑞陵高
享栄高
瑞穂区
名古屋女子大(薬)
愛知みずほ大
愛知みずほ大・短大
名古屋女子大高

名古屋港
⚓

緑区
—2023年—

ビル街
商業・業務地
住宅地
工業・流通地区
公園・緑地
その他の地域
標高0mの等高線

南区

日本

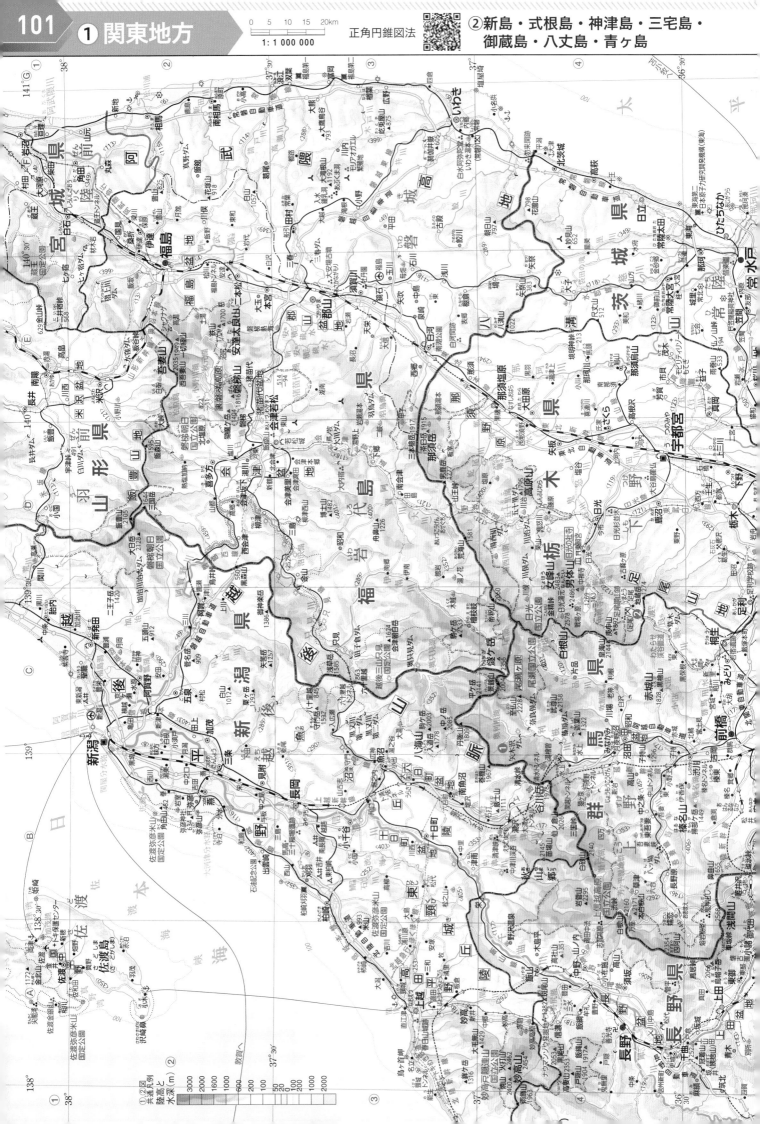

②新島・式根島・神津島・三宅島・御蔵島・八丈島・青ヶ島

正角円錐図法　1:1 000 000

0　5　10　15　20km

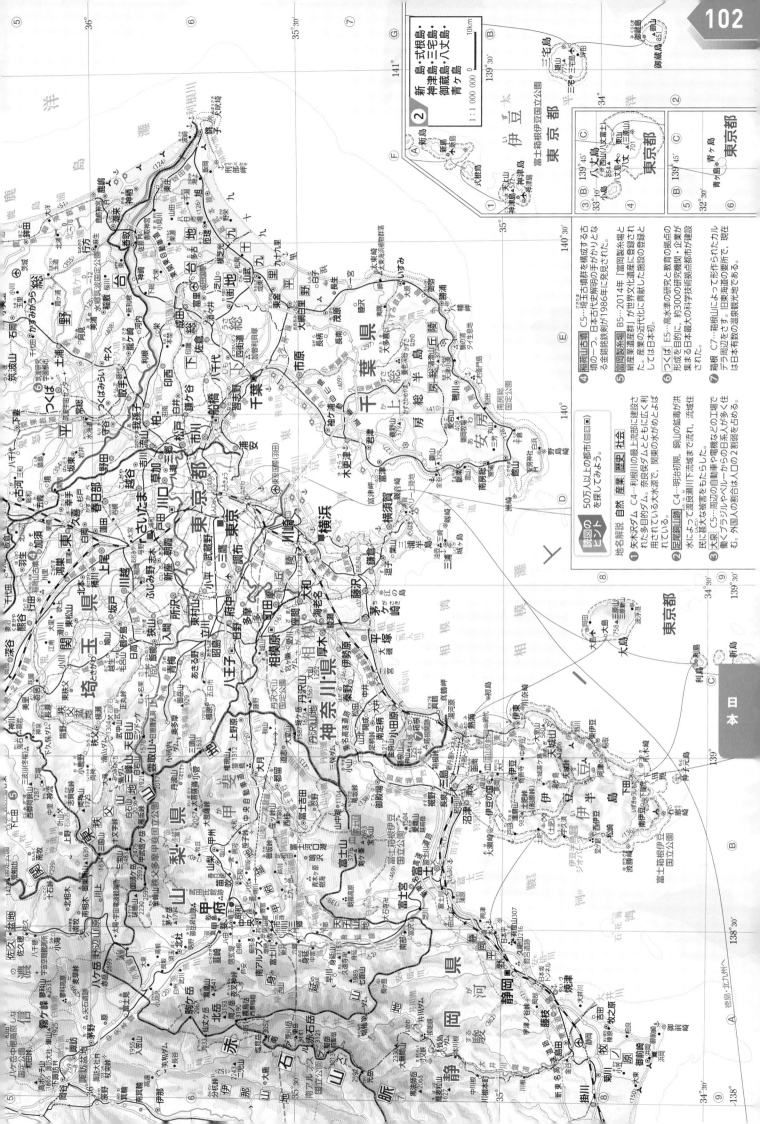

正角円錐図法　1:500 000
0　2.5　5　7.5　10km

市　街　地
田
畑
茶　畑
果　樹　園
工　業　地
その他
2000m
1600
1000
600
0（陸高）
200
0
200（水深）
1000

読図のヒント　山手線の西側に伸びる JR以外の鉄道線を確認しよう。

地名解説　自然　産業　歴史　社会

❶ 霞ケ浦　H2…茨城県南東部に広がる国内第2位の面積をもつ湖。流域面積は茨城県全体の1/3以上を占める。

❷ 佐原　I3…江戸時代に実地測量し日本地図をつくった伊能忠敬の旧宅がある。水郷の町として知られる。

❸ 鹿島港　I3…掘込式港湾。周囲に、鉄鋼・石油化学・機械など重化学工業を中心とした鹿島臨海工業地域が形成された。

❹ 成田国際空港　H3-4…1978年開港。国際線の利用客数は日本最大。東京都心部からのアクセスや東京国際空港との役割分担が課題。

❺ 浦安　F4…日本一の集客力を誇る大型テーマパークがある。国内だけでなく海外からも観光客を集める。

❻ 東京　E4…1964年，アジア初のオリンピック開催地。国内2度目となる夏季オリンピックを契機に再開発が進む。

❼ 多摩ニュータウン　D4…日本最大規模のニュータウン。1971年入居開始。現在は住民の高齢化や建物の老朽化が課題。

❽ 東京国際空港　F4…通称羽田空港。2010年，4本目の滑走路が完成し，国際線定期便就航を再開。24時間運用も可能。

❾ 東京湾アクアライン　F5…1997年開通。川崎と木更津を世界最長の海底道路トンネルと橋で結ぶ。全長15.1km。

❿ みなとみらい21　E5…造船所跡地の再開発地区。2004年，みなとみらい線が開通。

日本

	商業・業務地
	ビル街
	住宅地
	公園・緑地
	その他の地域
	工業・流通地区

−2023年−

永田町	政治・経済の中心部
内閣府	政治・経済の重要な施設
国技館	東京2020オリンピック・パラリンピックのおもな会場

━━━ モノレールと駅

━━━ 標高0mの等高線

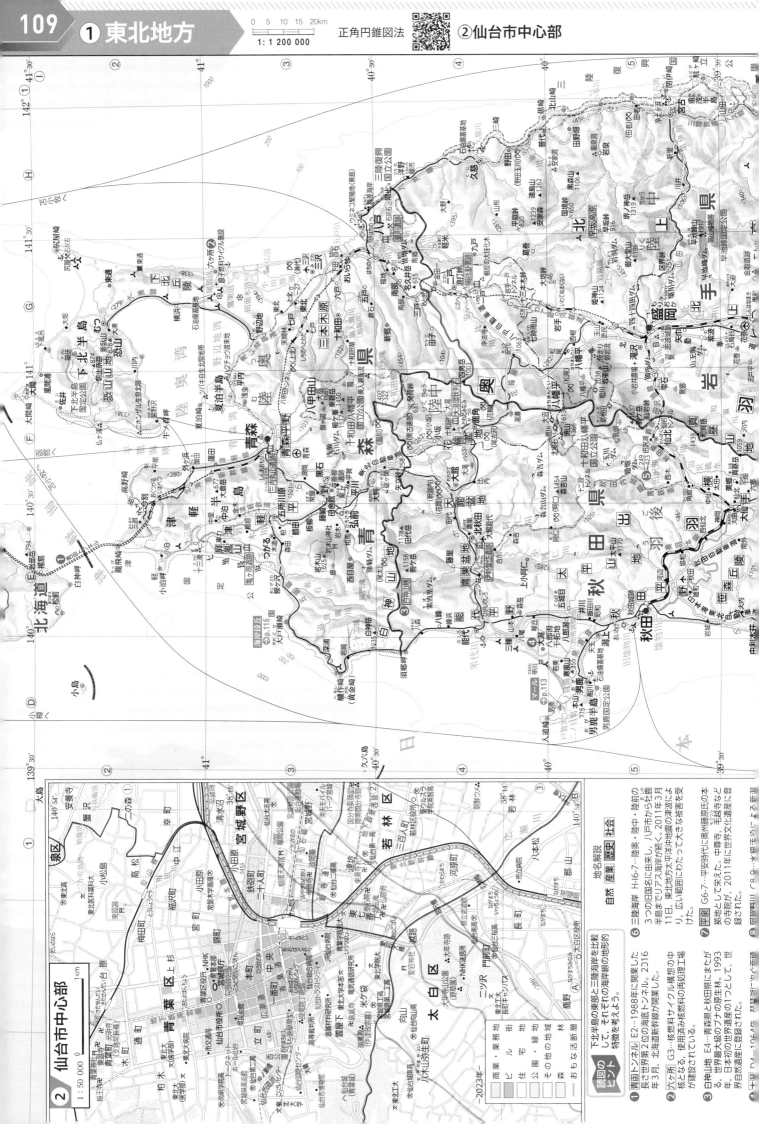

日本

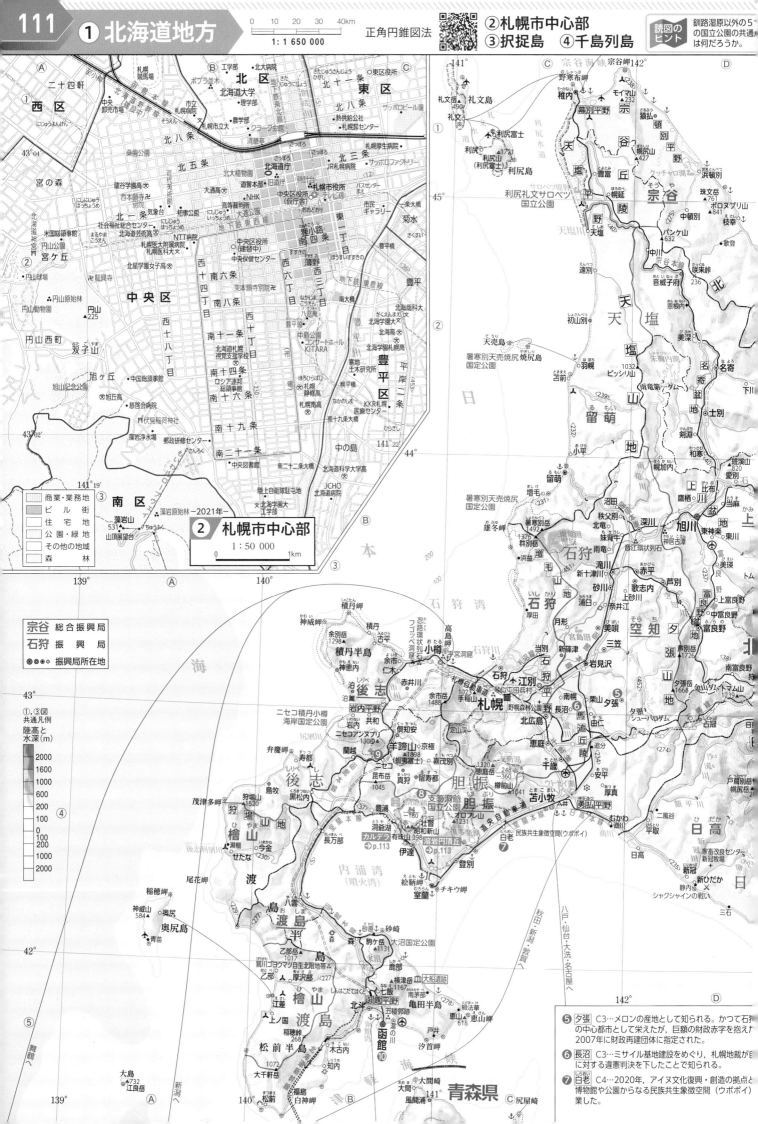

解説
産業
社会

❶ 北方領土 ④B4…日本固有の領土。国後島，択捉島，色丹島，歯舞群島。1945年にソ連に占領され，現在もロシアの占領下にある。(→p.172)

❷ 知床 G2…流氷の南限とされる。ユニークな生態系や多様な生物がみられ，2005年に世界自然遺産に登録された。

❸ 根釧台地 F-G3…根室と釧路にまたがる。火山灰層の土地を牧草地に適するように改良したことにより，酪農がさかんになった。

❹ 釧路湿原 F3…日本最大の湿原で，タンチョウなど動植物の宝庫。1980年，日本のラムサール条約加盟と同時に登録された。

③ 択捉島
1:1 650 000　　0　　20km

④ 千島列島
1:7 300 000　　0　　100km

洞爺湖 B4…屈斜路湖，支笏湖に次いで日本で3番目に大きいカルデラ湖。火山活動が活発で，南岸の有珠山，昭和新山はそれぞれカルデラ，溶岩円頂丘の典型。

ニセコ B4…四季折々の自然環境に恵まれ，夏はアウトドア，冬はウィンタースポーツがさかんなリゾート地。近年，外国人旅行者が増加しており，地価が高騰している。

函館 B5…1854年，日米和親条約により開港し，外国との貿易港として発展した。現在は観光と漁業がさかん。

ウルップ島からシュムシュ島までの地域はかつて日本が領有していたが，現在は帰属が未定になっている。

陸高と水深(m)

日本

1 地球内部の力でできた地形

1 断層地形 ⓐ断層山地の地形

断層崖
地塁
地溝
正断層
傾動地塊
三角末端面
逆断層

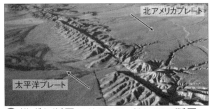

㋐ 横ずれ断層のサンアンドレアス断層（アメリカ合衆国）→p.69

北アメリカプレート
太平洋プレート

㋑ 兵庫県南部地震のときに大きく動いた野島断層（兵庫県淡路市，1995年）→p.93

ⓑ断層の種類

ア.正断層 張力によってできた断層

イ.逆断層 圧力によってできた断層

ウ.横ずれ断層 すれちがう力によってできた断層

2 褶曲地形 ⓐ褶曲のようす

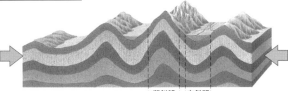

背斜部　向斜部

㋒ 牡鹿半島の褶曲地形（宮城県）→p.110

㋓ アルプスの褶曲山地（スイス）
アルプス山脈はアフリカプレートとユーラシアプレートがぶつかった結果，地層が曲がりくねって（褶曲して）できた。→p.50③

3 火山 ⓐ火山ができる場所

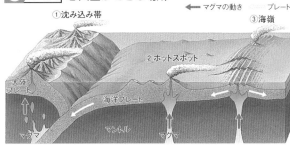

①沈み込み帯
②ホットスポット
③海嶺
マグマの動き
プレート
大陸プレート
海洋プレート
マントル
マグマ

ⓑ火山がつくる地形

溶岩円頂丘 →p.69,111
おもに粘性の大きい溶岩からなる。火口丘などに多い。

火山岩尖
火口内で固まった溶岩の柱が押し上げられたもの。

マール →p.61,10
爆発によってできた火口状のくぼ地。

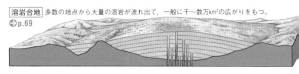

溶岩台地 多数の地点から大量の溶岩が流れ出て，一般に千〜数万km²の広がりをもつ。→p.69

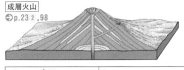

成層火山 →p.23②,98
溶岩と火砕物（爆発による放出物）からなる成層火山。

カルデラ ―有珠山 →p.111　　その他のカルデラの例→p.2

洞爺湖
2000年4月噴火地点
洞爺湖温泉　金比羅山
西山　小有珠　中央火口丘　大有珠
有珠山
外　輪　山　火口原
昭和新山
カルデラとは，楯状火山 →p.62② や円錐状火山の山頂部が広く陥没（または爆発）したもの。

㋔ 桜島の噴火（鹿児島県，2011年）→p.88

㋕ キラウエア火山の噴火（アメリカ合衆国，2018年）

2 侵食・堆積によってできた地形

1 侵食平野 ⓐ侵食平野の地形

メサ
ビュート
残丘（モナドノック）
ケスタ
かたい深成岩
褶曲を受けた先カンブリア時代の地層
かたい地層
やわらかい地層

河川の侵食による地形の変化
W. M. デーヴィスが提唱した，河川による侵食輪廻のモデル
*海面の高さなど，侵食作用のおよぶ下限

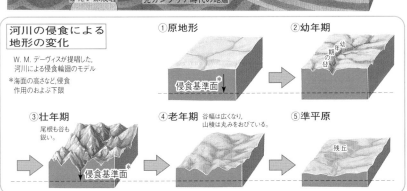

①原地形
侵食基準面*
②幼年期
幼年期の谷
③壮年期
尾根も谷も鋭い。
侵食基準面*
④老年期 谷幅は広くなり，山稜は丸みをおびている。
⑤準平原
残丘

ⓑケスタ地形 ―パリ盆地― →p.43

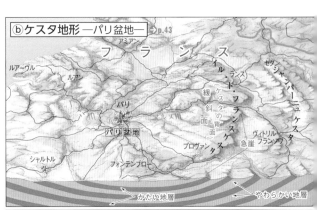

フランス
アミアン
ルアーヴル
ルアン
イル・ド・フランス
ランス
セダン
シャンパーニュケスタ
パリ
パリ盆地
ケスタの背斜　緩斜面
ヴィトリル
急崖　フランソワ
ブロヴァンタス
シャルトル
フォンテンブロ
かたい地層　やわらかい地層

メサ　ビュート　メサ　ビュート

㋖ モニュメントヴァレー（アメリカ合衆国）→p.69

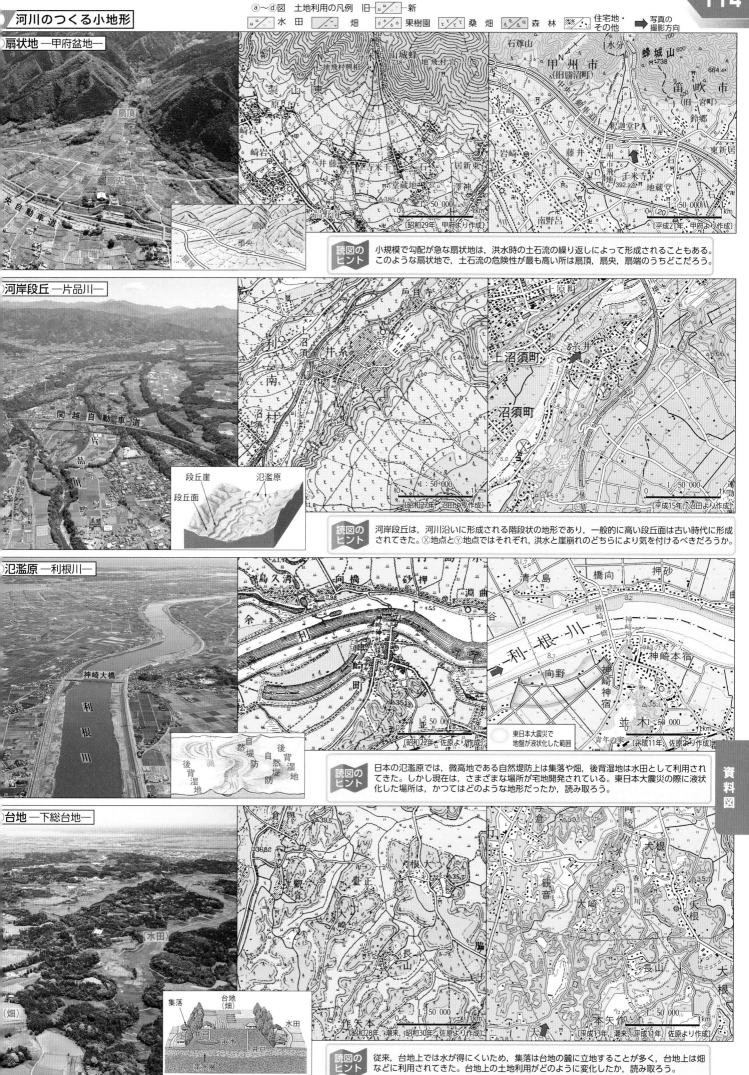

河川のつくる小地形

ⓐ～ⓓ図　土地利用の凡例　旧 — 新　水田　畑　果樹園　桑畑　森林　住宅地・その他　→ 写真の撮影方向

ⓐ扇状地 —甲府盆地—

（昭和29年，甲府より作成）
（平成21年，甲府より作成）

読図のヒント　小規模で勾配が急な扇状地は，洪水時の土石流の繰り返しによって形成されることもある。このような扇状地で，土石流の危険性が最も高い所は扇頂，扇央，扇端のうちどこだろう。

ⓑ河岸段丘 —片品川—

段丘崖　氾濫原　段丘面

（昭和27年，沼田より作成）
（平成15年，沼田より作成）

読図のヒント　河岸段丘は，河川沿いに形成される階段状の地形であり，一般的に高い段丘面は古い時代に形成されてきた。Ⓧ地点とⓎ地点ではそれぞれ，洪水と崖崩れのどちらにより気を付けるべきだろうか。

ⓒ氾濫原 —利根川—

自然堤防　後背湿地　三日月湖　後背湿地　自然堤防

（昭和22年，佐原より作成）
○ 東日本大震災で地盤が液状化した範囲
（平成11年，佐原より作成）

読図のヒント　日本の氾濫原では，微高地である自然堤防上は集落や畑，後背湿地は水田として利用されてきた。しかし現在は，さまざまな場所が宅地開発されている。東日本大震災の際に液状化した場所が，かつてはどのような地形だったか，読み取ろう。

資料図

ⓓ台地 —下総台地—

集落　台地（畑）　水田　井戸　宙水　井戸　帯水層

（昭和28年，潮来，昭和30年，佐原より作成）
（平成13年，潮来，平成11年，佐原より作成）

読図のヒント　従来，台地上では水が得にくいため，集落は台地の麓に立地することが多く，台地上は畑などに利用されてきた。台地上の土地利用がどのように変化したか，読み取ろう。

ⓔ三角州（デルタ）

―円弧状三角州―ナイル川 ➡p.36
1:3 700 000
0 30km

―カスプ状三角州― テヴェレ川 ➡p.51
0 5km

―鳥趾状三角州― ミシシッピ川 ➡p.67
0 20km

ラシード　ドゥムヤート　ポートサイド　アレクサンドリア　タンター　ナイル三角州（円弧状三角州）　イスマイリーヤ　カイロ

市街地
耕地
湿地
砂漠

ア 太田川の三角州（広島県）➡p.89④

③ 海岸の地形

① 沈水海岸 （土地の沈降または海面上昇による海岸）

ⓐフィヨルド―ソグネフィヨルド（ノルウェー）― ➡p.54
1:1 724 000　0 50km
[The Times Atlas of The World 1993年版]

ⓑ三角江（エスチュアリ）―セーヌ川河口（フランス）― ➡p.43
The Times Atlas of The World 1993年版
ルアーヴル　ボルベック　ドーヴィル
1:1 293 000　0 10km

ⓒリアス海岸―ガリシア地方（スペイン）― ➡p.49
Atlas Actual de Geografia Universal 1992年版
コルクビオン　サンティアゴデコンポステーラ　カンバドス　ポンテベドラ　オウレンセ　ビーゴ　イベリア半島
1:2 155 000　0 50km

ⓓ多島海―エーゲ海（ギリシャ）― ➡p.52
[THE WORLD ATLAS]
シロス島　ミコノス島　リネイア島　デロス島　キソノス島　エーゲ海　セリフォス島　パロス島　ナクソス島　シフノス島　アモルゴス島　ミロス島　シキノス島　イオス島　フォレガンドロス島　キクラデス諸島
1:2 155 000　0 50km

② 離水海岸 （土地の隆起または海面低下による海岸）

ⓔ海岸平野―九十九里平野―
その他の海岸平野の例 ➡p.68
谷下岡　中谷ノ下浜　関ノ下岡　宿ノ下浜　六軒家　関ノ下岡　下浜　井之内　諏訪谷　井之内　左写真の範囲
（平成12年，東金より拡大して作成）
集落　水田　畑　森林
1:43 100　0 500m

ⓕ海岸段丘―青森県大戸瀬崎付近― ➡p.109
約10万年前に形成された段丘
約8万年前に形成された段丘
左写真の A B C 地点
（平成11年，田野沢より拡大して作成）
おおどせ　田野沢
1:21 550　0 500m

③ その他の海岸地形

ⓖ海食崖―福井県― ➡p.91
東尋坊
1:21 550　0 500m（平成21年，三国より拡大して作成）
三国町安島　三国町
森林・草地

ⓗ陸繋島―江の島― ➡p.103
片瀬江ノ島駅　江の島　片瀬橋　江の島大橋　湘南港　江の島　展望灯台
1:25 860　0 500m（平成30年，1:25000江の島より縮小して作成）
上写真の範囲

その他の海岸段丘の例 ➡p.90

4 氷河のつくる地形

氷河地形 ―模式図―

氷原 高原をおおう氷河。

ホーン 氷食によってできた鋭い峰。

山岳氷河 谷を流れ落ちる氷河。侵食力が大きくU字谷などを形成する。

フィヨルド U字谷に海水が浸入したもの。

大陸氷河（大陸氷床） ―最終氷期の氷河の分布―

グリーンランド氷床

ローレンタイド氷床

[Physical Elements of Geography，ほか]

ブリテン島氷帽

スカンディナヴィア氷床

モスクワ

ベルリン ワルシャワ キーウ（キエフ）

ブリュッセル アルプス氷帽

ピレネー氷帽

0 1000km

── 氷河の方向
── 氷河の範囲

モレーン 氷河の侵食・運搬作用によって，氷河の末端や側方に砂礫が堆積したもの。

氷河湖 ➡p.54② 氷河によってえぐられた凹地にできた湖やモレーンによってせき止められてできた湖。

ⓐ2004年8月 ⓑ2009年9月

エ 氷河の変化（ノルウェー）

マッターホルン（ホーン）（スイス） ➡p.50③

ウ ヨセミテ国立公園のU字谷（アメリカ合衆国） ➡p.69

SDGsのヒント 地球温暖化の影響で，世界各地の氷河が溶けて氷河湖が拡大している。その結果，堤防の役割をしていたモレーンが決壊し，下流で大水害が起こることもある。氷河湖拡大による影響を軽減するための取り組みを考えよう。

5 その他の地形

カルスト地形

カルスト地方―スロベニア― ➡p.51

ドリーネ
ウバーレ
溶食盆地（ポリエ）
地下の川の出口
ドリーネ
鍾乳洞 石灰岩

[Seydlitz für Gymnasien]

ⓑ秋吉台―山口県― ➡p.89

平成26年，秋吉台北部より縮小して作成

地獄台 ・409
ウバーレ
帰水
ドリーネ
秋吉台 北山 △367
・377

□ くぼ地 1:26,500 0 500m

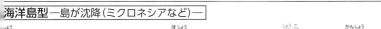

サンゴ礁地形 ―模式図―

海洋島型―島が沈降（ミクロネシアなど）―

裾礁 ➡p.84④ 中央島

堡礁 ➡p.80 礁湖

環礁 ➡p.77③ 礁瑚

ⓓ島弧型 ―島が隆起（琉球諸島など）―

サンゴ礁段丘
基盤岩

ⓔ大陸棚型―グレートバリアリーフ― ➡p.80

礁湖 大陸礁
大陸棚

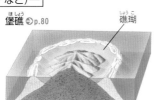
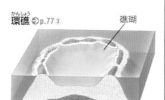

モーレア島の裾礁（フランス領ポリネシア） ➡p.77⑥

カ ボラボラ島の堡礁（フランス領ポリネシア） ➡p.78

キ 北マレ環礁（モルディブ） ➡p.77

資料図

③ 世界の地震と火山

火山（1万年以内に噴火）　地震の震源（1960〜2019年の間に発生した震源の深さが100km未満でM5以上の地震）　+ おもな地震災害と発生年　［USGS資料，ほか］

プレートの境界　広がる境界　せばまる境界　ずれる境界　［Alexander Gesamtausgabe 2004，ほか］

ⓐ 地震によって傾いた建物（ネパール，2015年）
レンガを積んだだけの建物が多数倒壊し，耐震性不足が浮きぼりになった。

読図のヒント　プレート運動の影響で地震・火山活動などが活発な地域は変動帯とよばれる。変動帯はどのようなところにみられるのか，④図や⑥図から考えてみよう。

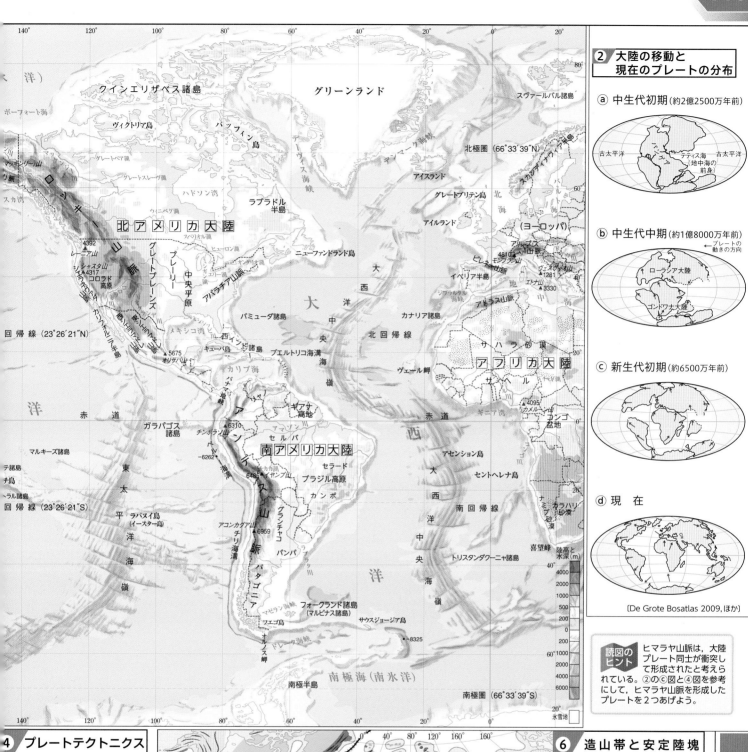

② 大陸の移動と現在のプレートの分布

ⓐ 中生代初期（約2億2500万年前）

ⓑ 中生代中期（約1億8000万年前）

ⓒ 新生代初期（約6500万年前）

ⓓ 現在

〔De Grote Bosatlas 2009, ほか〕

読図のヒント　ヒマラヤ山脈は, 大陸プレート同士が衝突して形成されたと考えられている。②のⓒ図と④図を参考にして, ヒマラヤ山脈を形成したプレートを2つあげよう。

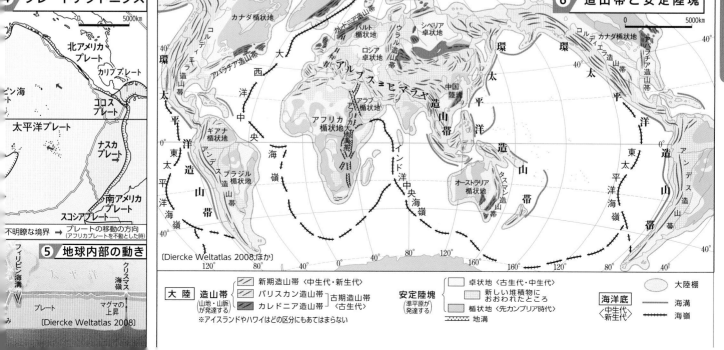

④ プレートテクトニクス

⑤ 地球内部の動き

〔Diercke Weltatlas 2008〕

⑥ 造山帯と安定陸塊

〔Diercke Weltatlas 2008, ほか〕

大陸　造山帯（山地・山脈が発達する）　新期造山帯〈中生代・新生代〉　バリスカン造山帯／カレドニア造山帯〉古期造山帯〈古生代〉　※アイスランドやハワイはどの区分にもあてはまらない

安定陸塊　卓状地（準平原が発達する）　卓状地〈古生代・中生代〉　新しい堆積物におおわれたところ　楯状地〈先カンブリア時代〉　地溝

海洋底〈中生代・新生代〉　海溝　海嶺　大陸棚

資料図

読図の
ヒント　経度0度〜東経20度の地帯では，赤道から北極に向かうにつれて気候と植生は，おおまかにどのように変わるだろうか。②図と比較して考えよう。

（地図・気候区分図：ケッペンの気候区分）

緯度・経度目盛：160° 180° 160° 140° 120° 100° 80° 60° 40° 20° 0° 20° 40° 60°（上部）
80° 60° 40° 20° 0° 20° 40° 60°（左端）

主な地名・気候区記号（地図中）：
Dw, ウトキアグヴィク（バロー）, Df, ET, EF, Cfc, オスロ, モスクワ, Dfc, エカテリンブルク, Cfb, BS, ウィニペグ, Dfb, Dfa, ロンドン, パリ, Cfb, Cfa, ローマ, Cs, アルジェ, BW, アシガバット, ラホール, Cs, サンフランシスコ, BW, カイロ, リヤド, BW, ニューオーリンズ, マイアミ, Am, Aw, Af, カリフォルニア海流, アラスカ海流, トンブクトゥ, ニアメ, BS, フリータウン, Am, Aw, アディスアベバ, Af, キサンガニ, モンバサ, Aw, Cw, ダルエスサラーム, Af, アマゾン, Af, マカパ, Am, Aw, BS, リマ, ラパス, Aw, Cw, BS, Cfa, ブエノスアイレス, サンティアゴ, Cs, ラプラタ川, Cfb, BW, BS, Cfb, Cfc, ケープタウン, Cs, キンバリー, BW, アガラス海流

海流名：カリフォルニア海流, 北赤道海流, 南赤道海流, 赤道反流, カナリア海流, ギニア海流, ベンゲラ海流, ブラジル海流, フォークランド海流, 西風海流, 南極海流, ペルー（フンボルト）海流

W.P.Köppen原図・1923年発表
R.Geiger，ほか修正・1954年発表，ほか
擬円筒図法

気候区グラフ（雨温図）下段：

熱帯雨林気候（乾季なし）(Af)	熱帯雨林気候（弱い乾季あり）(Am)	サバナ気候 (Aw)	ステップ気候 (BS)	砂漠気候 (BW)	地中海性気候 (Cs)	温暖冬季少雨気候 (Cw)	温暖湿潤気候 (Cfa)	西岸海洋性気候 (Cfb, Cfc)	亜寒帯（冷帯）湿潤気候
シンガポール H:5m T:27.8℃ P:2122.7mm	ケアンズ H:3m T:24.9℃ P:2001.7mm	コルカタ H:6m T:27.3℃ P:1832.1mm	ラホール H:214m T:25.0℃ P:654.3mm	カイロ H:116m T:21.7℃ P:34.6mm	ローマ H:2m T:15.6℃ P:716.9mm	ホンコン H:64m T:23.2℃ P:2359.3mm	ブエノスアイレス H:25m T:18.1℃ P:1256.1mm	ロンドン(Cfb) H:24m T:11.8℃ P:633.4mm	モスクワ H:147m T:6.3℃ P:713.?

（ハイサーグラフ下段）
キサンガニ(Af) H:396m T:24.6℃ P:1803.7mm ／ マカパ(Am) H:15m T:27.5℃ P:2511.6mm ／ ホーチミン(Aw) H:19m T:27.3℃ P:1872.2mm ／ ニアメ(BS) H:223m T:29.9℃ P:556.2mm ／ リヤド(BW) H:635m T:27.0℃ P:127.3mm ／ ケープタウン(Cs) H:46m T:17.1℃ P:492.6mm ／ チンタオ(Cw) H:77m T:13.3℃ P:687.1mm ／ ニューオーリンズ(Cfa) H:1m T:21.2℃ P:1591.5mm ／ パリ(Cfb) H:89m T:12.0℃ P:622.8mm ／ ウィ(Df)

植生断面図ラベル：(Af) (Am) (Aw) (BS) (BW) (Cs) (Cw,Cfa,Cfb,Cfc) (Df)(Dfa,Dfb)
40m 20m 砂漠

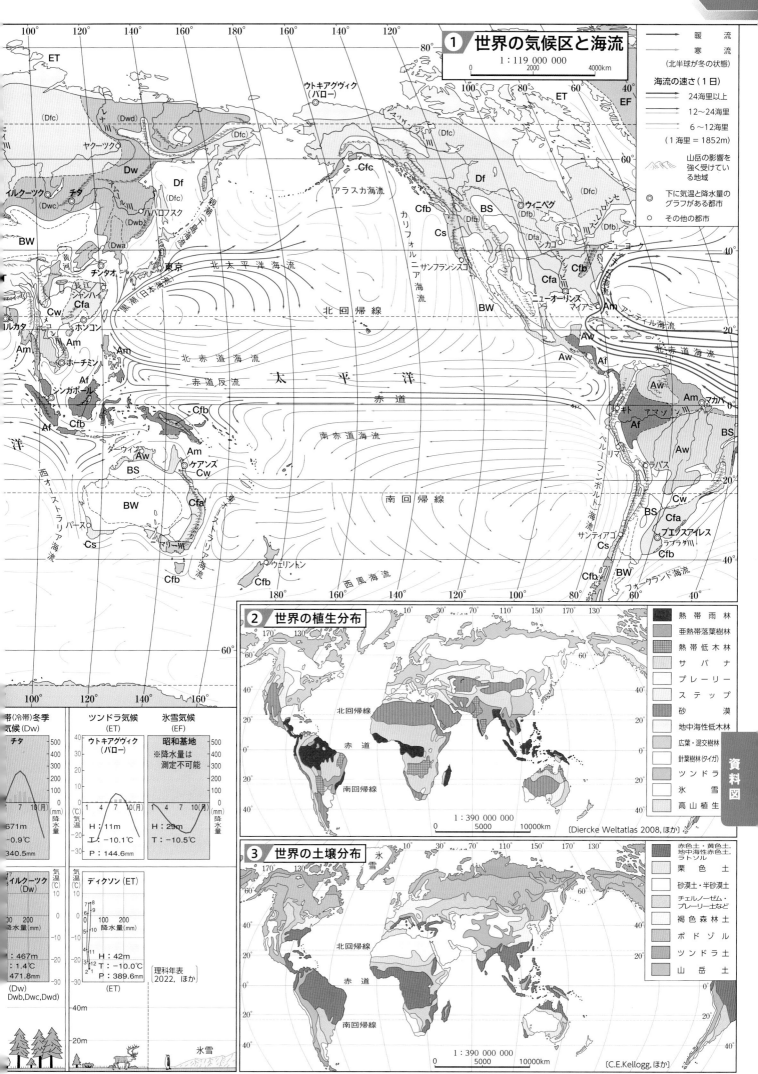

① 世界の気候区と海流

1:119 000 000

暖　流
寒　流
（北半球が冬の状態）

海流の速さ（1日）
24海里以上
12〜24海里
6〜12海里
（1海里＝1852m）

山岳の影響を
強く受けてい
る地域

下に気温と降水量の
グラフがある都市

その他の都市

② 世界の植生分布

1:390 000 000

0　　5000　　10000km

[Diercke Weltatlas 2008, ほか]

熱帯雨林
亜熱帯落葉樹林
熱帯低木林
サバナ
プレーリー
ステップ
砂　漠
地中海性低木林
広葉・混交樹林
針葉樹林（タイガ）
ツンドラ
氷　雪
高山植生

③ 世界の土壌分布

1:390 000 000

0　　5000　　10000km

[C.E.Kellogg, ほか]

赤色土・黄色土，
地中海性赤色土，
ラトソル
栗色土
砂漠土・半砂漠土
チェルノーゼム・
プレーリー土など
褐色森林土
ポドゾル
ツンドラ土
山岳土

帯（冷帯）冬季
気候（Dw）

チタ

671m
-0.9℃
340.5mm

イルクーツク（Dw）

467m
1.4℃
471.8mm

(Dw)
Dwb,Dwc,Dwd)

ツンドラ気候
（ET）

ウトキアグヴィク
（バロー）

H：11m
T：-10.1℃
P：144.6mm

ディクソン（ET）

H：42m
T：-10.0℃
P：389.6mm

(ET)

氷雪気候
（EF）

昭和基地
※降水量は
測定不可能

H：29m
T：-10.5℃

[理科年表
2022, ほか]

氷雪

資料図

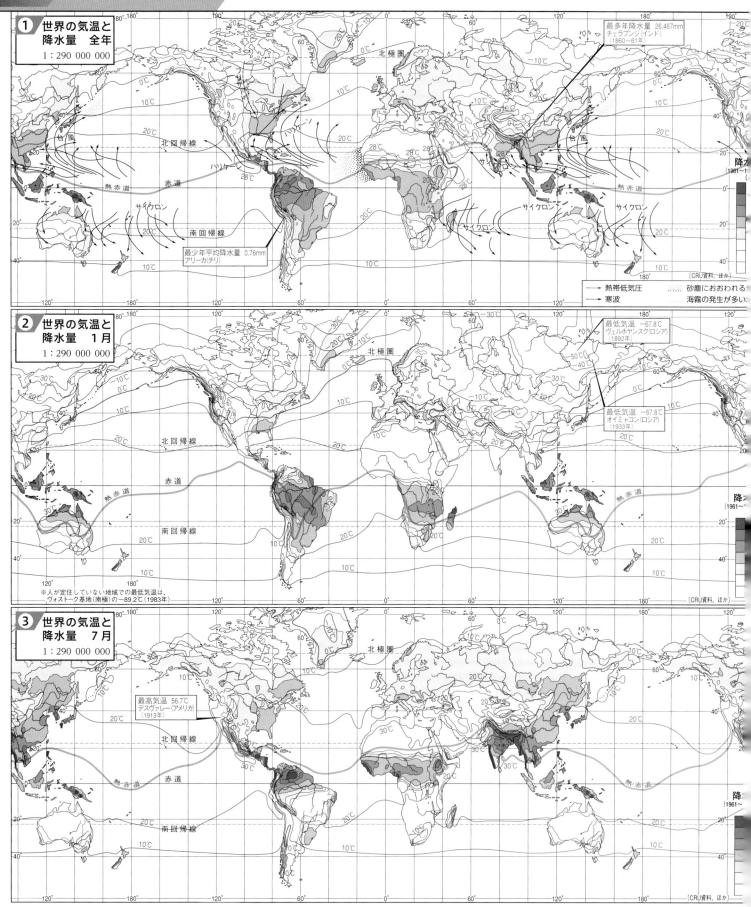

1 世界の気温と降水量 全年
1 : 290 000 000

最多年降水量 26,467mm
チェラプンジ（インド）
（1860〜61年）

最少年平均降水量 0.76mm
アリーカ（チリ）

→ 熱帯低気圧　…… 砂塵におおわれる
--- 寒波　　海霧の発生が多い

〔CRU資料, ほか〕

2 世界の気温と降水量 1月
1 : 290 000 000

最低気温 −67.8℃
ヴェルホヤンスク（ロシア）
（1892年）

最低気温 −67.8℃
オイミャコン（ロシア）
（1933年）

※人が定住していない地域での最低気温は，
ヴォストーク基地（南極）の−89.2℃（1983年）

〔CRU資料, ほか〕

3 世界の気温と降水量 7月
1 : 290 000 000

最高気温 56.7℃
デスヴァレー（アメリカ）
（1913年）

〔CRU資料, ほか〕

7 世界の気象災害のようす

読図の
ヒント
写真 ㋐のハリケーンと ㋑の
台風が発生する場所と進路を
①図で確認しよう。

㋐ アメリカ南東部を襲うハリケーン（アメリカ合衆国，2019年）

㋑ 台風の風で倒れた電柱（千葉県，2019年）

世界の気温の年較差と降水量の季節的変動
1：290 000 000

季節による降水の形態
- 年中多い
- 冬に集中
- 夏に集中
- 年中少ない
- 平均して雨があり春あるいは夏に最大
- 平均して雨があり秋あるいは冬に最大
- ℃ 気温の年較差線

（Goldmanns Grosser Weltatlas）

世界の気圧と風向　1月
1：290 000 000

北極前線帯　北極圏　寒帯前線帯　偏西風　熱帯収束帯　北東貿易風　南東貿易風　赤道　北回帰線　南回帰線　北西季節風　北東季節風

気圧 (hPa)
- 以上
- 1035
- 1030
- 1025
- 1020
- 1015
- 1010
- 1005
- 1000
- 995
- 990
- 未満

気団
- m 海洋性
- c 大陸性
- P 寒帯気団
- T 熱帯気団
- 収束帯
- 前線帯
- 無風帯

（Schweizerischer Mittelschulatlas, ほか）

世界の気圧と風向　7月
1：290 000 000

寒帯前線帯　北極圏　偏西風　熱帯収束帯　北東貿易風　南東貿易風　赤道　北回帰線　南回帰線　南西季節風

気圧 (hPa)
- 以上
- 1025
- 1020
- 1015
- 1010
- 1005
- 1000
- 995
- 未満

資料図

（Schweizerischer Mittelschulatlas, ほか）

南西季節風による洪水のようす（インド, 2019年）

エ 強い寒気と北西季節風による大雪（福井県, 2018年）

オ 干ばつのようす（インドネシア, 2017年）

5 気候区と季節風

北海道の気候
冬が非常に寒く、夏涼しい

太平洋側（内陸）の気候
冬寒く、夏涼しい
年降水量が比較的少ない

日本海側の気候
冬は雪が多い

南西諸島の気候
冬温暖で、夏暑く雨多い

太平洋側の気候
冬は降水量が少ない
やませの影響を受ける
冬温暖で、夏は雨が多い

読図のヒント　ある気候区を取り上げ、降水量や積雪量の特徴を、⑥おもな都市の気温と降水量や⑧⑨降水量の図、⑩積雪量の図から確認しよう。

1：20 000 000　0〜400km

→ 暖流　⇨ 冬の北西季節風
→ 寒流　⇨ 夏の南東季節風

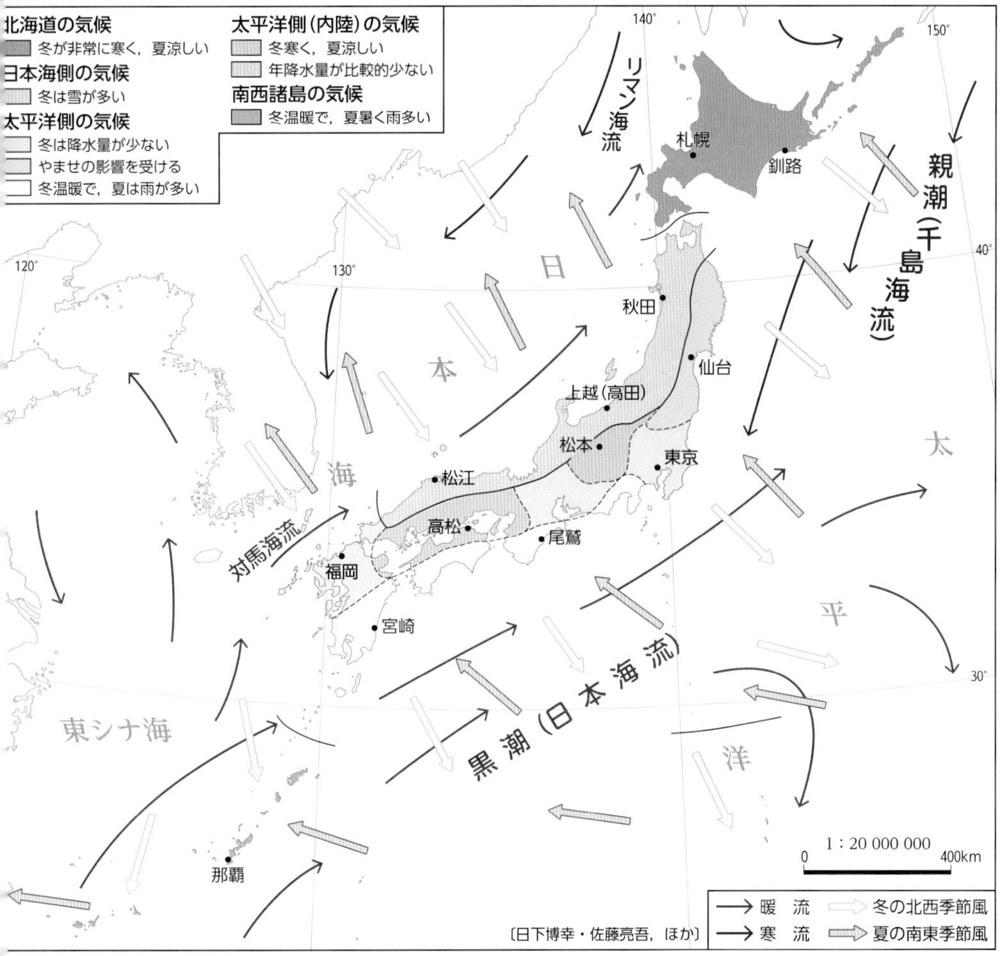

〔日下博幸・佐藤亮吾, ほか〕

7 おもな台風の進路

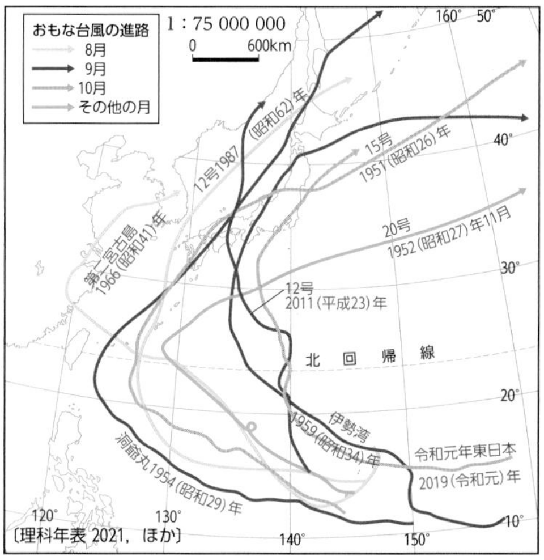

おもな台風の進路　1：75 000 000　0〜600km
8月／9月／10月／その他の月

〔理科年表 2021, ほか〕

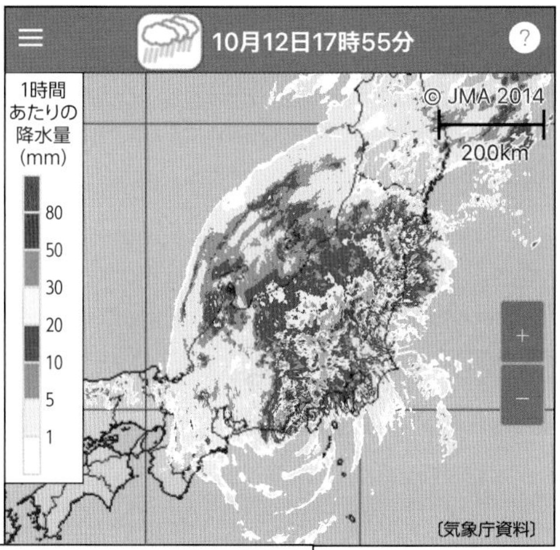

10月12日17時55分

1時間あたりの降水量（mm）
80／50／30／20／10／5／1

© JMA 2014　20.0km

〔気象庁資料〕

⑦台風による降水のようす（2019年10月東日本台風）
気象庁のホームページで、現在の降水のようすや、短時間予報を簡単に確認することができる。

6 おもな都市の気温と降水量

T：年平均気温　P：年降水量　〔理科年表 2022〕

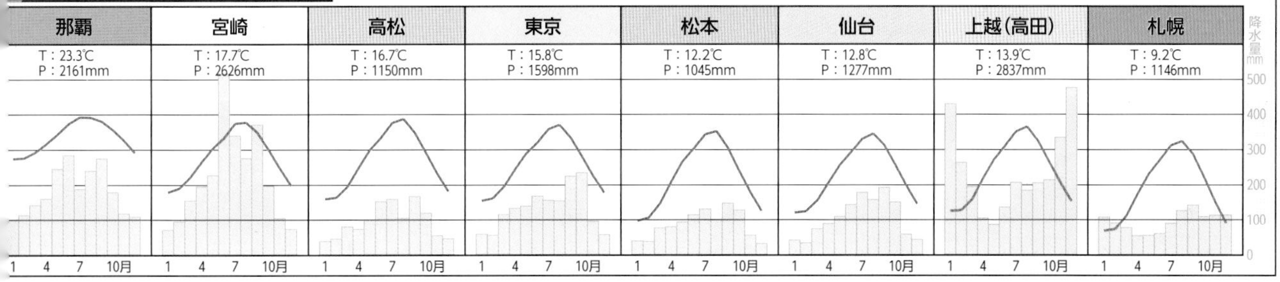

	那覇	宮崎	高松	東京	松本	仙台	上越(高田)	札幌
T	23.3℃	17.7℃	16.7℃	15.8℃	12.2℃	12.8℃	13.9℃	9.2℃
P	2161mm	2626mm	1150mm	1598mm	1045mm	1277mm	2837mm	1146mm

8 8月の降水量
1：23 000 000　0〜200km 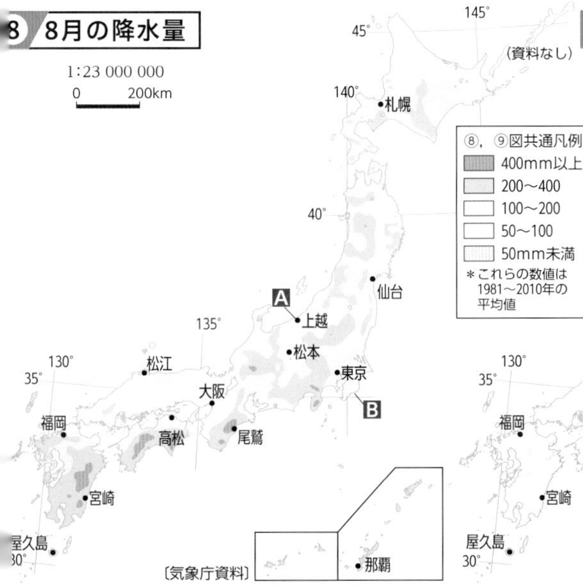

9 1月の降水量
1：23 000 000　0〜200km

⑧、⑨図共通凡例
400mm以上／200〜400／100〜200／50〜100／50mm未満
*これらの数値は1981〜2010年の平均値

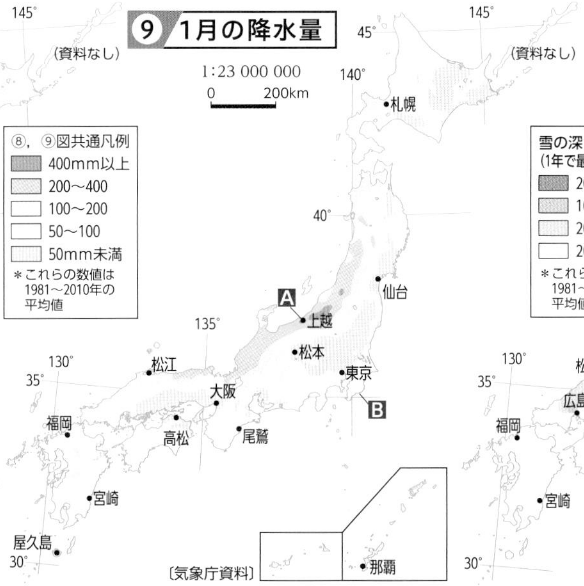

〔気象庁資料〕

10 積雪量
1：23 000 000

雪の深さ（1年で最も深いとき）
200cm以上／100〜200／20〜100／20cm未満
*これらの数値は1981〜2010年の平均値

（沖縄県では雪は積もらない）

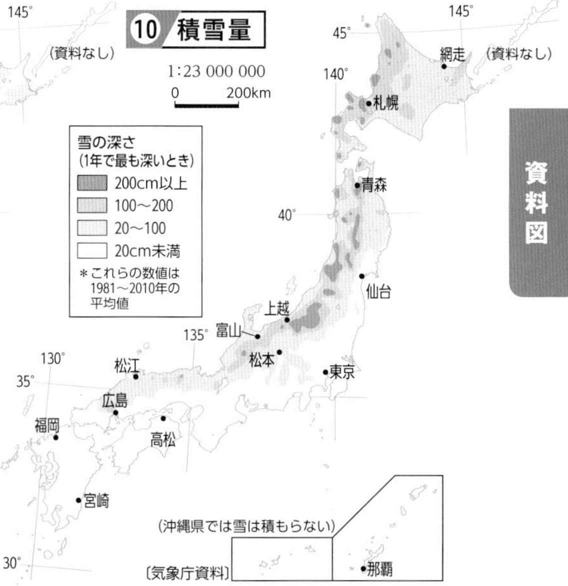

〔気象庁資料〕

資料図

11 季節風による天気の違い（夏）
夏は冬ほど季節風の影響は大きくなく、梅雨や台風などさまざまな要因で雨が降ります。
乾いた風／暖かく湿った風／雨
ウラジオストク／ユーラシア大陸／上越／越後山脈／前橋・関東平野・東京／房総半島

⑧図A-B断面図

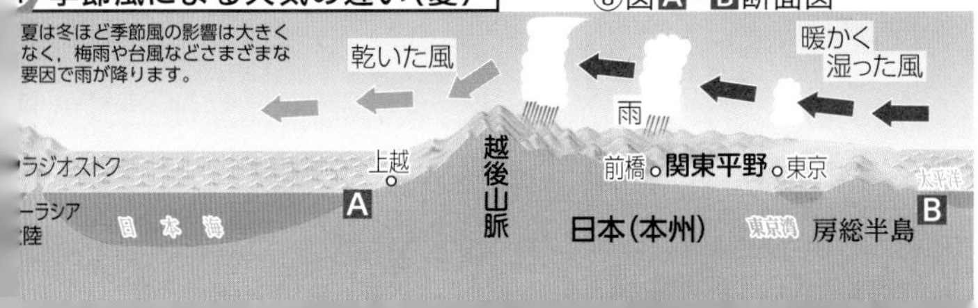

12 季節風による天気の違い（冬）
冷たく乾いた風／湿った風／雪／乾いた風／水蒸気
ウラジオストク／ユーラシア大陸／上越／越後山脈／前橋・関東平野・東京／房総半島

⑨図A-B断面図

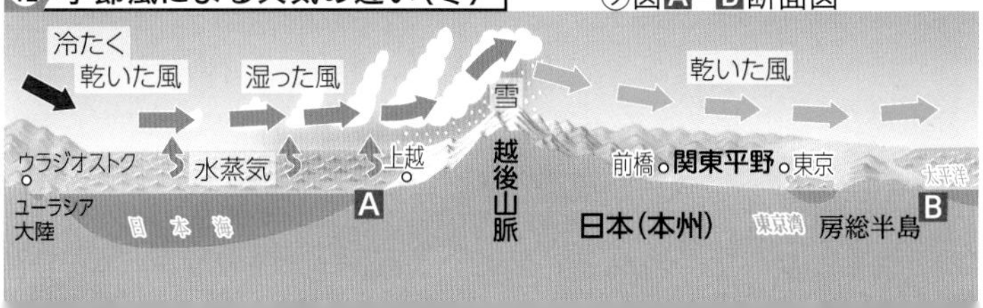

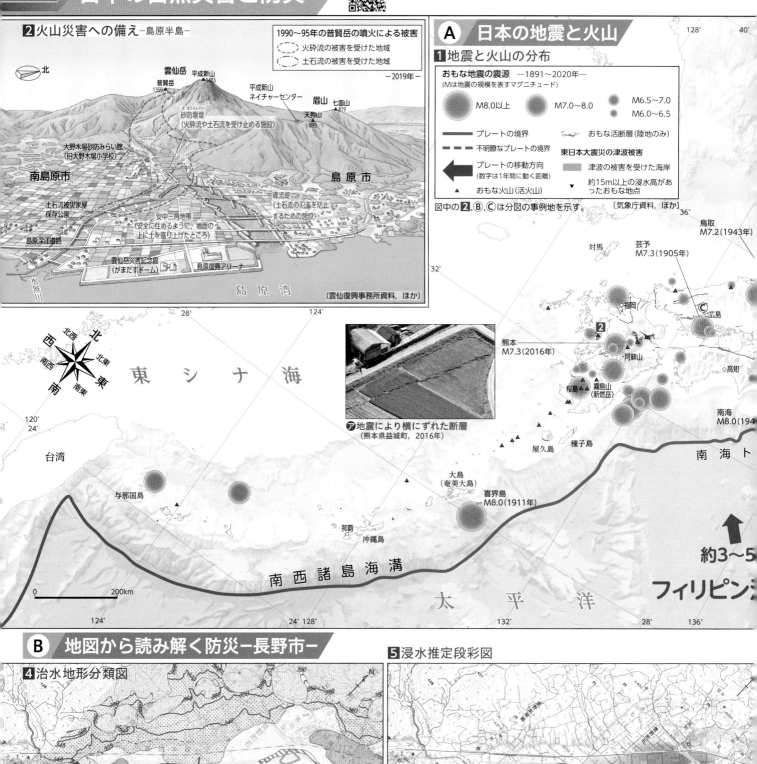

2 火山災害への備え−島原半島−

1990〜95年の普賢岳の噴火による被害
- 火砕流の被害を受けた地域
- 土石流の被害を受けた地域

−2019年−

雲仙岳
平成新山 1483
普賢岳 1359
平成新山ネイチャーセンター
眉山
七面山 819
天狗山 695

砂防堰堤（火砕流や土石流を受け止める施設）

大野木場砂防みらい館（旧大野木場小学校）

南島原市

土石流被災家屋保存公園

島原深江道路

雲仙岳災害記念館（がまだすドーム）

安中三角地帯（安全に住めるように，地面の上に土を盛り上げたところ）

導流堤（土石流の氾濫を防止するための施設）

島原市

島原復興アリーナ

水無川

島原湾

〔雲仙復興事務所資料，ほか〕

A 日本の地震と火山

1 地震と火山の分布

おもな地震の震源　−1891〜2020年−
（Mは地震の規模を表すマグニチュード）
- M8.0以上
- M7.0〜8.0
- M6.5〜7.0
- M6.0〜6.5

── プレートの境界
---- 不明瞭なプレートの境界
← プレートの移動方向（数字は1年間に動く距離）
▲ おもな火山（活火山）
〰 おもな活断層（陸地のみ）

東日本大震災の津波被害
- 津波の被害を受けた海岸
▼ 約15m以上の浸水高があったおもな地点

図中の2，B，Cは分図の事例地を示す。　〔気象庁資料，ほか〕

東シナ海

台湾
与那国島
那覇
沖縄島
大島（奄美大島）
喜界島 M8.0(1911年)

対馬
鳥取 M7.2(1943年)
芸予 M7.3(1905年)
福岡
C 広島
熊本 M7.3(2016年)
阿蘇山
高知
桜島
霧島山（新燃岳）
屋久島
種子島
南海 M8.0(194
南海ト

南西諸島海溝

太平洋

約3〜5
フィリピン

ア 地震により横にずれた断層（熊本県益城町，2016年）

B 地図から読み解く防災−長野市−

4 治水地形分類図

浅川
北陸新幹線
新幹線車両基地
千曲川

0　400m

〔国土地理院 治水地形分類図「中野西部」より作成〕

5 浸水推定段彩図

北陸新幹線
新幹線車両基地
エ
千曲川

0　400m

〔国土地理院 令和元年東日本台風に伴う大雨による浸水推定段彩図（千曲川3）より作成〕

エ 浸水した新幹線車両（長野県，2019年）

キーワード　治水地形分類図

治水対策を進めることを目的に，おもに平野部を対象として，扇状地，自然堤防，旧河道，後背湿地などの詳細な地形分類及び河川工作物等が盛り込まれた地図。国土地理院によって作成されており，地理院地図からも確認できる。

凡例:
- 山地
- 段丘面
- 扇状地
- 盛土地
- 氾濫平野
- 後背湿地
- 微高地（自然堤防）
- 旧河道
- 現河道・水面

*国が管理する河川の流域のうちおもに平野部を対象として作成されているため，全国整備されているわけではない。そのため，4図左上のように欠ける部分も存在している。

推定浸水深 *堤防内は浸水表現にしていない
浅
0m　1m　2m　3m　4m

読図のヒント 5図に示されている最も浸水深い場所はどのような地形か，4から読み取り，どのような地形が予想されるか考えよう。また，自分の住んでいる地域のハザードマップや治水地形分類をインターネットで確認しよう。

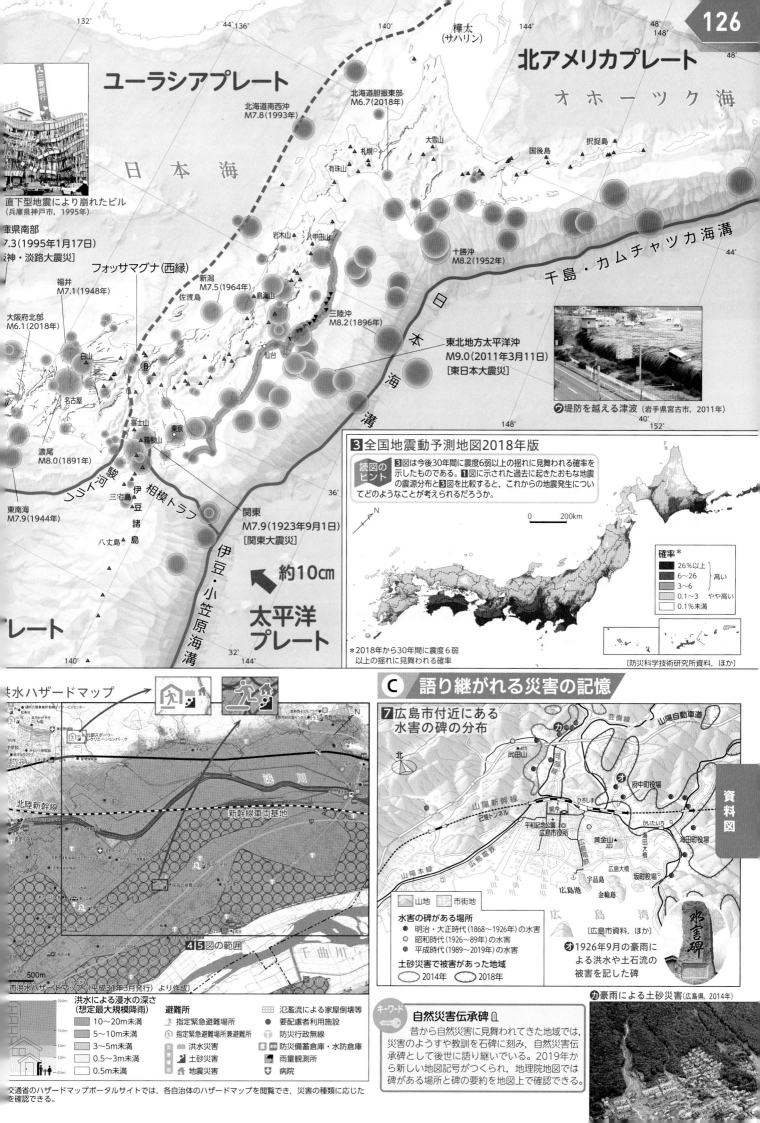

ユーラシアプレート

日 本 海

フォッサマグナ (西縁)

直下型地震により崩れたビル
(兵庫県神戸市, 1995年)

車県南部
7.3(1995年1月17日)
神・淡路大震災

福井
M7.1(1948年)

大阪府北部
M6.1(2018年)

白山

名古屋

濃尾
M8.0(1891年)

東南海
M7.9(1944年)

八丈島

新潟
M7.5(1964年)

佐渡島

岩木山　八甲田山

鳥海山

仙台

富士山

箱根山

伊豆

三宅島

諸

島

駿河トラフ

相模トラフ

関東
M7.9(1923年9月1日)
[関東大震災]

北アメリカプレート

オホーツク海

北海道南西沖
M7.8(1993年)

北海道胆振東部
M6.7(2018年)

札幌

有珠山

大雪山

国後島

択捉島

十勝沖
M8.2(1952年)

千島・カムチャッカ海溝

三陸沖
M8.2(1896年)

東北地方太平洋沖
M9.0(2011年3月11日)
[東日本大震災]

⑦堤防を越える津波 (岩手県宮古市, 2011年)

約10cm

太平洋
プレート

伊豆・小笠原海溝

3 全国地震動予測地図2018年版

読図の
ヒント
3図は今後30年間に震度6弱以上の揺れに見舞われる確率を示したものである。1図に示された過去に起きたおもな地震の震源分布と3図を比較すると, これからの地震発生についてどのようなことが考えられるだろうか。

0　　200km

確率*
26%以上
6～26　　高い
3～6
0.1～3　やや高い
0.1%未満

*2018年から30年間に震度6弱以上の揺れに見舞われる確率

[防災科学技術研究所資料, ほか]

水ハザードマップ

浅川

北陸新幹線

新幹線車両基地

4 5図の範囲

500m

千曲川

市洪水ハザードマップ (平成31年3月発行) より作成

洪水による浸水の深さ
(想定最大規模降雨)
10～20m未満
5～10m未満
3～5m未満
0.5～3m未満
0.5m未満

避難所
指定緊急避難場所
指定緊急避難場所兼避難所
防災行政無線
洪水災害
土砂災害
地震災害

氾濫流による家屋倒壊等
要配慮者利用施設
防災備蓄倉庫・水防倉庫
雨量観測所
病院

交通省のハザードマップポータルサイトでは, 各自治体のハザードマップを閲覧でき, 災害の種類に応じた
を確認できる。

C 語り継がれる災害の記憶

7 広島市付近にある
水害の碑の分布

芸備線

山陽自動車道

武田山

府中町役場

山陽新幹線

平和記念公園
広島市役所

黄金山

海田町役場

山陽本線

広島電鉄

広島港

広島　湾

資料図

水害碑

山地　市街地

水害の碑がある場所
● 明治・大正時代 (1868～1926年) の水害
○ 昭和時代 (1926～89年) の水害
● 平成時代 (1989～2019年) の水害

土砂災害で被害があった地域
2014年　　2018年

[広島市資料, ほか]

オ1926年9月の豪雨による洪水や土石流の被害を記した碑

カ豪雨による土砂災害(広島県, 2014年)

キーワード
自然災害伝承碑

昔から自然災害に見舞われてきた地域では, 災害のようすや教訓を石碑に刻み, 自然災害伝承碑として後世に語り継いでいる。2019年から新しい地図記号がつくられ, 地理院地図では碑がある場所と碑の要約を地図上で確認できる。

A 世界各地で起きている地球環境問題

1 世界のおもな地球環境問題
〔Diercke International Atlas 2010, ほか〕

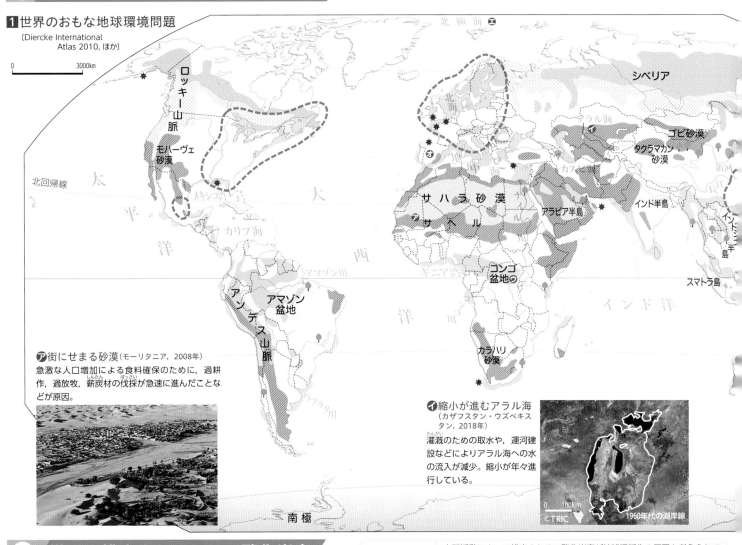

0   3000km

ロッキー山脈
モハーヴェ砂漠
北回帰線
太　平　洋
カリブ海
アマゾン川
アンデス山脈
アマゾン盆地
ブラジル高原
大　西　洋
インド洋
北極海
シベリア
アラル海
ゴビ砂漠
タクラマカン砂漠
インド半島
サ　ハ　ラ　砂　漠
サヘル
アラビア半島
コンゴ盆地
スマトラ島
インドシナ半島
カラハリ砂漠
南極

ア 街にせまる砂漠（モーリタニア, 2008年）
急激な人口増加による食料確保のために, 過耕作, 過放牧, 薪炭材の伐採が急速に進んだことなどが原因。

イ 縮小が進むアラル海（カザフスタン・ウズベキスタン, 2018年）
灌漑のための取水や, 運河建設などによりアラル海への水の流入が減少。縮小が年々進行している。

0   100km
©TRIC
1960年代の湖岸線

B 世界で排出されている二酸化炭素

SDGsのヒント

人間活動によって排出される二酸化炭素が地球温暖化の原因と考えられており, 世界の国々はパリ協定などを結んで二酸化炭素の削減を目指している。どのような国, どのような活動で排出が多いのか確認しよう。また, どのような取り組みが必要か考えよう。

2 1人あたりの二酸化炭素排出量とおもな国・地域の二酸化炭素排出量*

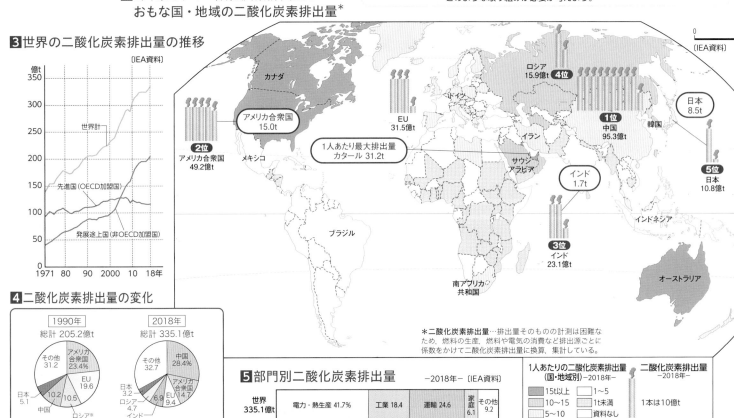

0
〔IEA資料〕

カナダ
ドイツ
ロシア 15.9億t **4位**
日本 8.5t
アメリカ合衆国 15.0t
EU 31.5億t
中国 95.3億t **1位**
韓国
メキシコ
2位 アメリカ合衆国 49.2億t
1人あたり最大排出量 カタール 31.2t
イラン
サウジアラビア
インド 1.7t
5位 日本 10.8億t
3位 インド 23.1億t
ブラジル
南アフリカ共和国
インドネシア
オーストラリア

3 世界の二酸化炭素排出量の推移
〔IEA資料〕

億t
350
300
250
200
150
100
50
0

世界計
先進国（OECD加盟国）
発展途上国（非OECD加盟国）

1971 80 90 2000 10 18年

4 二酸化炭素排出量の変化

1990年 総計 205.2億t
その他 31.2
アメリカ合衆国 23.4%
EU 19.6
日本 5.1
中国 10.2
ロシア* 10.5

2018年 総計 335.1億t
その他 32.7
中国 28.4%
アメリカ合衆国 14.7
EU 9.4
日本 3.2
ロシア* 4.7
インド 6.9

※旧ソ連のうちロシア連邦分
〔IEA資料〕

5 部門別二酸化炭素排出量
−2018年−〔IEA資料〕

世界 335.1億t	電力・熱生産 41.7%	工業 18.4	運輸 24.6	家庭 6.1	その他 9.2

*二酸化炭素排出量…排出量そのものの計測は困難なため, 燃料の生産, 燃料や電気の消費など排出源ごとに係数をかけて二酸化炭素排出量に換算し, 集計している。

1人あたりの二酸化炭素排出量（国・地域別）−2018年−
15t以上
10〜15
5〜10
1〜5
1t未満
資料なし

二酸化炭素排出量−2018年−
1本は10億t

地図内の赤数値は1人あたりの二酸化炭素排出量（t）

C 世界の水問題

SDGsのヒント
基本的な飲料水サービスを利用できない人は世界にどれくらいいて,どのような地域に多いのだろう。すべての人が安全な水にアクセスできるようになるための対策を考えよう。また,水問題が他にどのような問題と結びついているか,考えよう。(→ p.155〜156 ⑪)

6 安全な飲料水を確保できる人口の割合

凡例:
砂漠化
　進行している地域
　砂　漠
熱帯林の減少
　激しい地域
　進行している地域
針葉樹の減少
　激しい地域
　進行している地域
海洋汚染
　汚染が激しい水域
★ おもな原油流出地点
酸性雨・越境大気汚染
　被害がみられる地域
　上空にオゾンホールが顕著に観測される地域
（オゾンの濃度は季節によって大きく変化する）
● 日本の団体などの協力で植林が行われている地域

〔AQUASTAT〕
おもな国の1人あたりの年間水使用量(m³)
500m³ (2017年)

数値: 1367（アメリカ合衆国）, 128（イギリス）, 235（アルジェリア）, 641, 日本, 650, 427（中国）, 504, サウジアラビア, 112（エチオピア）, インド, 506（ペルー）, 316（ブラジル）, 343（南アフリカ共和国）, 648（オーストラリア）

安全な飲料水を確保できる人口の割合(2017年)
95%以上 / 80〜95 / 65〜80 / 65%未満 / 資料なし

⊃ 水汲みをする女性と子ども（コンゴ民主共和国, 2018年）

7 基本的な飲料水サービスを利用できない人々の地域別割合 - 2017年 -
7億8500万人
サハラ以南アフリカ 51.0%
東アジア・東南アジア 20.5
中央アジア・南アジア 18.5
その他 10.0
〔ユニセフ・WHO資料〕

D 減少する森林と海氷

8 アマゾンにおける森林の減少

凡例:
開発が進んだところ（市街地, 畑, 牧場, 道路など）
森林（密林, 疎林など）
サバナ / 草地
Ⅱ 原油 / ▲ 天然ガス / ✕ すず おもな鉱産物

1976年 / 2010年
アマゾン盆地, マナオス, アマゾン川, ブラジル高原, サンルイス, カラジャス鉄道, ボーキサイト, バルビーナダム, ツクルイダム
〔IBGE資料, ほか〕

エ 北極海の海氷の変化
1979年夏 / 2018年夏
シベリア, 北極海, グリーンランド, アラスカ, ハドソン湾
©TRIC

未来の地球環境シミュレーション

2100年*¹のケッペンの気候区分予測

読図のヒント：ケッペンの気候区分の原図は, 20世紀初頭の植生や気温などをもとに作成された。9図は将来の気温と降水量の予測値を, 10, 12図は1980年〜2016年の実測値をもとにそれぞれ作成されたものである。10〜13図を比較して, 気候の分布がどのように変化すると予測されているか確認しよう。

〔Hylke E.Beck, ほか〕

10 11図の範囲 / 12 13図の範囲

凡例:
熱帯: Af, Am, Aw
乾燥帯: BW, BS
温帯: Cs, Cw, Cfa, Cfb
亜寒帯(冷帯): Df, Dw
寒帯: ET, EF

*1 2071年〜2100年の予測データ(温暖化対策を行わなかった際のシナリオ(RCP8.5)のデータ)を基に作成
*2 1980年〜2016年の観測データを基に作成

熱波による高温（スペイン, 2019年）43.0

資料図

10 2016年*²のヨーロッパ周辺 / **11 2100年*¹のヨーロッパ周辺** / **12 2016年*²の日本周辺** / **13 2100年*¹の日本周辺**
ロシア, フランス, スペイン, 中国, 日本

A 多様な世界の食文化

1 世界のおもな食べ物と料理

ア〜クは写真の位置を示す

⑦チーズ（モンゴル） 遊牧生活でつくられている

⑦じゃがいも料理（ドイツ） 定番のソーセージとの組み合わせ

⑦パスタ（イタリア） 小麦粉からつくられる

⑤インジェラ（エチオピア） 雑穀からつくるクレープのような主食

⑦フォー（ベトナム） 米粉からつくられる

トナカイ，アザラシなど

カリブー

カリブー，サケ，マスな

ラクダの乳なつめやしの実など

ラクダの乳なつめやしの実など

小麦

米

2 主食となる作物

〔朝日百科 世界の食べもの，ほか

米	小麦	とうもろこし	タロいも	ヤムいも
原産地は中国南部という説が有力である。	原産地は西アジア一帯である。	原産地はアメリカ大陸である。	原産地はアジアの熱帯地域である。	原産地は中国南部の高原地帯である。

⑦フェケイ（ツバル） タロいもとココナッツミルクを材料にした伝統料理

②アサード（アルゼンチン） 肉のかたまりを炭火で焼いた名物料

B かたよる食料の需給

読図のヒント 穀物自給率と7栄養不足人口の割合，9食料支援を受けている国・地域にはどのような関係があるだろうか。

3 世界の穀物自給率（重量ベース）

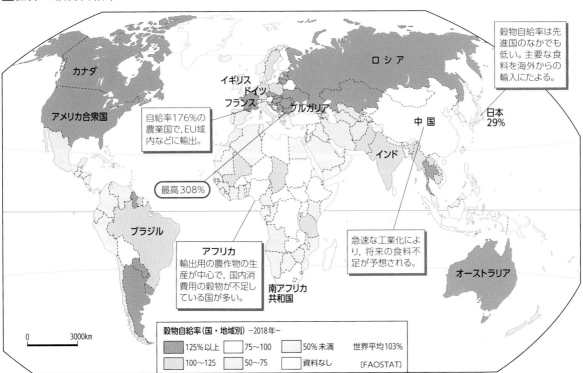

穀物自給率は先進国のなかでも低い。主要な食料を海外からの輸入にたよる。

自給率176%の農業国で，EU域内などに輸出。

最高308%

アフリカ
輸出用の農作物の生産が中心で，国内消費用の穀物が不足している国が多い。

急速な工業化により，将来の食料不足が予想される。

カナダ
ロシア
イギリス ドイツ フランス ブルガリア
アメリカ合衆国
中国
インド
日本 29%
ブラジル
南アフリカ共和国
オーストラリア

穀物自給率（国・地域別） −2018年−

125%以上	75〜100	50%未満
100〜125	50〜75	資料なし

世界平均103% 〔FAOSTAT〕

4 世界の穀物生産量

−2018年−

中国 20.9%
その他 35.7
世界計 29.1 億t
アメリ 合衆[15.[
フランス 2.1
ウクライナ 2.4
アルゼンチン 2.4
インドネシア 3.1
インド 11.0
ロシア
ブラジル 3.5

〔FAOST

キーワード 穀物自給率と食料自給率

自給率とは，消費される食料のうち，国内産の割合のことをいう。100%未満は国内産だけでまかなえていないことを表す。
穀物自給率は穀物の生産量でみた自給率のこと。食料自給率は，食品を品目ごとにカロリーに換算して算計したものである。食料自給率でみても日本は37%と，輸入に大きく依存している。

C 輸入に依存する日本の食料

5 農産物の輸入と食料自給率の推移

万t / %
- 食料自給率
- 農産物輸入量

冷害('93)
BSE国内初発生('01)
12農産物主要品目自由化('90)

1960 70 80 90 2000 10年度

〔平成30年度 食料需給表〕

6 おもな農産物の輸入先

0 3000km

カナダ 4177
アメリカ合衆国 14259
2210 フランス
2973 イタリア
中国 7171
韓国 2072
タイ 4329
オーストラリア 4554
ニュージーランド 1752
ブラジル 3424

日本の農産物の輸入 －2019年－
2000億円未満　2000～5000億円　5000億～1兆円　1兆円以上
赤数字 おもな国からの輸入額（億円）
〔農林水産省資料〕

読図のヒント　日本の農産物の輸入先で第1～3位の国を確認しよう。

D かたよる世界の栄養状況

7 世界のハンガーマップ

0 3000km

カナダ / アメリカ合衆国 / イギリス / ドイツ / フランス / ロシア / 中国 / 日本 / インド / タイ / バングラデシュ / ハイチ / ベネズエラ / セネガル / リベリア / ナイジェリア / ブラジル / アンゴラ / チャド / エチオピア / モザンビーク / 南アフリカ共和国 / アルゼンチン / オーストラリア

栄養不足人口の割合（国・地域別）
－2017～19年平均－
- 30%以上
- 15～30
- 5～15
- 5%未満
- 資料なし

〔FAOSTAT〕

8 世界の栄養不足人口の推移

1990～92年：アジア / アフリカ / ラテンアメリカ・カリブ海諸国
2017～19年：アジア / アフリカ / ラテンアメリカ・カリブ海諸国

0 2 4 6 8 10億人

〔FAOSTAT, ほか〕

SDGsのヒント
栄養不足人口の割合が高い地域に共通する課題を，p.137～138■ や p.141■, p.155～156⑪から調べ，世界の栄養不足人口を減らしていくためにはどのようなことが必要か考えてみよう。

E 国際機関による食料支援

学校給食プログラムによる支援（中央アフリカ）
貧しい家庭の子どもが積極的に学校に通えるよう，学校給食を支援している。

国連WFPへの拠出金

2000年 16.9億ドル
- アメリカ合衆国 47.0%
- その他 30.6
- 日本 15.4
- 欧州委員会 7.0

2019年 80.7億ドル
- アメリカ合衆国 42.0%
- その他 21.6
- ドイツ 11.0
- イギリス 8.7
- 欧州委員会 8.5
- サウジアラビア 4.8
- アラブ首長国連邦 3.4

〔WFP資料〕

9 国連WFP*による食料支援を受けている国・地域

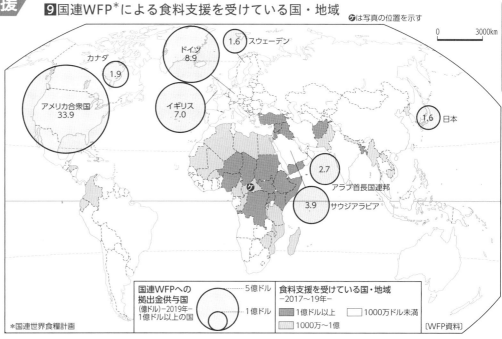

⑦は写真の位置を示す

0 3000km

カナダ 1.9
アメリカ合衆国 33.9
ドイツ 8.9
スウェーデン 1.6
イギリス 7.0
日本 1.6
アラブ首長国連邦 2.7
サウジアラビア 3.9

国連WFPへの拠出金供与国（億ドル）－2019年－1億ドル以上の国
5億ドル / 1億ドル

食料支援を受けている国・地域 －2017～19年－
- 1億ドル以上
- 1000万～1億
- 1000万ドル未満

*国連世界食糧計画

〔WFP資料〕

（左側）
⑦トルティーヤ（メキシコ）とうもろこしの粉をうすくのばして焼く

とうもろこし
じゃがいも

おもな食べ物
- 米
- 小麦
- とうもろこし・こうりゃんなど
- いも類
- 小麦・肉など
- 麦類とじゃがいも
- 肉と乳
- その他
- 作物の原産地と伝播ルート

Ⓐ 多様な世界の農業

🔢1 世界の農業地域

ア～エは写真の位置を示す　0　2000km

凡例:
- やしの限界
- ぶどうの限界
- 穀物の限界

ア 混合農業（ドイツ）

イ 小麦の収穫（アメリカ合衆国）

ウ 稲作（インドネシア）

エ 焼畑農業（ギニア）

読図のヒント
米の生産が多い地域と小麦の生産が多い地域の分布にはどのような違いがあるだろうか。p.121①の気温と降水量の図などと比較して考えてみよう。

🔢3 米・小麦の生産国と輸出国

米 ―2019年―

生産国 7億5547万t	中国 27.7%	インド 23.5	7.2	7.2	5.8	その他 21.3

インドネシア / ベトナム / ミャンマー 3.5 / バングラデシュ / タイ 3.8

輸出国 4236万t

インド 23.0%	タイ 16.2	ベトナム 12.9	10.8	7.2	中国 6.4	5.1	その他 18.4

パキスタン / アメリカ合衆国 / ミャンマー

小麦 ―2019年―

生産国 7億6577万t	中国 17.4%	インド 13.5	ロシア 9.7	アメリカ合衆国 6.8	その他 39.4

フランス 5.3 / カナダ 4.2 / ウクライナ 3.7

輸出国 1億7952万t

ロシア 17.8%	アメリカ合衆国 15.1	カナダ 12.7	フランス 11.1	7.4	5.9	5.3	その他 21.3

アルゼンチン / オーストラリア / ルーマニア 3.4

[FAOSTAT]

🔢2 米・小麦の生産と移動

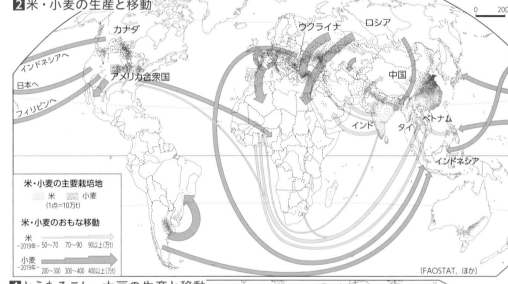

米・小麦の主要栽培地
- 米
- 小麦
（1点=10万t）

米・小麦のおもな移動
- 米 ―2019年―　50～70　70～90　90以上（万t）
- 小麦 ―2019年―　200～300　300～400　400以上（万t）

[FAOSTAT, ほか]

🔢5 とうもろこし・大豆の生産国と輸出国

とうもろこし ―2019年―

生産国 11億4849万t	アメリカ合衆国 30.2%	中国 22.7	8.8	その他 33.3

ブラジル / アルゼンチン 5.0

輸出国 1億8375万t

ブラジル 23.3%	アメリカ合衆国 22.6	アルゼンチン 19.6	ウクライナ 13.3	その他 21.2

大豆 ―2019年―

生産国 3億3367万t	ブラジル 34.2%	アメリカ合衆国 29.0	アルゼンチン 16.6	インド 4.0	その他 11.5

中国 4.7

輸出国 1億5539万t

ブラジル 47.7%	アメリカ合衆国 33.7	6.5	その他 8.9

アルゼンチン / パラグアイ 3.2

[FAOSTAT]

🔢4 とうもろこし・大豆の生産と移動

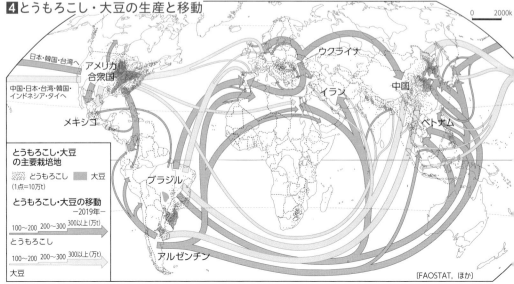

とうもろこし・大豆の主要栽培地
- とうもろこし
- 大豆
（1点=10万t）

とうもろこし・大豆の移動 ―2019年―
- とうもろこし　100～200　200～300　300以上（万t）
- 大豆　100～200　200～300　300以上（万t）

[FAOSTAT, ほか]

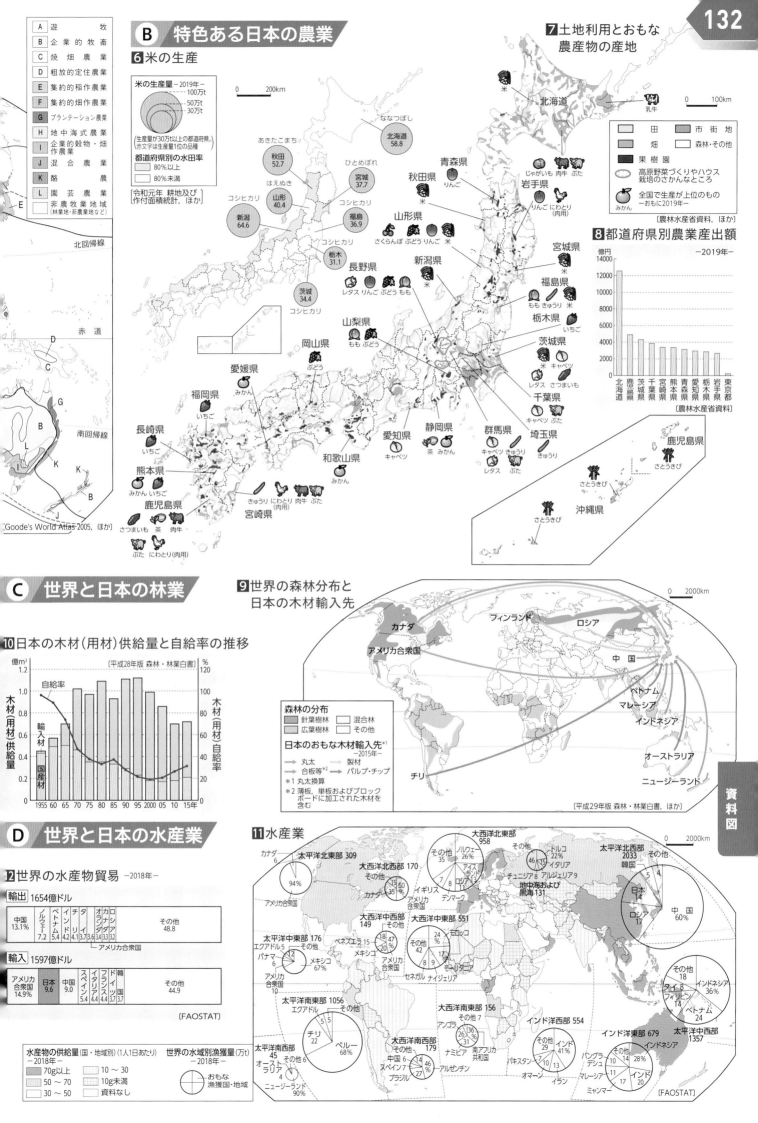

A かたよる鉱産資源

1 鉱産資源の分布

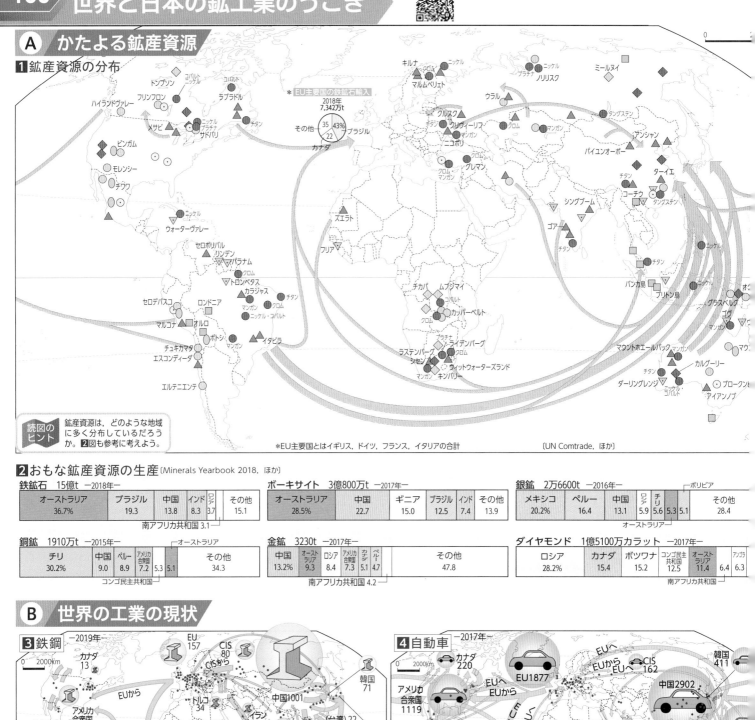

読図のヒント　鉱産資源は、どのような地域に多く分布しているだろうか。2図も参考に考えよう。

*EU主要国とはイギリス, ドイツ, フランス, イタリアの合計　〔UN Comtrade, ほか〕

*EU主要国の鉄鉱石輸入
2018年
7,342万t
その他 35 43% ブラジル
22
カナダ

2 おもな鉱産資源の生産 〔Minerals Yearbook 2018, ほか〕

鉄鉱石　15億t　－2018年－

オーストラリア 36.7%	ブラジル 19.3	中国 13.8	インド 8.3	ロシア 3.7	その他 15.1

南アフリカ共和国 3.1

ボーキサイト　3億800万t　－2017年－

オーストラリア 28.5%	中国 22.7	ギニア 15.0	ブラジル 12.5	インド 7.4	その他 13.9

銀鉱　2万6600t　－2016年－

メキシコ 20.2%	ペルー 16.4	中国 13.1	ロシア 5.9	チリ 5.6	ポリビア 5.3	オーストラリア 5.1	その他 28.4

銅鉱　1910万t　－2015年－

チリ 30.2%	中国 9.0	ペルー 8.9	アメリカ合衆国 7.2	コンゴ民主共和国 5.3	オーストラリア 5.1	その他 34.3

金鉱　3230t　－2017年－

中国 13.2%	オーストラリア 9.3	ロシア 8.4	アメリカ合衆国 7.3	カナダ 5.1	ペルー 4.7	南アフリカ共和国 4.2	その他 47.8

ダイヤモンド　1億5100万カラット　－2017年－

ロシア 28.2%	カナダ 15.4	ボツワナ 15.2	コンゴ民主共和国 12.5	オーストラリア 11.4	南アフリカ共和国 6.4	アンゴラ 6.3

B 世界の工業の現状

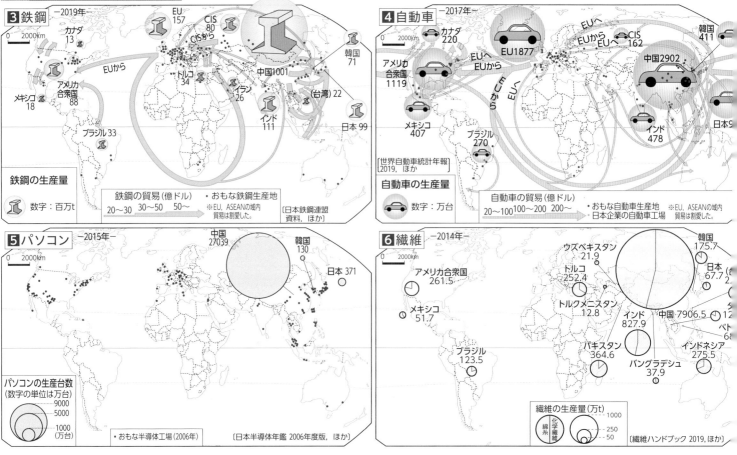

3 鉄鋼 －2019年－

鉄鋼の生産量
I 数字：百万t

鉄鋼の貿易（億ドル）
20〜30　30〜50　50〜
・おもな鉄鋼生産地
※EU, ASEANの域内貿易は割愛した。

〔日本鉄鋼連盟資料, ほか〕

4 自動車 －2017年－

〔世界自動車統計年報 2019, ほか〕

自動車の生産量
数字：万台

自動車の貿易（億ドル）
20〜100　100〜200　200〜
・おもな自動車生産地
日本企業の自動車工場
※EU, ASEANの域内貿易は割愛した。

5 パソコン －2015年－

中国 27039
韓国 130
日本 371

パソコンの生産台数
（数字の単位は万台）
9000
5000
1000
（万台）
・おもな半導体工場（2006年）

〔日本半導体年鑑 2006年度版, ほか〕

6 繊維 －2014年－

ウズベキスタン 21.9
韓国 175.7
アメリカ合衆国 261.5
トルコ 252.4
日本 67.7
トルクメニスタン 12.8
メキシコ 51.7
インド 827.9
中国 7906.5
パキスタン 364.6
ブラジル 123.5
バングラデシュ 37.9
インドネシア 275.5

繊維の生産量（万t）
化学繊維
綿糸
1000
250
50

〔繊維ハンドブック 2019, ほか〕

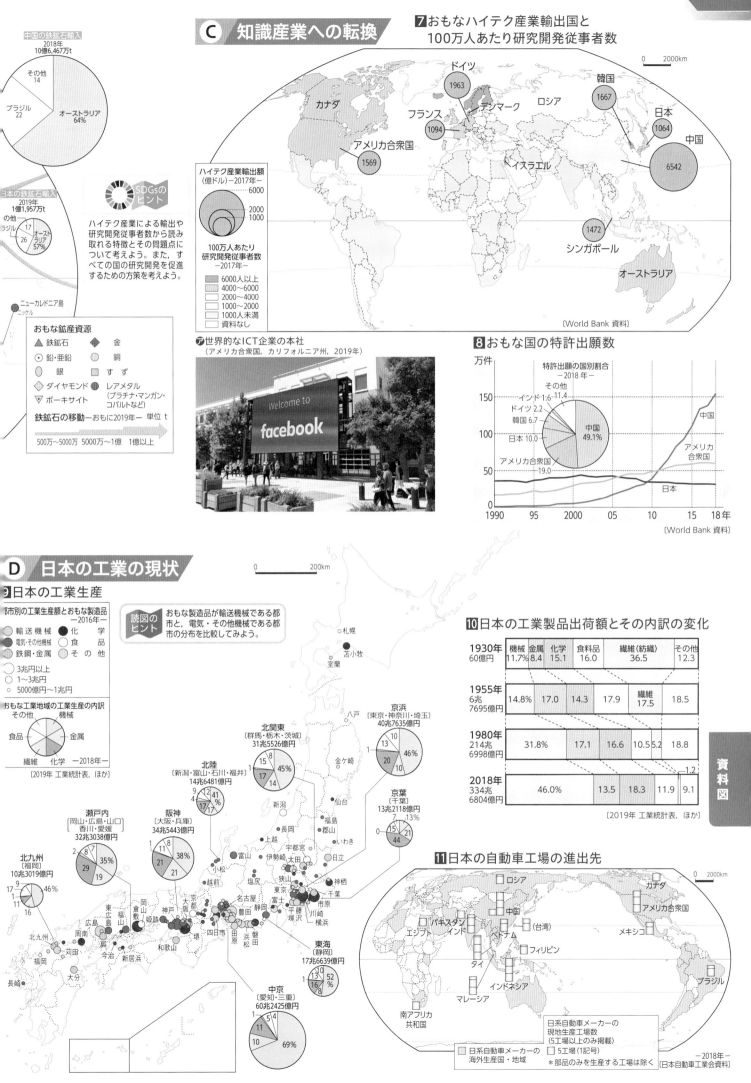

C 知識産業への転換

7 おもなハイテク産業輸出国と100万人あたり研究開発従事者数

ドイツ 1963
韓国 1667
日本 1064
カナダ
フランス 1094
ロシア
デンマーク
日本 1064
中国 6542
アメリカ合衆国 1569
イスラエル
シンガポール 1472
オーストラリア

ハイテク産業輸出額
(億ドル)―2017年―
6000 2000 1000

100万人あたり
研究開発従事者数
―2017年―
6000人以上
4000〜6000
2000〜4000
1000〜2000
1000人未満
資料なし

〔World Bank 資料〕

中国の鉄鉱石輸入
2018年
10億6,467万t
その他 14
ブラジル 22
オーストラリア 64%

日本の鉄鉱石輸入
2019年
1億1,957万t
その他 17
ブラジル 26
オーストラリア 57%

SDGsのヒント
ハイテク産業による輸出や研究開発従事者数から読み取れる特徴とその問題点について考えよう。また，すべての国の研究開発を促進するための方策を考えよう。

おもな鉱産資源
▲ 鉄鉱石 ◆ 金
⊙ 鉛・亜鉛 ○ 銅
○ 銀 ■ すず
◇ ダイヤモンド ● レアメタル（プラチナ・マンガン・コバルトなど）
▽ ボーキサイト
鉄鉱石の移動―おもに2019年― 単位 t
500万〜5000万 5000万〜1億 1億以上

ニューカレドニア島
ニッケル

7 世界的なICT企業の本社
（アメリカ合衆国，カリフォルニア州，2019年）
Welcome to facebook

8 おもな国の特許出願数

万件
特許出願の国別割合 ―2018年―
その他 11.4
インド 1.6
ドイツ 2.2
韓国 6.7
日本 10.0
中国 49.1%
アメリカ合衆国 19.0

中国
アメリカ合衆国
日本

1990 95 2000 05 10 15 18年

〔World Bank 資料〕

D 日本の工業の現状

9 日本の工業生産

読図のヒント おもな製造品が輸送機械である都市と，電気・その他機械である都市の分布を比較してみよう。

都市別の工業生産額とおもな製造品 ―2016年―
○ 輸送機械 ● 化学
○ 電気・その他機械 ○ 食品
○ 鉄鋼・金属 ○ その他
○ 3兆円以上
○ 1〜3兆円
○ 5000億円〜1兆円

おもな工業地域の工業生産の内訳
その他 機械
食品
繊維 金属
化学 ―2018年―
〔2019年 工業統計表，ほか〕

京浜
〔東京・神奈川・埼玉〕
40兆7635億円
46% 10 10 20 13 1

京葉
〔千葉〕
13兆2118億円
44 21 15 0 7 13%

北関東
〔群馬・栃木・茨城〕
31兆5526億円
45% 14 17 15 8

北陸
〔新潟・富山・石川・福井〕
14兆6481億円
41% 17 17 12 4 9

瀬戸内
〔岡山・広島・山口〕
香川・愛媛
32兆3038億円
35% 19 29 8 7 2

阪神
〔大阪・兵庫〕
34兆5443億円
38% 21 21 11 8 1

北九州
〔福岡〕
10兆3019億円
46% 16 11 9 17

東海
〔静岡〕
17兆6639億円
52% 8 16 13 1

中京
〔愛知・三重〕
60兆2425億円
69% 10 11 5 4 1

札幌 苫小牧 室蘭 八戸 金ケ崎 仙台 福島 郡山 いわき 宇都宮 伊勢崎 太田 日立 狭山 神栖 千葉 市原 富士 藤枝 浜松 磐田 富士宮 横浜 川崎 東京 名古屋 静岡 豊田 岡崎 四日市 田原 和歌山 堺 京都 大阪 神戸 姫路 倉敷 広島 福山 周南 東広島 呉 今治 新居浜 大分 北九州 苅田 福岡 長崎 新潟 長岡 富山 小松 上越 越前 塩尻 新潟

10 日本の工業製品出荷額とその内訳の変化

	機械	金属	化学	食料品	繊維（紡織）	その他
1930年 60億円	11.7%	8.4	15.1	16.0	36.5	12.3
1955年 6兆7695億円	14.8%	17.0	14.3	17.9	繊維 17.5	18.5
1980年 214兆6998億円	31.8%	17.1	16.6	10.5	5.2	18.8
2018年 334兆6804億円	46.0%	13.5	18.3	11.9	1.2	9.1

〔2019年 工業統計表，ほか〕

11 日本の自動車工場の進出先

ロシア カナダ 中国 アメリカ合衆国 パキスタン インド （台湾） ベトナム メキシコ エジプト フィリピン タイ インドネシア マレーシア 南アフリカ共和国 ブラジル

日系自動車メーカーの現地生産工場数
（5工場以上のみ掲載）
□ 日系自動車メーカーの海外生産国・地域
□ 5工場（1記号）
＊部品のみを生産する工場は除く
―2018年―
〔日本自動車工業会資料〕

A かたよるエネルギーの消費

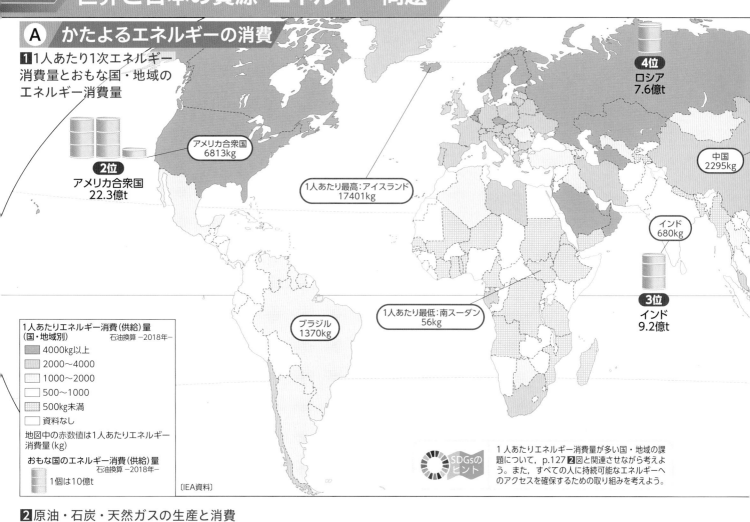

1 1人あたり1次エネルギー消費量とおもな国・地域のエネルギー消費量

2位 アメリカ合衆国 22.3億t
アメリカ合衆国 6813kg
1人あたり最高：アイスランド 17401kg
4位 ロシア 7.6億t
中国 2295kg
インド 680kg
1人あたり最低：南スーダン 56kg
3位 インド 9.2億t
ブラジル 1370kg

1人あたりエネルギー消費(供給)量(国・地域別) 石油換算 −2018年−
- 4000kg以上
- 2000〜4000
- 1000〜2000
- 500〜1000
- 500kg未満
- 資料なし

地図中の赤数値は1人あたりエネルギー消費量(kg)

おもな国のエネルギー消費(供給)量 石油換算 −2018年−
1個は10億t
〔IEA資料〕

SDGsのヒント
1人あたりエネルギー消費量が多い国・地域の課題について、p.127 2図と関連させながら考えよう。また、すべての人に持続可能なエネルギーへのアクセスを確保するための取り組みを考えよう。

2 原油・石炭・天然ガスの生産と消費

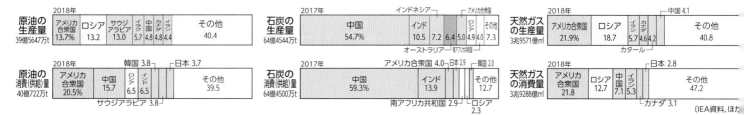

原油の生産量 39億5647万t	2018年							
	アメリカ合衆国 13.7%	ロシア 13.2	サウジアラビア 13.0	イラク 5.7	中国 4.8	カナダ 4.8	イラン 4.4	その他 40.4

原油の消費(供給)量 40億722万t	2018年					韓国 3.8	日本 3.7	
	アメリカ合衆国 20.5%	中国 15.7	ロシア 6.5	インド 6.5				その他 39.5

サウジアラビア 3.8

石炭の生産量 64億4544万t	2017年		インドネシア	アメリカ合衆国			
	中国 54.7%	インド 10.5	7.2	6.4	ロシア 5.0	4.9 4.0	その他 7.3

オーストラリア 南アフリカ共和国

石炭の消費(供給)量 64億4500万t	2017年		アメリカ合衆国 4.0	日本 2.9	韓国 2.0	
	中国 59.3%	インド 13.9				その他 12.7

南アフリカ共和国 2.9　ロシア 2.3

天然ガスの生産量 3兆9571億m³	2018年				中国 4.1	
	アメリカ合衆国 21.9%	ロシア 18.7	イラン 5.7	カナダ 4.6 4.2		その他 40.8

カタール

天然ガスの消費量 3兆9288億m³	2018年				日本 2.8	
	アメリカ合衆国 21.8	ロシア 12.7	中国 7.1	イラン 5.3		その他 47.2

カナダ 3.1

〔IEA資料、ほか〕

B 原子力発電の現状

SDGsのヒント
脱原発を推進する国がある一方、原発を推進する国もある。それぞれの理由や背景を調べよう。また、持続可能なエネルギーへの代替のためにどのような対策が必要か、考えよう。

5 世界の原子力発電

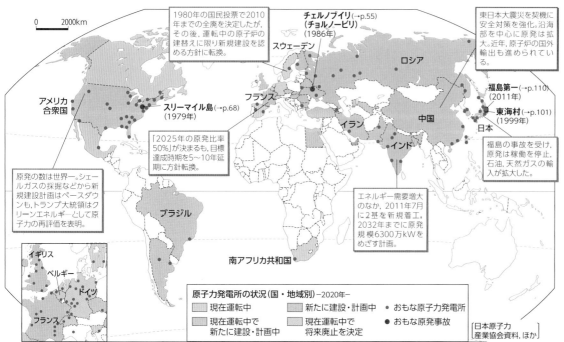

0 2000km

1980年の国民投票で2010年までの全廃を決定したが、その後、運転中の原子炉の建替えに限り新規建設を認める方針に転換。

チェルノブイリ(→p.55)(チョルノービリ)(1986年)

スウェーデン

ロシア

東日本大震災を契機に安全対策を強化。沿海部を中心に原発は拡大。近年、原子炉の国外輸出も進められている。

福島第一(→p.110)(2011年)

東海村(→p.101)(1999年)

アメリカ合衆国

スリーマイル島(→p.68)(1979年)

フランス

イラン

中国

日本

「2025年の原発比率50%」が決まるも、目標達成時期を5〜10年延期に方針転換。

原発の数は世界一。シェールガスの採掘などから新規建設計画はペースダウンも、トランプ大統領はクリーンエネルギーとして原子力の再評価を表明。

ブラジル

インド

福島の事故を受け、原発は稼働を停止。石油、天然ガスの輸入が拡大した。

エネルギー需要増大のなか、2011年7月に2基を新規着工。2032年までに原発規模6300万kWをめざす計画。

南アフリカ共和国

イギリス
ベルギー
ドイツ
フランス

原子力発電所の状況(国・地域別) −2020年−
- 現在運転中
- 現在運転中で新たに建設・計画中
- 新たに建設・計画中
- 現在運転中で将来廃止を決定
- おもな原子力発電所
- ● おもな原発事故

〔日本原子力産業協会資料、ほか〕

6 おもな国の発電の内訳 −2018年−

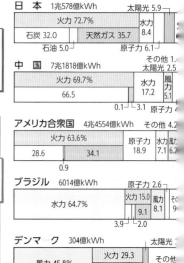

日本 1兆578億kWh				太陽光 5.9
火力 72.7%		水力 8.4	原子力 6.1	

石炭 32.0　天然ガス 35.7　石油 5.0

中国 7兆1818億kWh			その他 1. 太陽光 2.5
火力 69.7% 66.5	水力 17.2	風力 5.1	

0.1 3.1 原子力

アメリカ合衆国 4兆4554億kWh			その他 4.2
火力 63.6% 28.6 34.1	原子力 18.9	水力 7.1 風力 6.2	

0.9

ブラジル 6014億kWh			原子力 2.6
水力 64.7%	火力 15.0 9.1	風力 8.1	その他 9.

3.9 2.0

デンマーク 304億kWh			太陽光
風力 45.8%	火力 29.3 21.6 6.8		その他 21.8

0.9

フランス 5819億kWh		風力 4.9 火力	その他
原子力 71.0%	水力 12.1 8.1 5.3		

1.8 1.0

〔IEA資料〕

3 エネルギー資源の分布と移動

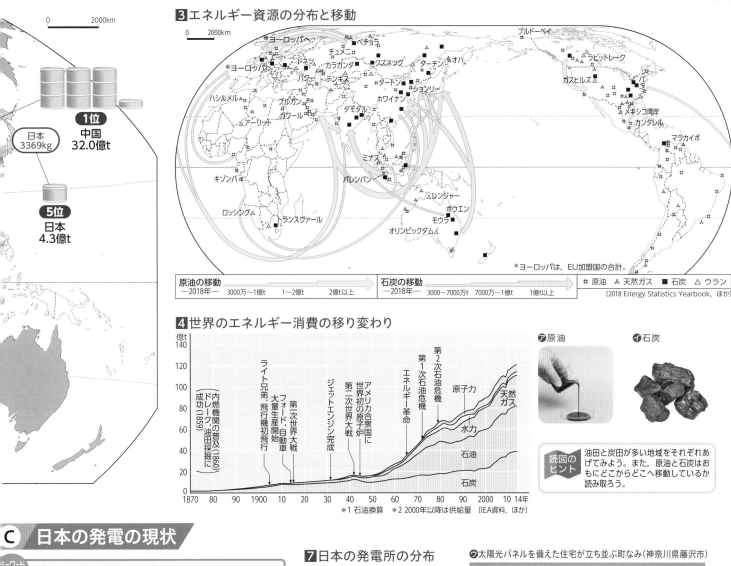

日本 3369kg

1位 中国 32.0億t

5位 日本 4.3億t

原油の移動 ―2018年―	石炭の移動 ―2018年―
3000万～1億t　1～2億t　2億t以上	3000～7000万t　7000万～1億t　1億t以上

＃ 原油　▲ 天然ガス　■ 石炭　△ ウラン

〔2018 Energy Statistics Yearbook, ほか〕

＊ヨーロッパは, EU加盟国の合計。

4 世界のエネルギー消費の移り変わり

億t

内燃機関の普及(1860)／ドレーク油田採掘に成功(1859)

ライト兄弟, 飛行機初飛行

第一次世界大戦／フォード, 自動車大量生産開始

ジェットエンジン完成／第二次世界大戦

アメリカ合衆国に世界初の原子炉／エネルギー革命

第2次石油危機／第1次石油危機

原子力　天然ガス　水力　石油　石炭

＊1 石油換算　＊2 2000年以降は供給量　〔IEA資料, ほか〕

ア原油　イ石炭

読図のヒント	油田と炭田が多い地域をそれぞれあげてみよう。また, 原油と石炭はおもにどこからどこへ移動しているか読み取ろう。

C 日本の発電の現状

キーワード　スマートシティ

ITや環境技術などの先端技術を駆使して街全体の電力の有効利用を図ることで省エネルギー化を徹底した環境配慮型都市。自治体や写真ウのように街区レベルで太陽光発電を完備した住宅の整備が進むなど, エネルギーの自給自足を目指す動きが活発になってきている。

7 日本の発電所の分布

おもな発電所の最大出力 (50万kW以上)
- 500万kW
- 200万kW
- 50万kW
- ● 水力発電所
- ● 火力発電所
- ● 原子力発電所 ＊
- ― 電力会社別供給区域
- ← 区域外への送電

- ▲ 風力発電所 (5万kW以上, 自家用は除く)
- ☼ 地熱発電所 (2万kW以上)
- ☆ 太陽光発電所 (5万kW以上)

＊2011年3月11日の東日本大震災による福島第一原子力発電所の事故の影響により運転停止となっているものも含む(2020年3月現在)。
〔2017年版　電気事業便覧, ほか〕

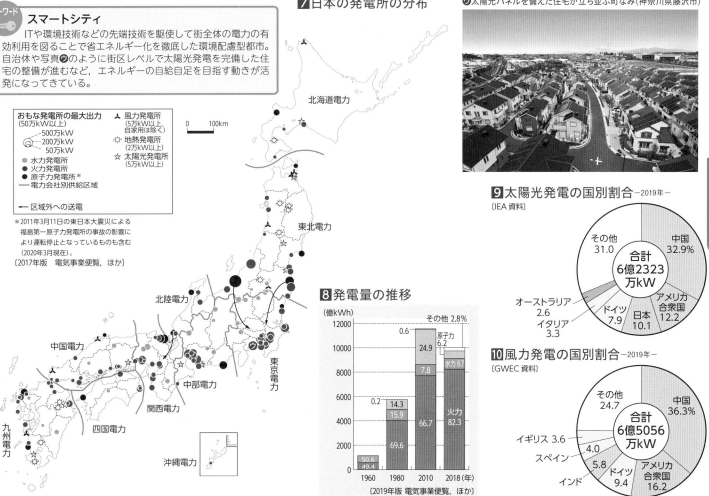

北海道電力／東北電力／北陸電力／中国電力／中部電力／関西電力／四国電力／九州電力／沖縄電力／東京電力

ウ太陽光パネルを備えた住宅が立ち並ぶ町なみ(神奈川県藤沢市)

8 発電量の推移

億kWh

	1960	1980	2010	2018(年)
その他		0.2	0.6	2.8%
原子力			24.9	6.2
水力	50.6	14.3	7.8	8.7
火力	49.4 / 69.6	15.9	66.7	82.3

〔2019年版 電気事業便覧, ほか〕

9 太陽光発電の国別割合 ―2019年―
〔IEA 資料〕

合計 6億2323万kW

- 中国 32.9%
- アメリカ合衆国 12.2
- 日本 10.1
- ドイツ 7.9
- イタリア 3.3
- オーストラリア 2.6
- その他 31.0

10 風力発電の国別割合 ―2019年―
〔GWEC 資料〕

合計 6億5056万kW

- 中国 36.3%
- アメリカ合衆国 16.2
- ドイツ 9.4
- インド 5.8
- スペイン 4.0
- イギリス 3.6
- その他 24.7

資料図

A 世界と各国の経済規模

1 1人あたりGNIとおもな国・地域のGDP

読図の
ヒント　1人あたりGNIの高い国と
低い国の分布を読み取ろう。

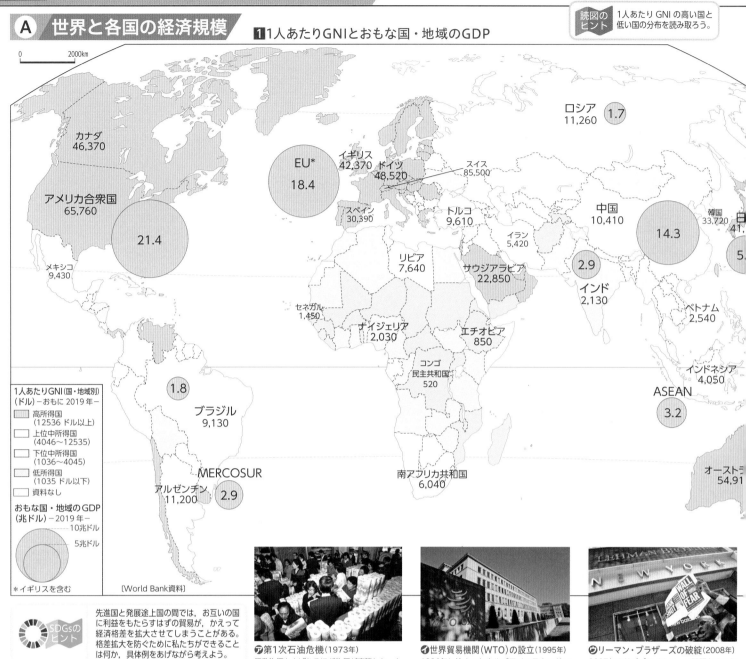

カナダ
46,370

アメリカ合衆国
65,760
21.4

メキシコ
9,430

EU*
18.4

イギリス
42,370

ドイツ
48,520

スイス
85,500

スペイン
30,390

トルコ
9,610

イラン
5,420

ロシア
11,260
1.7

中国
10,410
14.3

韓国
33,720

リビア
7,640

サウジアラビア
22,850

セネガル
1,450

ナイジェリア
2,030

エチオピア
850

インド
2,130
2.9

ベトナム
2,540

コンゴ
民主共和国
520

インドネシア
4,050

ASEAN
3.2

1.8

ブラジル
9,130

南アフリカ共和国
6,040

オーストラ
54,91

MERCOSUR
2.9

アルゼンチン
11,200

1人あたりGNI（国・地域別）
（ドル）－おもに2019年－
□高所得国
（12536ドル以上）
□上位中所得国
（4046～12535）
□下位中所得国
（1036～4045）
□低所得国
（1035ドル以下）
□資料なし

おもな国・地域のGDP
（兆ドル）－2019年－
10兆ドル
5兆ドル

*イギリスを含む　〔World Bank資料〕

SDGsの
ヒント　先進国と発展途上国の間では，お互いの国
に利益をもたらすはずの貿易が，かえって
経済格差を拡大させてしまうことがある。
格差拡大を防ぐために私たちができること
は何か，具体例をあげながら考えよう。

ア第1次石油危機（1973年）
狂乱物価とよばれるほど物価が高騰した。ト
イレットペーパーなどの在庫がなくなるとい
ううわさが流れ，人々が店に押し寄せた。

イ世界貿易機関（WTO）の設立（1995年）
1986年に始まったウルグアイ・ラウンドで
の協議をふまえ，GATTを発展的に再編して
95年に設立された。

ウリーマン・ブラザーズの破綻（2008年）
2007年のサブプライムローン問題をきっか
けに経営が悪化した。08年に破綻し，世界
金融危機を引き起こした。

B 世界貿易の進展

3 世界貿易の相互関係

読図の
ヒント　貿易額の大きい国・
地域を，大きい順
に3つあげよう。

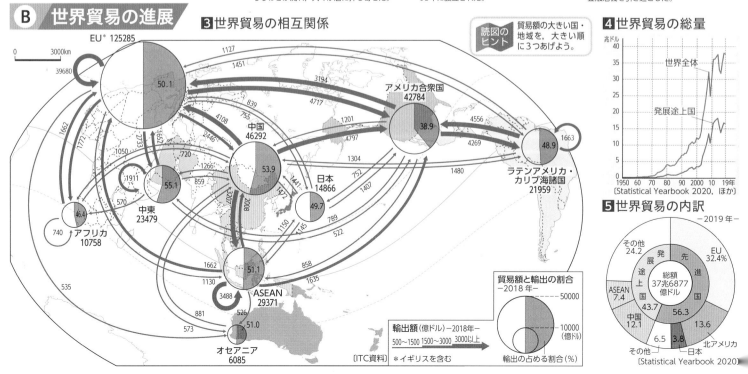

EU* 125285

39680

1127

1451

3194

4717

839

755

3194

1201

4556

4269

1663

アメリカ合衆国
42784
38.9

48.9

中国
46292
53.9

4108

2446

2733

1652

720

1050

1266

1304

1911

859

752

1441

55.1

1472

日本
14866
49.7

789

145

522

1662

46.4

570

2008

1150

中東
23479

1407

1480

740

アフリカ
10758

ラテンアメリカ・
カリブ海諸国
21959

1662

51.1

858

1130

ASEAN
29371

1635

3488

535

881

526

573

51.0

オセアニア
6085

貿易額と輸出の割合
－2018年－
50000

10000
（億ドル）

輸出額（億ドル）－2018年－
500～1500　1500～3000　3000以上

〔ITC資料〕　*イギリスを含む

輸出の占める割合（%）

4 世界貿易の総量

兆ドル
40
35
30
25
20
15
10
5
0

世界全体

発展途上国

1950 60 70 80 90 2000 10 19年
〔Statistical Yearbook 2020，ほか〕

5 世界貿易の内訳

－2019年－

その他
24.2

発
展
途
上
国
43.7

先
進
国
56.3

EU
32.4%

ASEAN
7.4

総額
37兆6877
億ドル

中国
12.1

その他
6.5

日本
3.8

北アメリカ
13.6

〔Statistical Yearbook 2020〕

②世界のGDPに占める各国の割合

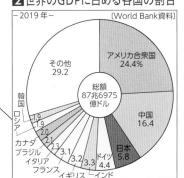

－2019年－ 〔World Bank資料〕

総額 87兆6975億ドル

- アメリカ合衆国 24.4%
- 中国 16.4
- その他 29.2
- 日本 5.8
- ドイツ 4.4
- インド 3.3
- イギリス 3.2
- フランス 3.2
- イタリア 3.1
- ブラジル 2.3
- カナダ 2.1
- ロシア 2.0
- 韓国 1.9
- （1.9）

⊞モーリタニア産のタコ
グローバル化の進展によって，遠く離れた国からの貿易品も増えている。

C 日本の貿易

読図のヒント 輸出入総額に占める日本の割合が高い国を3つあげよう。

⑥日本の貿易相手

0 2000km

〔UN Comtrade, ほか〕

EU / 中国 / 中東 / ASEAN / アメリカ合衆国 / ラテンアメリカ・カリブ海諸国 / オセアニア

おもな国・地域との貿易 －2019年－
- 輸出 100～1000億 1000～3000億 3000億ドル以上
- 輸入 100～1000億 1000～3000億 3000億ドル以上

国・地域別の輸出入総額に占める日本の割合 －おもに2019年－
15%以上 ／ 10～15 ／ 5～10 ／ 1～5 ／ 1%未満 ／ 資料なし

⑦日本のGDPと経済成長率

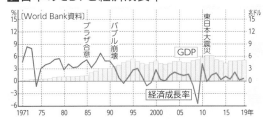

〔World Bank資料〕

プラザ合意 / バブル崩壊 / 東日本大震災 / GDP / 経済成長率

1971 75 80 85 90 95 2000 05 10 19年

⑧日本の貿易品

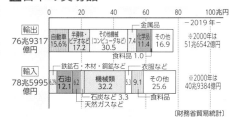

	0	20	40	60	80	100兆円

輸出 76兆9317億円
- 自動車 15.6%
- 半導体・ビデオなど 17.2
- その他機械（コンピュータなど）30.5
- 化学品 11.4
- 金属品 7.4
- その他 16.9
- 食料品 1.0

※2000年は 51兆6542億円

輸入 78兆5995億円
- 石油 12.1
- 鉄鉱石・木材・銅鉱など 6.2
- 機械類 32.2
- 石炭など 3.3
- 天然ガスなど
- 化学品 9.1
- 衣服など 5.9
- 食料品
- その他 25.6

※2000年は 40兆9384億円

〔財務省貿易統計〕

D アメリカ合衆国の貿易

読図のヒント アメリカ合衆国が輸入をさかんに行っている国・地域を3つあげよう。

⑩アメリカ合衆国の貿易相手

0 2000km

〔UN Comtrade, ほか〕

中国 / 日本 / カナダ / EU / 中東 / ASEAN / ラテンアメリカ・カリブ海諸国 / オセアニア

おもな国・地域との貿易 －2019年－
- 輸出 100～1000億 1000～3000億 3000億ドル以上
- 輸入 100～1000億 1000～3000億 3000億ドル以上

国・地域別の輸出入総額に占めるアメリカ合衆国の割合 －おもに2019年－
15%以上 ／ 10～15 ／ 5～10 ／ 1～5 ／ 1%未満 ／ 資料なし

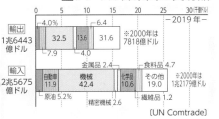

⊕自動車産業の衰退で荒廃したデトロイト
貿易赤字が国内産業を衰退させると主張するトランプ大統領の政策によって，保護主義的な貿易政策への転換が進んだ。

⑨アメリカ合衆国の貿易品

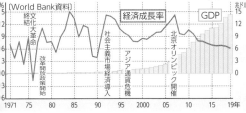

	0	5	10	15	20	25	30（千億ドル）

－2019年－

輸出 1兆6443億ドル
- 4.0%
- 32.5
- 13.6
- 6.4
- 31.6
- 7.9
- 4.0

※2000年は 7818億ドル

輸入 2兆5675億ドル
- 自動車 11.9
- 機械 42.4
- 金属品 2.4
- 化学品 10.6
- 食料品 4.7
- その他 19.0
- 原油 5.2%
- 精密機械 2.6
- 繊維品 1.2

※2000年は 1兆2179億ドル

〔UN Comtrade〕

E 中国の貿易

①中国のGDPと経済成長率

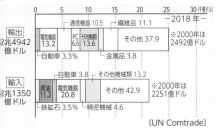

〔World Bank資料〕

終文結化大革命 / 改革開放政策開始 / 社会主義市場経済導入 / アジア通貨危機 / 北京オリンピック開催 / 経済成長率 / GDP

1971 75 80 85 90 95 2000 05 10 15 19年

②中国の貿易品

	0	5	10	15	20	25	30（千億ドル）

－2018年－

輸出 2兆4942億ドル
- 通信機器 10.5
- 繊維品 11.1
- 電気機器 13.2
- PC 6.6
- その他機械 13.6
- その他 37.9
- 自動車 3.3%
- 金属品 3.8

※2000年は 2492億ドル

輸入 2兆1350億ドル
- 原油 11.2
- 電気機器 20.8
- 自動車 3.8
- その他機械類 13.2
- その他 42.9
- 鉄鉱石 3.5%
- 精密機械 4.6

※2000年は 2251億ドル

〔UN Comtrade〕

読図のヒント 輸出入総額に占める中国の割合が低い地域を1つあげ，その理由を考えよう。

⑬中国の貿易相手

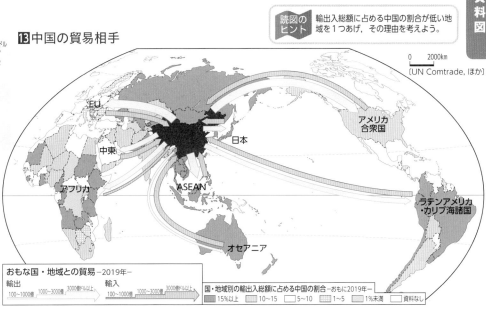

0 2000km

〔UN Comtrade, ほか〕

EU / 中東 / アフリカ / 日本 / アメリカ合衆国 / ASEAN / ラテンアメリカ・カリブ海諸国 / オセアニア

おもな国・地域との貿易 －2019年－
- 輸出 100～1000億 1000～3000億 3000億ドル以上
- 輸入 100～1000億 1000～3000億 3000億ドル以上

国・地域別の輸出入総額に占める中国の割合 －おもに2019年－
15%以上 ／ 10～15 ／ 5～10 ／ 1～5 ／ 1%未満 ／ 資料なし

資料図

A 各国の経済成長と地域経済統合

1 実質経済成長率とおもな地域経済統合

0 2000km

カナダ

ロシア 0.4%

アメリカ合衆国 1.8%

USMCA※ (米国・メキシコ・カナダ協定)

EU (ヨーロッパ連合) →D

イギリス 1.2%　ドイツ 1.2%

トルコ 2.7%

日ス 1.0

中国 6.3%

メキシコ

リビア 0.2%

サウジアラビア -0.3%

インド 5.7%

ベネズエラ※1

MERCOSUR (南米南部共同市場)

ナイジェリア -0.6%

エチオピア 6.2%

ベトナム 5.6%

ブラジル -1.2%

コンゴ民主共和国 2.1%

インドネシア 3.8%

ボリビア※2

ASEAN (東南アジア諸国連合) →C

パラグアイ

南アフリカ共和国 -0.5%

ウルグアイ

アルゼンチン -1.7%

オーストラ 0.9%

実質経済成長率(国・地域別)
－2014～2019年の平均－

- 7%以上
- 5～7%
- 3～5%
- 0～3%
- 0%未満
- 資料なし

世界のおもな地域経済統合
－2023年6月現在－
- 加盟国

※1 加盟資格停止中
※2 各国議会の批准待ち

2 おもな国と地域経済統合の規模

※2020年7月, USMCAがNAFTA(北米自由貿易協定)に代わり発効した

人口 (0 5 10 15億人)
ASEAN	6.5
EU	5.1
NAFTA※	3.2 / 4.9 アメリカ合衆国
MERCOSUR	3.0
中国※	14.2
日本	1.2

2019年　※ホンコン, マカオ, 台湾を含む

GDP (0 10 20 30兆ドル)
ASEAN	3.2
EU	18.4
NAFTA※	21.4 / 24.4 アメリカ合衆国
MERCOSUR	2.9
中国	14.3
日本	5.1

2019年

注 EUにはイギリスを含む

[Demographic Yearbook 2019, ほか]

[World Bank資料, ほか]

読図のヒント 地域経済統合の中で実質経済成長率が高いのはどこだろうか。

C ASEAN諸国の経済発展

4 ASEANの結成と拡大

0 500km　－2023年－

ミャンマー　ラオス　タイ　カンボジア　ベトナム　フィリピン　ブルネイ　マレーシア　シンガポール　インドネシア

ASEAN(東南アジア諸国連合)の歩み

1961年	ASA(東南アジア連合)結成
1967年	ASAを中心にASEAN結成
1984年	ブルネイ加盟
1993年	ASEAN自由貿易協定(AFTA)発足
1995年	ベトナム加盟
1997年	ミャンマー・ラオス加盟
	ASEAN+3(日本・中国・韓国)首脳会議初開催
1999年	カンボジア加盟(ASEAN10)
2015年	ASEAN経済共同体(AEC)発足

赤文字の国 ASEAN加盟国

[ASEAN資料]

5 ASEANの経済発展と結びつき

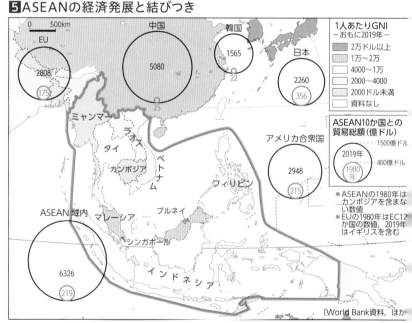

0 500km

EU 2808 (175)

中国 5080 (25)

韓国 1565 (22)

日本 2260 (356)

ミャンマー　ラオス　タイ　カンボジア　ベトナム　フィリピン　ブルネイ　マレーシア　シンガポール　インドネシア

アメリカ合衆国 2948 (215)

ASEAN域内 6326 (219)

1人あたりGNI
－おもに2019年－
- 2万ドル以上
- 1万～2万
- 4000～1万
- 2000～4000
- 2000ドル未満
- 資料なし

ASEAN10か国との貿易総額(億ドル)
- 1500億ドル 2019年
- 400億ドル 1980年

*ASEANの1980年はカンボジアを含まない数値
*EUの1980年はEC12か国の数値, 2019年はイギリスを含む

[World Bank資料, ほか]

6 ASEAN諸国の輸出品の変化

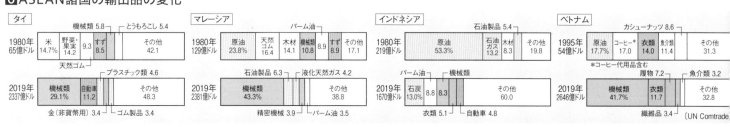

タイ

1980年 65億ドル	米 14.7%	野菜・果実 14.2	9.3	すず 8.5	機械類 5.8	とうもろこし 5.4	その他 42.1

天然ゴム

2019年 2337億ドル	機械類 29.1%	自動車 11.2	プラスチック類 4.6	その他 48.3

金(非貨幣用) 3.4　ゴム製品 3.4

マレーシア

1980年 129億ドル	原油 23.8%	天然ゴム 16.4	木材 14.1	機械類 10.8	8.9	すず 8.9	その他 17.1

パーム油

2019年 2381億ドル	機械類 43.3%	石油製品 6.3	液化天然ガス 4.2	その他 38.8

精密機械 3.9　パーム油 3.5

インドネシア

1980年 219億ドル	原油 53.3%	石油ガス 13.2	石油製品 5.4	木材 8.3	その他 19.8

2019年 1670億ドル	石炭 13.0%	8.8	8.3	その他 60.0

パーム油　機械類　衣類 5.1　自動車 4.8

ベトナム

1995年 54億ドル	原油 17.7%	コーヒー※ 17.0	衣類 14.0	魚介類 11.4	カシューナッツ 8.6	その他 31.3

※コーヒー代用品含む

2019年 2646億ドル	機械類 41.7%	衣類 11.7	履物 7.2	その他 32.8

繊維品 3.4　魚介類 3.2

[UN Comtrade]

B 経済統合推進の動き ③日本のFTA・EPA

日本とFTA・EPAを結んでいる国・地域（2023年6月現在）
発効済・署名済国・地域
交渉中

カナダ TPP（環太平洋パートナーシップ）協定締結国

※GCC（湾岸協力会議：アラブ首長国連邦，オマーン，カタール，クウェート，サウジアラビア，バーレーン）との交渉は中断中
＊1 2017年にTPPからの離脱を表明　＊2 地域的な包括的経済連携

〔外務省資料〕

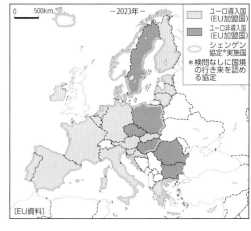

⑦TPP11協定の署名（チリ，2018年）
アジア太平洋地域におけるメガFTAとして注目されたが，2018年にアメリカ合衆国を除く11か国で発効した。

キーワード FTA・EPA WTO（世界貿易機関）における自由貿易交渉の難航を受け，関税を撤廃して自由貿易を進めるFTA（自由貿易協定）や，人の移動や投資，知的財産権の保護を含めた幅広い分野での連携をめざすEPA（経済連携協定）を，利害の一致する国どうしで結ぶ動きが拡大している。

D EUの発展と課題

⑦EUの結成と拡大

EU（ヨーロッパ連合）の歩み	
1967年	EC（ヨーロッパ共同体）結成（6か国）
1973年	イギリス・アイルランド・デンマーク加盟
1981年	ギリシャ加盟
1986年	スペイン・ポルトガル加盟
1990年	東西ドイツ統一による拡大
1993年	マーストリヒト条約発効によりEU発足
1995年	スウェーデン・フィンランド・オーストリア加盟　シェンゲン協定施行
2002年	単一通貨ユーロ流通開始
2004年	ポーランド・チェコ・ハンガリーなど10か国加盟
2007年	ルーマニア・ブルガリア加盟
2013年	クロアチア加盟
2020年	イギリス離脱

赤文字の国 EU加盟国　青文字の国 EFTA諸国　加盟候補国

〔EU資料〕
＊北部地域は正式に加盟していないが，一国として扱っている

⑦イギリスの離脱を承認した欧州議会（ベルギー，2020年）
財政負担や移民・難民問題への対応でEUへの不満が高まっていたイギリスでは，2016年の国民投票の結果を受け，2020年にEUから離脱した。

⑧ユーロ導入国とシェンゲン協定実施国

ユーロ導入国（EU加盟国）
ユーロ非導入国（EU加盟国）
シェンゲン協定*実施国
＊検問なしに国境の行き来を認める協定

〔EU資料〕

読図のヒント EU域内では，外国人の移動にどのような傾向があるだろうか。

⑨発達したEUの域内貿易

各国の総輸出額に占めるEUの割合
—おもに2018年—
70%以上
60〜70
50〜60
40〜50
40%未満
資料なし

EU諸国の貿易
—2018年—
600億ドル以上の輸出

EU加盟国
—2023年—

〔UN Comtrade，ほか〕

⑩EUの域内格差と外国人の移動

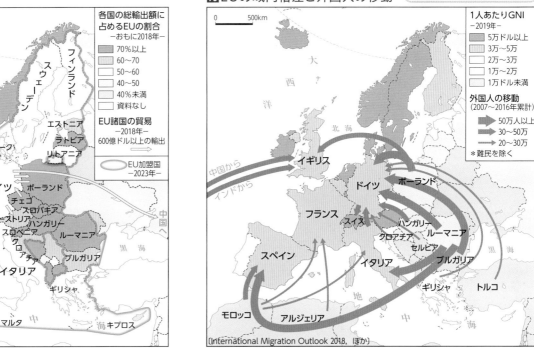

1人あたりGNI
—2019年—
5万ドル以上
3万〜5万
2万〜3万
1万〜2万
1万ドル未満

外国人の移動
（2007〜2016年累計）
50万人以上
30〜50万
20〜30万
＊難民を除く

〔International Migration Outlook 2018，ほか〕

A かたよる世界の人口分布 11世界の人口密度

SDGsのヒント 世界の中で人口がとくに集中しているのはどのような地域か，1図を見てあげてみよう。また，人口集中によって発生する問題を改善し，持続可能な都市・居住環境を実現するために何が必要か，考えよう。

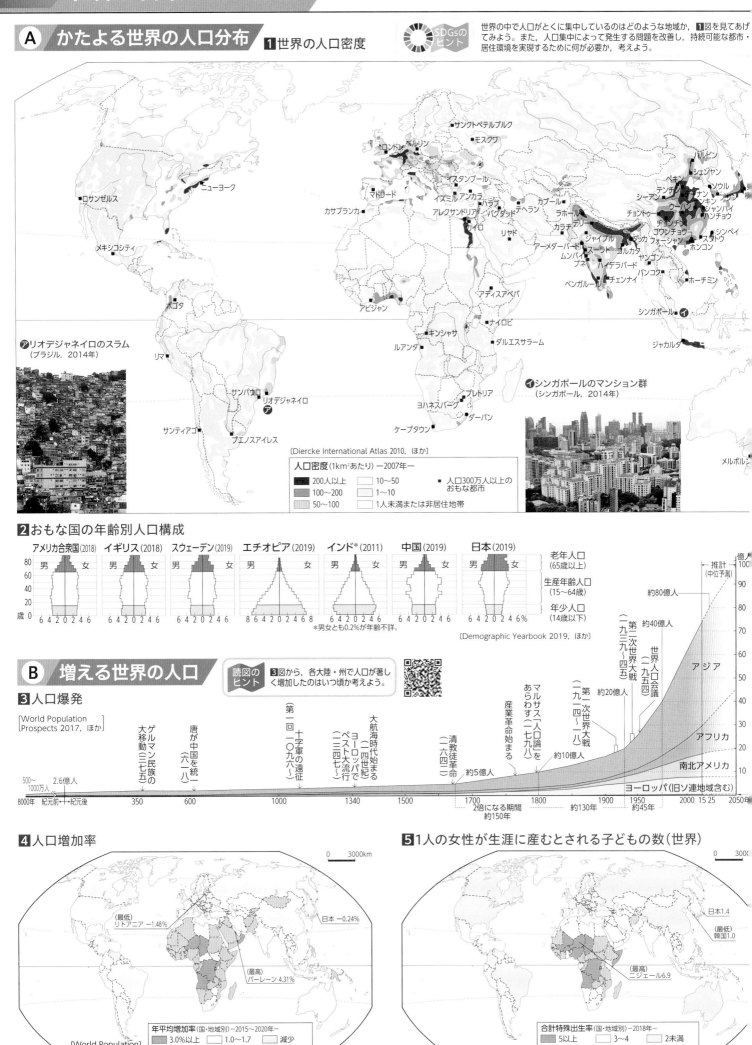

〔Diercke International Atlas 2010，ほか〕

⑦リオデジャネイロのスラム（ブラジル，2014年）

①シンガポールのマンション群（シンガポール，2014年）

人口密度（1km²あたり）―2007年―
- 200人以上
- 100～200
- 50～100
- 10～50
- 1～10
- 1人未満または非居住地帯
- ■ 人口300万人以上のおもな都市

2おもな国の年齢別人口構成

アメリカ合衆国(2018)　イギリス(2018)　スウェーデン(2019)　エチオピア(2019)　インド*(2011)　中国(2019)　日本(2019)

老年人口（65歳以上）
生産年齢人口（15～64歳）
年少人口（14歳以下）

*男女とも0.2%が年齢不詳。

〔Demographic Yearbook 2019，ほか〕

B 増える世界の人口

読図のヒント 3図から，各大陸・州で人口が著しく増加したのはいつ頃か考えよう。

3人口爆発

〔World Population Prospects 2017，ほか〕

ゲルマン民族の大移動（三七五）
唐が中国を統一（六一八）
第一回十字軍の遠征（一〇九六～）
大航海時代始まる（一四世紀）
ヨーロッパでペスト大流行（一三四七～）
清教徒革命（一六四二）
マルサス「人口論」をあらわす（一七九八）
産業革命始まる
第一次世界大戦（一九一四～一八）
第二次世界大戦（一九三九～四五）
世界人口会議（一九五四）

推計（中位予測）
約80億人
約40億人
約20億人
約10億人
約5億人

2倍になる期間 約150年　約130年　約45年

アジア
アフリカ
南北アメリカ
ヨーロッパ（旧ソ連地域含む）

500～1000万人　2.6億人

8000年　紀元前／紀元後　350　600　1000　1340　1500　1700　1800　1900　1950　2000 15 25　2050年

4人口増加率

（最低）リトアニア－1.48%
日本 －0.24%
（最高）バーレーン 4.31%

年平均増加率（国・地域別）―2015～2020年―
- 3.0%以上
- 1.7～3.0
- 1.0～1.7
- 1.0%未満
- 減少
- 資料なし

〔World Population Prospects 2019〕

51人の女性が生涯に産むとされる子どもの数（世界）

日本1.4
（最低）韓国1.0
（最高）ニジェール6.9

合計特殊出生率（国・地域別）―2018年―
- 5以上
- 4～5
- 3～4
- 2～3
- 2未満
- 資料なし

〔World Bank資料〕

C かたよる日本の人口分布

6 総人口の推移

〔2018 人口の動向，ほか〕

推計

人口
（万人）

老年人口
（65歳以上）

生産年齢人口（15～64歳）

増加率

年少人口（14歳以下）

増加率
（%）

1930 1950 1970 1990 2010 2030 2050（年）

※1941～1943年，2015～2050年は推計値。

7 おもな市町村の年齢別人口構成

徳島県上勝町－2015年－1,545人

東京都東京（23区）－2015年－9,272,740人

※男女計2.0%が年齢不詳。

65歳 55%
38
15 0

男 女

21%

66

11

男 女

〔平成27年 国勢調査報告〕

14人

徳島県上勝町

8 日本の人口密度

0 100km

（資料なし）

人口密度（1km²あたり）
－2015年－

- 2000人以上
- 1000～2000
- 500～1000
- 200～500
- 50～200
- 50人未満

〔平成27年 国勢調査報告〕

9 在留外国人の割合

0 100km

10000人
1000人
100人
10人

14796人

東京（23区）

埼玉
19.6万人

東京
59.3万人

愛知
28.1万人

神奈川
23.5万人

大阪
25.5万人

在留外国人数－2019年－
30万人
10万人

都道府県別在留外国人の割合
－2019年－（人口千人あたり）

- 20人以上
- 15～20
- 10～15
- 5～10
- 5人未満

〔在留外国人統計 2019年，ほか〕

D 日本がかかえる人口問題

10 1人の女性が生涯に産むとされる子どもの数（日本）

読図のヒント
10 11図から，合計特殊出生率と老年人口割合の分布にどのような関係が読み取れるだろうか。また，8 図の人口密度が高い地域では両者にどのような傾向がみられるか，対比させながら考えよう。

キーワード 合計特殊出生率
1人の女性が生涯に産むとされる子どもの数の平均。15～49歳までの女性の年齢別の出生率を合計したもので表される。この数値が2.08を下まわると人口が自然に減っていくといわれる。

0 100km

（資料なし）

合計特殊出生率
－2008～12年－

- 1.8以上
- 1.6～1.8
- 1.4～1.6
- 1.2～1.4
- 1.2未満

全国は1.38

〔厚生労働省資料〕

11 老年人口の割合

0 100km

（資料なし）

老年人口の割合
－2015年－

- 40%以上
- 30～40
- 25～30
- 20～25
- 20%未満

全国は26.6%

〔平成27年 国勢調査報告〕

（資料なし）

12 都市圏別人口割合

－2015年－

東京圏 28.4%

その他の地域 48.3

総人口
1億2709
万人

名古屋圏 8.9

関西圏 14.4

①東京圏…東京都，神奈川県，埼玉県，千葉県
②名古屋圏…愛知県，岐阜県，三重県
③関西圏…大阪府，兵庫県，京都府，奈良県

〔平成27年 国勢調査報告〕

A 複雑に広がる世界の言語と宗教

1 世界の言語とおもな紛争地域

ボスニア・ヘルツェゴビナ内戦
(1992〜95)

ウクライナ内戦
(2014〜)

ロシアによるウクライナ侵攻
(2022〜)

チェチェン独立運動
(1994〜)

ロシア

北アイルランド紛争
(1969〜98) イギリス
ドイツ

シンチャン独立運動

南オセチア紛争
(1991〜92,2008)

コソボ紛争
(1998〜99) フランス

スペイン

バスク民族主義運動

中国

日本

アフガニスタン内戦
(1979〜2001)

キプロス紛争
(1963〜)

シリア内戦

クルド民族紛争

カシミール紛争
(1947〜)

チベット問題

カナダ

アメリカ合衆国

メキシコ

パレスチナ問題
(1948〜)

リビア

イラク戦争
(2003)

湾岸戦争
(1991)

イラン パキスタン

インド

タイ

西サハラ領有問題

チャド

ダールフール紛争
(2003〜)

ナイジェリア

南スーダン内戦
(2013〜)

エチオピア

ケニア

ソマリア内戦
(1991〜)

スリランカ民族紛争
(1983〜2009)

カンボジア内戦
(1970〜1991)

ミンダナオ紛争
(1970年代〜)

シエラレオネ内戦
(1991〜2002)

リベリア内戦
(1989〜2003)

アチェ独立運動
(1976〜2005)

インドネシア

東ティモール独立運動
(1975〜2002)

コロンビア反政府運動

ペルー

ブラジル

ルワンダ内戦
(1990〜94)

コンゴ(ザイール)内戦
(1996〜99)

アンゴラ内戦
(1975〜2002)

タンザニア

モザンビーク内戦
(1977〜92)

オーストラリア

アルゼンチン

フォークランド紛争
(1982)

おもな紛争地域（すでに解決ずみの問題も含む）
- 領土問題
- 民族問題
- 政変・政治介入・その他

SDGsのヒント 民族や言語・宗教の違いは，国家主権などと結びついて地域紛争の原因となることがある。違いを超えてすべての人の人権が尊重される社会づくりのためにどのような努力が必要か考えよう。

[国立民族学博物館資料,

2 世界の宗教

スタンブール
コンスタンティノープル

ローマ

エルサレム

メディナ(マディーナ)

メッカ
マッカ

ラサ

ガヤ
(ブッダガヤ)

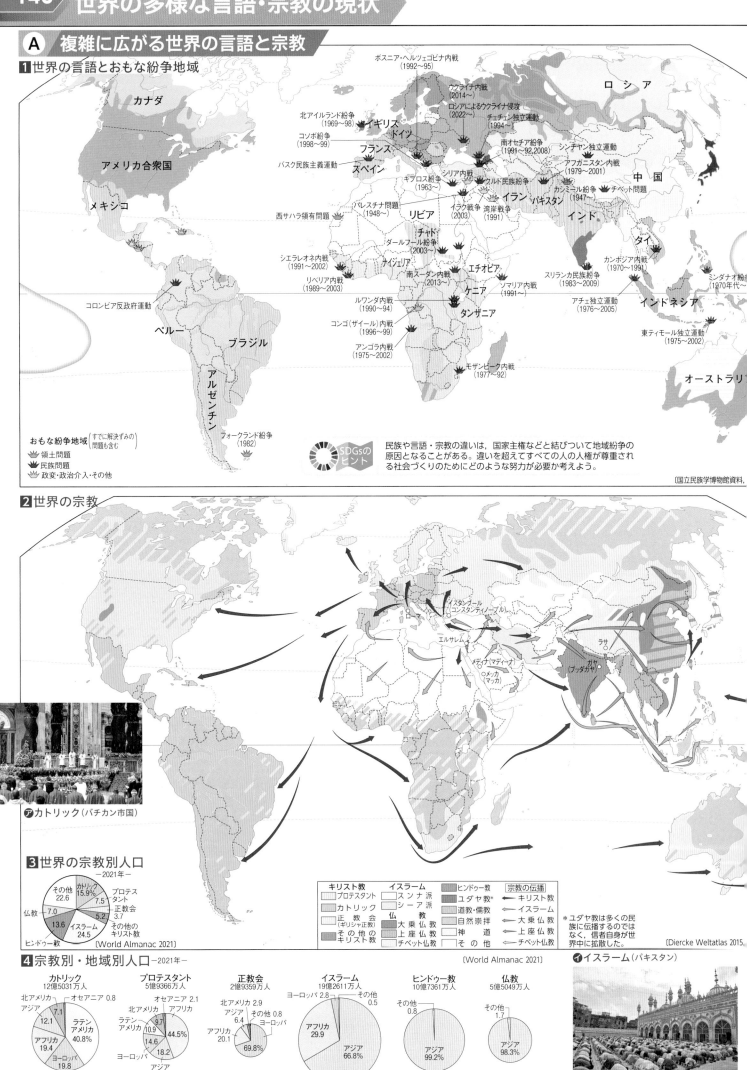

ア カトリック(バチカン市国)

3 世界の宗教別人口
— 2021年 —

その他 22.6
カトリック 15.9%
プロテスタント 7.5
正教会 3.7
その他のキリスト教 5.2
イスラーム 24.5
ヒンドゥー教 13.6
仏教 7.0

[World Almanac 2021]

キリスト教	イスラーム	ヒンドゥー教	宗教の伝播
プロテスタント	スンナ派	ユダヤ教*	← キリスト教
カトリック	シーア派	道教・儒教	← イスラーム
正教会(ギリシャ正教)	仏教	自然崇拝	← 大乗仏教
その他のキリスト教	大乗仏教	神道	← 上座仏教
	上座仏教	その他	← チベット仏教
	チベット仏教		

*ユダヤ教は多くの民族に伝播するのではなく，信者自身が世界中に拡散した。

[Diercke Weltatlas 2015]

4 宗教別・地域別人口 — 2021年 —

[World Almanac 2021]

カトリック
12億5031万人
北アメリカ 7.1
オセアニア 0.8
アジア 12.1
アフリカ 19.4
ヨーロッパ 19.8
ラテンアメリカ 40.8%

プロテスタント
5億9366万人
北アメリカ 9.7
オセアニア 2.1
アフリカ 44.5%
ラテンアメリカ 10.9
ヨーロッパ 14.6
アジア 18.2

正教会
2億9359万人
北アメリカ 2.9
アジア 6.4
その他 0.8
アフリカ 20.1
ヨーロッパ 69.8%

イスラーム
19億2611万人
ヨーロッパ 2.8
その他 0.5
アフリカ 29.9
アジア 66.8%

ヒンドゥー教
10億7361万人
その他 0.8
アジア 99.2%

仏教
5億5049万人
その他 1.7
アジア 98.3%

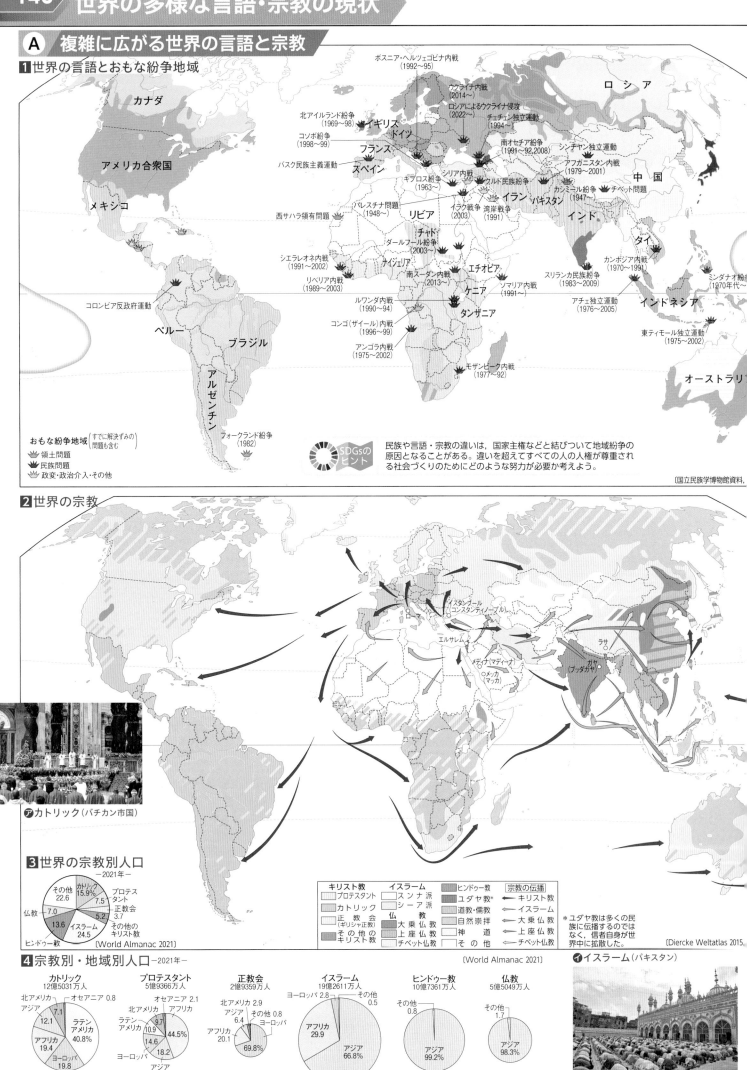

イ イスラーム(パキスタン)

B 各地域の言語・宗教・民族

0　2000km

インド・ヨーロッパ語族
- ゲルマン語派 ▶ドイツ語,英語,オランダ語,スウェーデン語など
- スラブ語派 ▶ロシア語,ポーランド語,チェコ語,ウクライナ語など
- ラテン語派 ▶フランス語,スペイン語,イタリア語,ポルトガル語など
- インド・イラン語派 ▶ヒンディー語,ペルシア語,クルド語,パシュトゥー語など
- その他のインド・ヨーロッパ語族

- カフカス諸語 ▶ジョージア語など
- ウラル語族 ▶ハンガリー語,フィンランド語,エストニア語,サーミ語など
- アルタイ諸語 ▶トルコ語,モンゴル語,ウイグル語,チワン語など
- 韓国語・朝鮮語
- 日　本　語
- シナ・チベット諸語 ▶中国語,タイ語,チベット語など
- ドラヴィダ語族 ▶タミル語,カンナダ語など
- オーストロアジア語族 ▶ベトナム語,クメール語など
- オーストロネシア語族 ▶マレー語,フィリピノ語,インドネシア語,ポリネシア語など
- オーストラリア諸語 ▶アボリジニの言語
- インディアン・インディオ諸語
- ニジェール・コルドファン諸語 ▶バンツー諸語,ヨルバ語など
- ナイル・サハラ諸語 ▶マサイ語,アニュワ語,トゥルカナ語など
- アフリカ・アジア語族 ▶アラビア語,ヘブライ語など
- コイサン語族
- その他

(注) 語族とは同じ系統の言語のあつまり。語派とは同一語族のなかで分化した言語。

0　2000km

ウ ヒンドゥー教 (インド)

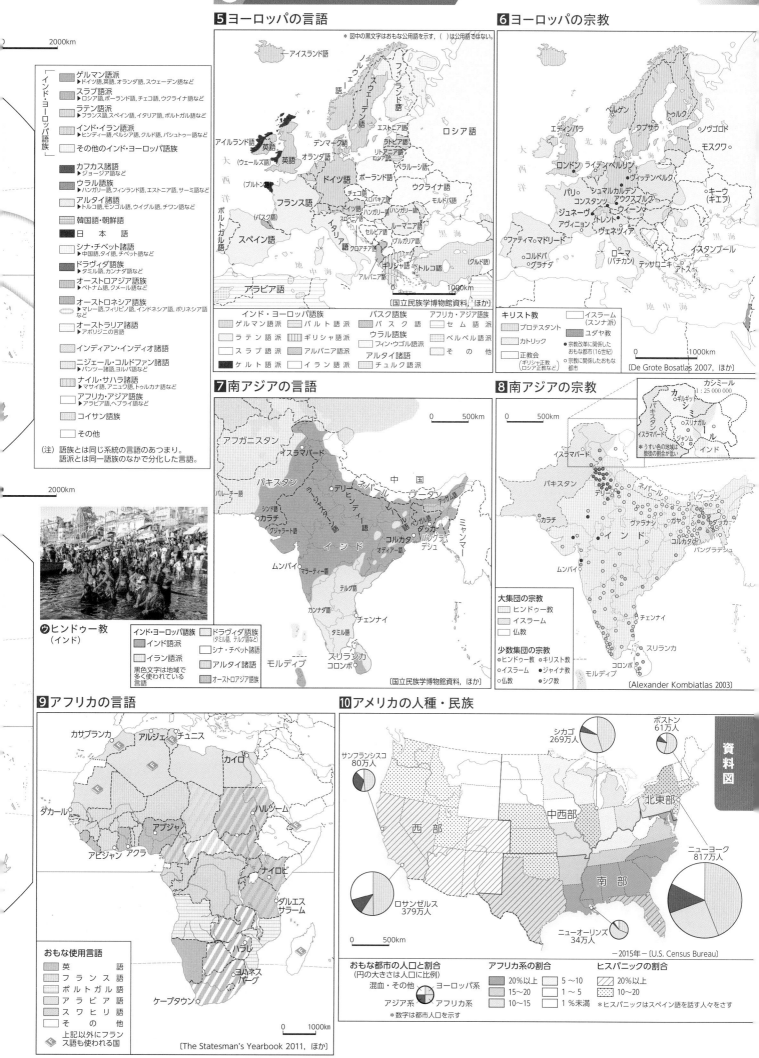

5 ヨーロッパの言語

＊ 図中の黒文字はおもな公用語を示す,( )は公用語ではない。

アイスランド語
ノルウェー語
スウェーデン語
フィンランド語
エストニア語
ラトビア語
リトアニア語
ロシア語
アイルランド語
英語
(ウェールズ語)
デンマーク語
オランダ語
北海
大西洋
ベラルーシ語
(ブルトン語)
ドイツ語
ポーランド語
チェコ語
ウクライナ語
フランス語
スロバキア語
モルドバ語
ドイツ語
ハンガリー語
(ハンガリー語)
(バスク語)
ポルトガル語
スペイン語
イタリア語
スロベニア語
ルーマニア語
セルビア語
クロアチア語
ブルガリア語
黒海
ギリシャ語
トルコ語
(クルド語)
アルバニア語
地中海
アラビア語
0　1000km

〔国立民族学博物館資料，ほか〕

インド・ヨーロッパ語族		バスク語族	アフリカ・アジア語族
ゲルマン語派	バルト語派	バスク語	セム語派
ラテン語派	ギリシャ語派	ウラル語族	ベルベル語派
		フィン・ウゴル語派	
スラブ語派	アルバニア語派	アルタイ諸語	その他
ケルト語派	イラン語派	チュルク語派	

6 ヨーロッパの宗教

ベルゲン
トゥルク
エディンバラ
ウプサラ
ノヴゴロド
北海
モスクワ
大西洋
ロンドン
ライディベルリン
ヴィッテンベルク
パリ
シュマルカルデン
アウクスブルク
キーウ(キエフ)
コンスタンツ
ウィーン
ジュネーヴ
トレント
アヴィニョン
ヴェネツィア
ファティマ
マドリード
黒海
イスタンブール
コルドバ
グラナダ
ローマ(バチカン)
テッサロニキ
アトス
地中海
キリスト教
プロテスタント
カトリック
正教会(ギリシャ正教 ロシア正教など)
イスラーム(スンナ派)
ユダヤ教
● 宗教改革に関係した おもな都市(16世紀)
○ 宗教に関係したおもな都市
0　1000km

〔De Grote Bosatlas 2007，ほか〕

7 南アジアの言語

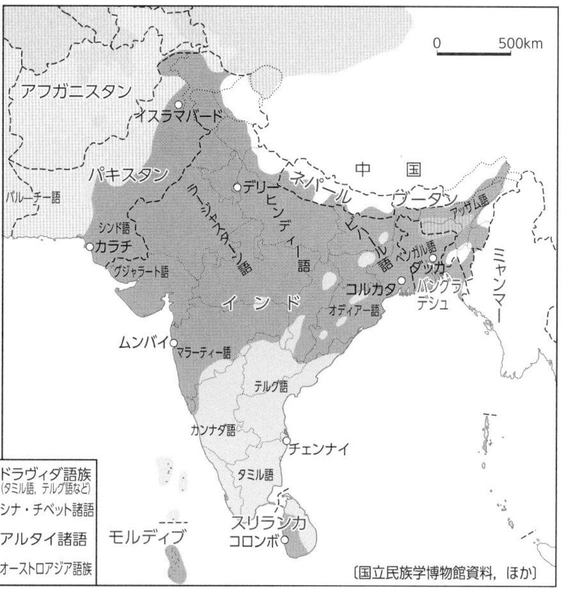

0　500km
アフガニスタン
イスラマバード
パキスタン
中国
デリー
ネパール
ブータン
バルーチー語
ラージャスターン語
ヒンディー語
アッサム語
シンド語
カラチ
ベンガル語
グジャラート語
ダッカ
バングラデシュ
コルカタ
ミャンマー
インド
オディアー語
ムンバイ
マラーティー語
テルグ語
カンナダ語
チェンナイ
タミル語
モルディブ
スリランカ
コロンボ

インド・ヨーロッパ語族	
インド語派	ドラヴィダ語族(タミル語,テルグ語など)
イラン語派	シナ・チベット諸語
黒色文字は地域で多く使われている言語	アルタイ諸語
	オーストロアジア語族

〔国立民族学博物館資料，ほか〕

8 南アジアの宗教

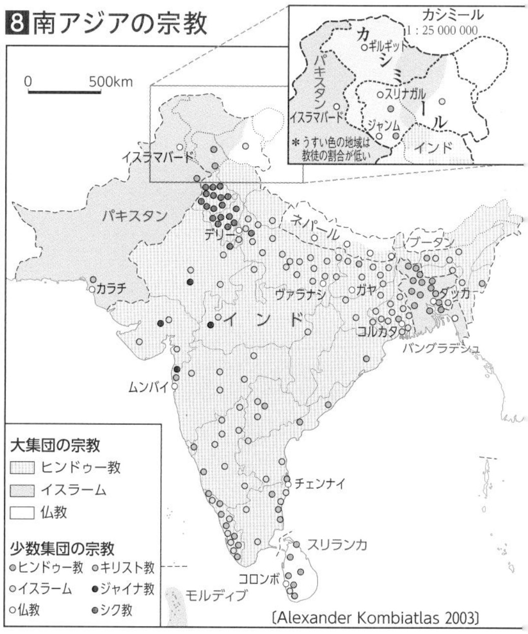

0　500km
カシミール 1：25 000 000
カシミール
ギルギット
パキスタン
スリナガル
イスラマバード
ジャンム
インド
＊うすい色の地域は 教徒の割合が低い
イスラマバード
パキスタン
デリー
ネパール
ブータン
カラチ
ヴァラナシ
ガヤ
ダッカ
インド
コルカタ
バングラデシュ
ムンバイ
チェンナイ
スリランカ
コロンボ
モルディブ
大集団の宗教
ヒンドゥー教
イスラーム
仏教
少数集団の宗教
○ヒンドゥー教
●キリスト教
○イスラーム
●ジャイナ教
○仏教
●シク教

〔Alexander Kombiatlas 2003〕

9 アフリカの言語

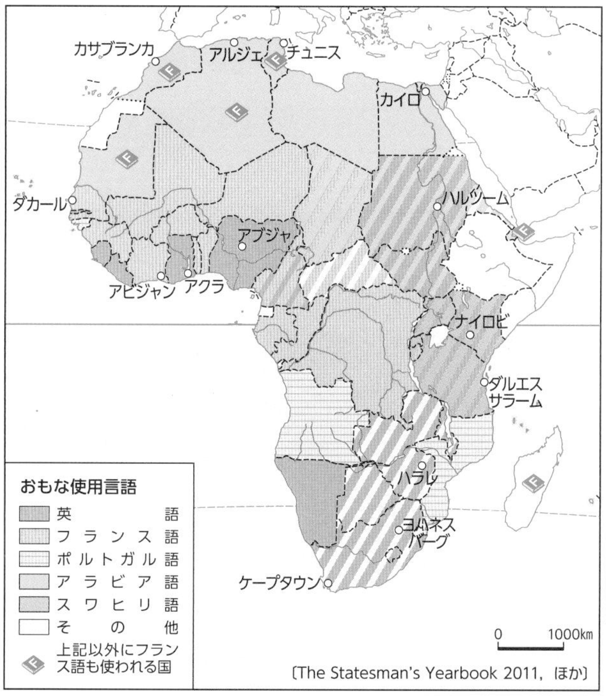

カサブランカ
アルジェ
チュニス
カイロ
ダカール
ハルツーム
アブジャ
アビジャン
アクラ
ナイロビ
ダルエスサラーム
ハラレ
ヨハネスバーグ
ケープタウン
0　1000km
おもな使用言語
英語
フランス語
ポルトガル語
アラビア語
スワヒリ語
その他
上記以外にフランス語も使われる国

〔The Statesman's Yearbook 2011，ほか〕

10 アメリカの人種・民族

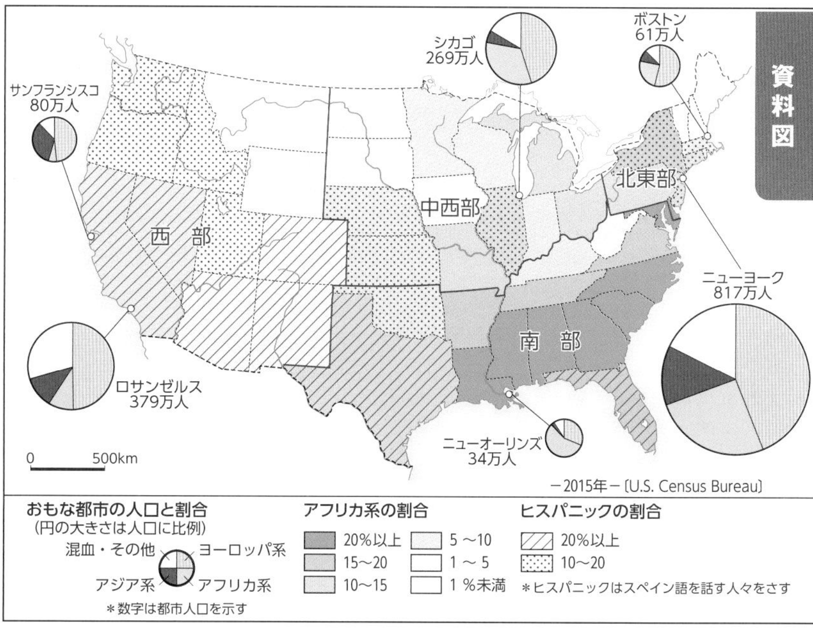

シカゴ 269万人
ボストン 61万人
サンフランシスコ 80万人
北東部
中西部
西部
ニューヨーク 817万人
南部
ロサンゼルス 379万人
ニューオーリンズ 34万人
0　500km

－2015年－〔U.S. Census Bureau〕

おもな都市の人口と割合 (円の大きさは人口に比例)	アフリカ系の割合		ヒスパニックの割合
混血・その他 / ヨーロッパ系 / アジア系 / アフリカ系	20%以上	5～10	20%以上
	15～20	1～5	10～20
	10～15	1%未満	
＊数字は都市人口を示す			＊ヒスパニックはスペイン語を話す人々をさす

資料図

A 航空路線の発達と人の移動

1 世界の航空路と東京からの距離

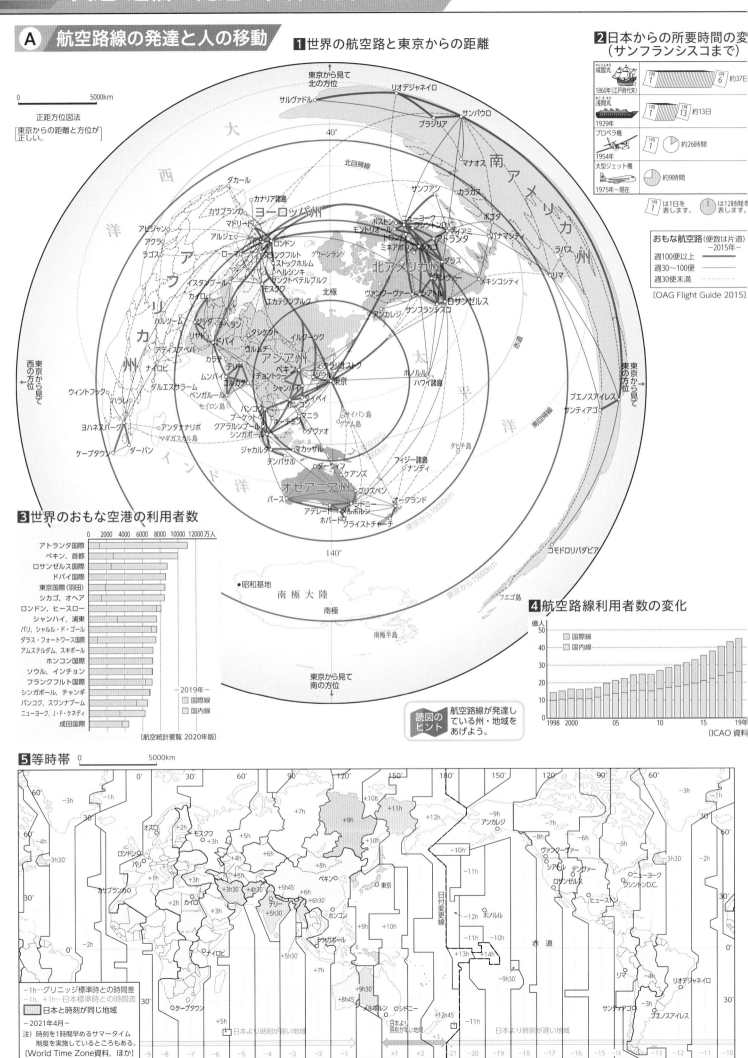

2 日本からの所要時間の変（サンフランシスコまで）

咸臨丸 1860年(江戸時代末)	1月1日 2月6日	約37日
浅間丸 1929年	1月1日 1月13日	約13日
プロペラ機 1954年	1月1日	約26時間
大型ジェット機 1975年～現在		約9時間

1月1日 は1日を表します。　は12時間を表します。

おもな航空路（便数は片道）
－2015年－
週100便以上
週30～100便
週30便未満
〔OAG Flight Guide 2015〕

3 世界のおもな空港の利用者数

アトランタ国際
ペキン, 首都
ロサンゼルス国際
ドバイ国際
東京国際(羽田)
シカゴ, オヘア
ロンドン, ヒースロー
シャンハイ, 浦東
パリ, シャルル・ド・ゴール
ダラス・フォートワース国際
アムステルダム, スキポール
ホンコン国際
ソウル, インチョン
フランクフルト国際
シンガポール, チャンギ
バンコク, スワンナプーム
ニューヨーク, J・F・ケネディ
成田国際

－2019年－
国際線
国内線
〔航空統計要覧 2020年版〕

4 航空路線利用者数の変化

国際線
国内線
1998 2000 05 10 15 19年
〔ICAO 資料〕

読図のヒント 航空路線が発達している州・地域をあげよう。

5 等時帯

-1h…グリニッジ標準時との時間差 +1h…日本標準時との時間差
日本と時刻が同じ地域
－2021年4月－
注) 時刻を1時間早めるサマータイム制度を実施しているところもある。
〔World Time Zone 資料, ほか〕

日本より時刻が早い地域　日本より時刻が遅い地域

B 通信の発達と情報化の進展

読図の
ヒント 2001年から2018年にかけて, 日本のインターネット普及率がどのように変化したのか確認しよう。また, 日本と同じように変化した国を3つあげよう。

6 各国・地域のインターネット普及率の変化

2001年

2018年

0 2000km

100人あたりインターネット利用者数	
	80人以上
	60〜80
	40〜60
	20〜40
	20人未満
	資料なし

〔ITU資料〕

C 世界の旅行者の動向

7 各国・地域の観光収入とおもな旅行者の移動

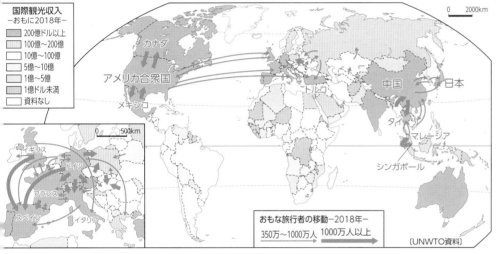

国際観光収入 −おもに2018年−	
	200億ドル以上
	100億〜200億
	10億〜100億
	5億〜10億
	1億〜5億
	1億ドル未満
	資料なし

カナダ
アメリカ合衆国
メキシコ
トルコ
中国
日本
タイ
マレーシア
シンガポール

イギリス
ドイツ
フランス
スペイン
イタリア

0 500km

おもな旅行者の移動−2018年−
350万〜1000万人 1000万人以上

〔UNWTO資料〕

8 各国・地域の旅行者受け入れ数の変化

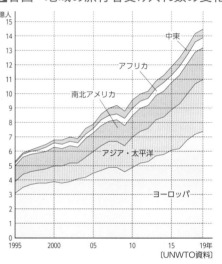

中東
アフリカ
南北アメリカ
アジア・太平洋
ヨーロッパ

〔UNWTO資料〕

D 日本の外国人旅行者の動向

9 訪日外国人の入国地と訪問先

読図の
ヒント 訪問率が高い都道府県に共通する特徴は何か, 考えよう。

⑦京都を訪れる訪日外国人(2015年)
ピクトグラムや多言語に対応した看板に参拝マナーが示されている。

新千歳空港 173
成田国際空港 899
関西国際空港 838
福岡空港 214
博多港 55
長崎港 36
中部国際空港 178
東京国際(羽田)空港 429
那覇空港 165
那覇港 53

外国人入国数※1(上位10港)(万人) −2019年−
500万人
100万人
※1 永住者を含む〔法務省資料〕

訪問率※2 −2019年−
5%以上
1〜5%
1%未満
※2 訪日外国人数(クルーズ客除く)に占める各都道府県訪問者数の割合
〔日本政府観光局(JNTO)資料〕

④東京を訪れる訪日外国人(2019年)
訪日外国人向けの店舗も増えている。

SDGsのヒント 訪日外国人の増加によって観光関連産業がさかんになり, まちににぎわいを生むことが期待されている。一方で, 訪日外国人の急増が, かえって弊害をもたらす可能性も指摘されている。その具体例をあげながら, 持続可能な観光のあり方について考えよう。

10 訪日外国人の国・地域別割合の変化

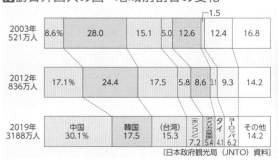

2003年 521万人	8.6%	28.0	15.1	5.0	12.6	1.5	12.4	16.8
2012年 836万人	17.1%	24.4	17.5	5.8	8.6	3.1	9.3	14.2
2019年 3188万人	中国 30.1%	韓国 17.5	(台湾) 15.3	(ホンコン) 7.2	(アメリカ合衆国) 5.4	タイ 4.1	ヨーロッパ 6.2	その他 14.2

〔日本政府観光局(JNTO)資料〕

11 訪日外国人数の推移

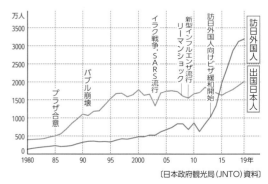

プラザ合意
バブル崩壊
イラク戦争・SARS流行
新型インフルエンザ流行・リーマンショック
訪日外国人向けビザ緩和開始
訪日外国人
出国日本人

〔日本政府観光局(JNTO)資料〕

アジアのおもな国の国旗と概要

アゼルバイジャン
概要 かつて世界の原油の半分を産出していたバクー油田のある伝統的な産油国。輸出の多くは原油と天然ガス。
国旗 中央の三日月と星はイスラームのシンボル。星の8つの光条は、トルコ系8部族を表す。

アフガニスタン・イスラム共和国
概要 1970年代から続いた紛争で国土は荒廃、多数の難民が発生。2001年新政府が樹立したが、依然政情は不安定。
国旗 黒・赤・緑の縦三色旗の中央に国家の紋章、上部にコーランからの引用がある。

アラブ首長国連邦
概要 7首長国の連邦国家。原油の多くはアブダビ首長国で産出。ドバイは中継貿易もさかん。
国旗 緑は豊かな国土、白は清浄な生活、黒は過酷な戦争、赤は血生臭い過去を表す。

イスラエル国
概要 迫害を受けてきたユダヤ人が1948年に建国。パレスチナ問題を抱える。ダイヤモンド研磨技術は高い。
国旗 星は「ダビデの星」で、ユダヤの伝統的なシンボル。青は空、白は清浄を表す。

イラク共和国
概要 中央部をティグリス川・ユーフラテス川が流れる。産油国。イラク戦争により独裁政権崩壊。治安は不安定。
国旗 赤は勇気、白は寛大さ、黒はイスラームの伝統、アラビア文字は「神は偉大なり」を表す。

イラン・イスラム共和国
概要 ペルシア湾北岸に面する産油国。核開発問題を抱え、欧米諸国と対立している。
国旗 緑と赤の帯のアラビア文字は「神は偉大なり」を22回繰り返している。

インド
概要 人口は世界第2位。世界有数の農業国で鉱産資源も豊富。近年は自動車、ICT産業の進展により経済成長が著しい。
国旗 オレンジはヒンドゥー教、緑はイスラーム、白は両者の融合を表す。中央の紋章はチャクラ(法輪)で仏教のシンボル。

インドネシア共和国
概要 東南アジア南東部の島嶼国。資源保有国で、農業もさかん。1980年代から製造業が急速に発展。
国旗 赤は自由と勇気を、白は正義と純潔を表す。また、同時に赤と白は太陽と月を表す。

カザフスタン共和国
概要 旧ソ連の構成国。石油、鉄、銅など豊富な資源をもつ。カスピ海周辺で油田開発が進む。
国旗 左端の文様は民族の伝統装飾。太陽と鷲は希望と自由を表す。

カンボジア王国
概要 1970年代からの内戦の後、国連暫定統治機構の下、新憲法を制定。経済も徐々に回復している。
国旗 青は王室の色、赤は国民の色、中央の建物はアンコール=ワットである。

キプロス共和国
概要 地中海東部の島国。南部のギリシャ系、北部のトルコ系の両住民が対立。観光、金融、海運業が主産業。
国旗 黄金の国の形は銅資源を示し、オリーブの枝は、ギリシャ系とトルコ系住民の融和を表す。

サウジアラビア王国
概要 石油経済国。観光業やICT産業で経済の多角化を進める。アラブ諸国で唯一のG20参加国。
国旗 文字はコーランの一節で、剣は聖地メッカ(マッカ)の守護を表す。緑はイスラームの色。

シンガポール共和国
概要 中継・加工貿易拠点として古くから発展。港湾は世界有数の規模。運輸・通信業、金融サービス業を推進。
国旗 赤は平等を、白は純粋性、5つの星と月は自由・平和・進歩・平等・公正への歩みを表す。

スリランカ民主社会主義共和国
概要 世界的な茶の産地。シンハラ人とタミル人が対立した内戦終結で経済成長が進む。繊維製品などを輸出。
国旗 剣を持つライオンは、シンハラ人のシンボル。四隅の葉は菩提樹の葉で仏教、緑はイスラーム、オレンジ色はヒンドゥー教を表す。

タイ王国
概要 1980年代から経済が急成長したが、1997年のバーツ暴落がアジア通貨危機を招いた。2006年以降内政が不安定。
国旗 青は国王、赤は国家、白は建国の伝説に登場する白象に由来し、仏教を意味する。

アジアの国別統計

国名の色分けは次の加盟国を示す。 ■東南アジア諸国連合(ASEAN) ■ヨーロッパ連合(EU) (赤太字は世界1位、赤字は2位から5位までの国を示す。人口・首都人口・面積・人口密度・人口増加率の青字は下位5か国を示す。面積・人口密度は居住不能な極地・島を除く。)

国番号	正式国名	人口(万人)2019年	首都名	首都人口(万人)2019年	面積(千km²)2019年	人口密度(人/km²)2019年	人口増加率(%)2015-2020年の平均	産業別人口の割合(%)2019年 第1次	第2次	第3次	老年人口率65歳以上(%)2019年	国土に占める森林割合(%)2018年	1人あたりの国民総所得(ドル)2019年	海外直接投資額(対外,残高)(億ドル)2019年	貿易額(百万ドル)2019年 輸出	輸入
1	アゼルバイジャン共和国	1,002	バクー	18)226	87	116	1.0	36.0	14.8	49.2	6.4	13.4	4,480	261	19,636	13,64
2	アフガニスタン・イスラム共和国	3,072	カブール	17)396	653	47	2.5	17)42.8	17.6	39.6	2.6	1.9	540	1	18)1,769	18)14,81
3	アラブ首長国連邦	18)936	アブダビ	16)126	71	132	1.3	2.2	28.8	69.0	1.2	4.5	43,470	1,554	18)387,910	18)244,64
4	アルメニア共和国	296	エレバン	17)107	30	100	0.3	18)25.8	22.8	51.4	11.5	11.6	4,680	5	2,612	5,05
5	イエメン共和国	17)2,817	サヌア	09)197	528	53	2.4	14)29.2	14.5	56.3	2.9	1.0	18)940	7	15)510	4,71
6	イスラエル国	905	エルサレム	17)90	22	410	1.6	0.9	16.1	83.0	12.2	6.5	43,290	1,104	58,488	76,57
7	イラク共和国	3,883	バグダッド	11)615	435	89	2.5	08)23.4	18.2	58.4	3.4	1.9	5,740	29	16)43,774	14)37,06
8	イラン・イスラム共和国	8,307	テヘラン	16)869	1,629	51	1.4	17.8	32.2	50.0	6.4	6.6	17)5,420	40	17)105,844	17)51,61
9	インド	131,224	デリー	11)1,103	3,287	399	1.0	43.3	24.9	31.8	6.4	24.1	2,130	1,787	323,251	478,88
10	インドネシア共和国	26,691	ジャカルタ	16)1,037	1,911	140	1.1	28.5	22.4	49.1	6.1	49.7	4,050	788	167,003	170,72
11	ウズベキスタン共和国	3,325	タシケント	16)239	449	74	1.6	18)26.6	22.7	50.7	4.6	8.3	1,800	2	14,930	21,86
12	オマーン国	461	マスカット	17)29	310	15	3.6	18)4.4	46.2	49.4	2.4	0.01	15,330	120	18)41,761	18)25,77
13	カザフスタン共和国	1,851	アスタナ	18)103	2,725	7	1.3	13.7	19.8	66.5	7.7	1.3	8,810	156	57,723	38,35
14	カタール国	279	ドーハ	95	12	241	2.3	1.2	54.5	44.3	1.4	0	63,410	448	72,935	29,17
15	カンボジア王国	1,528	プノンペン	08)124	181	84	1.5	38.2	25.5	36.3	4.7	47.5	1,480	11	12,700	17,48
16	キプロス共和国	87	ニコシア	11)5	9	95	0.8	2.4	18.4	79.2	14.0	18.7	27,710	4,428	3,528	9,21
17	キルギス共和国	639	ビシュケク	18)98	200	32	1.8	20.4	24.6	55.0	4.6	6.7	1,240	0.1	1,835	5,29
18	クウェート国	442	クウェート	17)6	18	248	2.1	2.2	20.8	77.0	2.8	0.4	18)34,290	330	71,941	35,86
19	サウジアラビア王国	3,421	リヤド	10)518	2,207	16	1.9	6.5	24.8	72.7	3.4	0.5	22,850	1,230	18)207,557	18)135,21
20	ジョージア	372	トビリシ	17)112	70	53	-0.2	38.1	14.3	47.6	15.1	40.6	4,740	29	3,764	9,09
21	シリア・アラブ共和国	15)1,799	ダマスカス	11)178	185	97	-0.6	11)13.2	31.4	55.4	4.7	2.8	07)1,820	0.05	10)11,353	10)17,56
22	シンガポール共和国	570	シンガポール	19)570	0.7	7,867	1.1	0.0	14.0	86.0	12.4	22.5	59,590	11,062	390,332	358,97
23	スリランカ民主社会主義共和国	2,180	スリジャヤワルダナプラコッテ	12)10	66	332	0.5	25.3	27.6	47.1	10.8	34.3	4,020	15	17)11,741	21,31
24	タイ王国	6,637	バンコク	17)568	513	129	0.3	31.4	22.8	45.8	12.4	39.0	7,260	1,374	233,674	216,80
25	大韓民国	5,133	ソウル	999	100	512	0.2	5.1	24.5	70.4	15.1	64.7	33,720	4,401	542,172	503,26
26	タジキスタン共和国	912	ドゥシャンベ	83	143	64	2.4	18)45.8	15.5	38.7	3.1	3.0	1,030	2	17)873	17)2,39
27	中華人民共和国	①142,949	ペキン	16)1,362	①9,601	①149	0.5	25.1	27.5	47.4	11.5	23.0	10,410	20,994	18)2,494,230	18)2,134,9
28	朝鮮民主主義人民共和国	15)2,518	ピョンヤン	08)258	121	209	0.5	—	—	—	9.3	50.4	—	—	222	2,32
29	トルクメニスタン	15)556	アシガバット	12)70	488	11	1.6	—	—	—	4.3	8.8	6,740	—	7,458	4,52
30	トルコ共和国	8,237	アンカラ	516	784	105	1.4	18.1	25.3	56.6	8.7	28.5	9,610	478	180,839	210,34
31	日本国	12,626	東京	20)957	378	334	-0.2	3.3	23.7	73.0	28.0	68.4	41,690	18,181	705,730	721,03
32	ネパール	2,961	カトマンズ	11)100	147	201	1.5	08)71.3	7.4	21.3	5.8	41.6	1,090	—	17)741	17)10,02
33	パキスタン・イスラム共和国	17)20,777	イスラマバード	17)100	796	261	2.0	37.4	25.0	37.6	4.3	4.9	1,530	3	23,759	50,04
34	バーレーン国	148	マナーマ	06)17	0.8	1,906	4.3	1.1	34.7	64.2	2.8	0.9	22,110	191	18)14,348	18)20,59
35	バングラデシュ人民共和国	16,650	ダッカ	703	148	1,122	1.1	40.6	20.4	39.0	5.2	14.5	1,940	18	15)31,734	15)48,05
36	東ティモール民主共和国	128	ディリ	15)22	15	86	1.9	46.3	8.5	45.2	4.3	62.1	1,890	1	17)24	17)58
37	フィリピン共和国	10,728	マニラ	15)178	300	358	1.4	22.9	19.1	58.0	5.3	23.9	3,850	526	70,927	117,24
38	ブータン王国	74	ティンプー	17)11	38	19	1.2	15)58.0	9.7	32.3	6.1	71.3	2,970	—	12)531	12)99
39	ブルネイ・ダルサラーム国	46	バンダルスリブガワン	09)7	6	80	1.1	2.0	20.8	77.2	5.2	72.1	32,230	—	7,039	4,14
40	ベトナム社会主義共和国	9,620	ハノイ	17)231	331	290	0.9	29.4	31.9	38.7	7.6	46.7	2,540	111	264,610	253,44
41	マレーシア	3,258	クアラルンプール	17)180	331	99	1.3	17)11.3	27.7	61.0	6.9	58.5	11,200	1,186	238,089	204,90
42	ミャンマー連邦共和国	5,434	ネーピードー	14)37	677	80	0.6	48.9	16.9	34.2	6.0	44.6	1,390	—	17,997	18,52
43	モルディブ共和国	53	マレ	17)14	0.3	1,780	3.4	16)9.0	18.3	72.7	3.6	2.7	9,650	—	18)182	2,96
44	モンゴル国	326	ウランバートル	141	1,564	2	1.8	25.3	21.6	53.1	4.2	9.1	3,780	—	7,620	6,12
45	ヨルダン・ハシェミット王国	1,055	アンマン	181	89	118	1.9	1.3	18.4	78.3	3.6	1.1	4,300	9	8,313	19,3
46	ラオス人民民主共和国	712	ビエンチャン	15)63	237	30	1.5	17)31.3	14.1	54.6	4.2	72.2	2,570	0.9	5,809	5,7
47	レバノン共和国	15)653	ベイルート	16)40	10	625	0.9	3.6	20.5	75.9	7.3	13.9	7,600	160	2,953	18)19,9
	アジア(47か国)合計	460,137	—	—	31,033	148	—	—	—	—	—	19.9	—	—	—	—

人口・面積・人口密度の合計には、その他の地域を含む。 18)西暦下2けたの年次を表す。 ①ホンコン、マカオ、台湾を含む。

大韓民国

概要 朝鮮半島の北緯38度以南が1948年に独立。1970年代以降、経済は著しく成長。1996年、OECD加盟。
国旗 中央の巴は太極といって宇宙を表し、四隅の卦は、天、地、水、火を表す。

中華人民共和国

概要 社会主義国だが、1970年代末、市場経済へ移行し外資導入により急速に発展。2010年、GDPが世界第2位となる。
国旗 大きい星は中国共産党を表し、小さい星は、労働者、農民、知識階級、愛国的資本家を表す。

朝鮮民主主義人民共和国

概要 朝鮮半島の北緯38度以北が1948年に独立。社会主義国。核開発問題で世界との緊張関係が続く。
国旗 赤と青は朝鮮の伝統的な色。赤い星は社会主義のシンボルである。

トルコ共和国

概要 アジアとヨーロッパの結節点に位置。イスラーム国家だが政教は分離。工業がさかんな西部と東部の経済格差は大きい。
国旗 三日月と星はこの国の故事に由来し、進歩・独立などの意味が含まれている。

日 本 国

概要 アジア東端の島嶼国。世界を代表する工業国。環境技術などの高い技術力が今後の経済成長の原動力として期待される。
国旗 「日の丸」、「日章旗」ともいわれ、太陽を象徴したもの。民間では明治のはじめから使用。

ネパール

概要 2008年王制廃止、15年新憲法公布。労働人口の6割が農業に従事。ヒマラヤ山脈などの山岳観光は貴重な外貨獲得源。海外援助に依存。
国旗 三角形を重ねた珍しい旗。月と太陽はヒンドゥー教を、そして国の永遠の発展を表す。

パキスタン・イスラム共和国

概要 英領インドのうち、ムスリム住民の多い地域が1947年独立。カシミールをめぐりインドと対立する。
国旗 緑はイスラーム、白い三日月と星は平和・知識・進歩・発展などを表す。

バングラデシュ人民共和国

概要 東パキスタンが1971年独立。米、ジュートが主要作物。繊維産業が成長、衣類・繊維品が輸出の大半を占める。
国旗 緑は農業とイスラームを、赤丸は独立時に流された人々の血を表す。

フィリピン共和国

概要 ルソン島など大小約7100の島からなる。農林水産業の他、コールセンターなどサービス業が成長。
国旗 白三角は解放運動、太陽は自由を、3つの星は主要な島を、赤は勇気、青は平和を表す。

ベトナム社会主義共和国

概要 1986年以降、ドイモイ（刷新）政策で市場開放が進み、経済成長著しい。コーヒー豆、茶、米は世界有数の生産量。
国旗 赤は独立のために流した血、黄色の星の5つの頂点は労働者、農民、兵士、青年、知識人を表す。

マレーシア

概要 1980年代以降、輸出向け工業政策で経済成長。過半数を占めるマレー系を優遇するブミプトラ政策を堅持。
国旗 14本の赤と白の線は州の数を、月と星はこの国がイスラーム国であることを示す。

ミャンマー連邦共和国

概要 農業国で主要農産物は米。2011年軍事政権から民政へ移行。経済制裁の緩和により外資導入が進む。
国旗 2010年に変更された。黄は団結、緑は平和、赤は勇気、中央の白い星は国家の永続性を表す。

モンゴル国

概要 1991年市場経済へ移行、92年社会主義を放棄。牧畜業、鉱業が主産業で、銅鉱石、石炭などを輸出。
国旗 左側の紋様は、伝統的なソヨンボ（蓮台）で、炎、太陽と月、槍と矢じり、2匹の魚を表す。

ラオス人民民主共和国

概要 内陸国。1975年、社会主義政権成立。1980年代に市場経済導入。農業が主要産業。木材などのほか、電力も輸出する。
国旗 1975年制定。上下の赤はラオス人民が流した血を、青は国土の繁栄とメコン川を、白い円は平和と仏教を表す。

レバノン共和国

概要 中東の金融拠点として発展したが、内戦により経済は停滞。観光業、不動産業の他、海外送金に依存。
国旗 赤は勇気・犠牲、白は平和を表し、中央は国の象徴であるレバノン杉。

■15歳以上の人口に対する割合。　　〔Demographic Yearbook 2019, ほか〕

おもな輸出品目	日本のおもな輸入品目 2019年	非識字率(%)2018年 男	女	CO_2排出量(t/人)2018年	通貨単位	為替レート(1米ドルあたりの各国通貨単位)(2020年12月)	独立年月	旧宗主国 (1943年以降)	おもな民族(%)	おもな宗教(%)	おもな言語	国番号
油, 天然ガス	アルミニウム, 漢方薬品	17) 0.1	0.3	3.1	アゼルバイジャン・マナト	1.70	1991. 8	－	アゼルバイジャン人92	イスラム96	アゼルバイジャン語	1
ッツ類, 植物性原材料, 干しぶどう	電気計測器具, 美術・骨董品, 貴石・半貴石	44.5	70.2	－	アフガニー	77.14	－	イギリス	パシュトゥーン人42, タジク系27	イスラム99	ダリー語, パシュトゥー語	2
鉱, 機械類, 石油製品	原油, 揮発油, 液化天然ガス	05) 10.5	8.5	19.9	UAEディルハム	3.67	1971.12	イギリス	南アジア系59, 自国籍アラブ人12	イスラム62, ヒンドゥー教21	アラビア語	3
鉱石, たばこ, 蒸留酒	衣類	17) 0.2	0.3	1.8	ドラム	493.60	1991. 9	－	アルメニア人98	アルメニア教会73	アルメニア語	4
介系, 自動車, 機械類	コーヒー豆, 魚の肝油, えび	04) 26.8	65.0	0.2	イエメン・リアル	250.25	1990. 5	トルコ・イギリス	アラブ人93	イスラム99	アラビア語	5
械類, ダイヤモンド, 精密機械	電気機械, 一般機械, 科学光学機器			6.7	新シェケル	3.42	1948. 5	イギリス	ユダヤ人75, アラブ人21	ユダヤ教75, イスラム19	ヘブライ語, アラビア語	6
原油	原油	43.8	56.0	3.9	イラク・ディナール	1182.00		イギリス	アラブ人65, クルド人23	イスラム96	アラビア語, クルド語	7
油, 石油製品	原油, 敷物類	16) 9.6	19.2	7.0	イラン・リアル	42000.00	－		ペルシア人35, アゼルバイジャン系16	イスラム99	ペルシア語	8
油製品, 機械類, ダイヤモンド	有機化合物, 揮発油, えび	17.6	34.2	1.7	インド・ルピー	73.97	1947. 8	イギリス	インド・アーリヤ系72, ドラヴィダ系25	ヒンドゥー教80, イスラム14	ヒンディー語, 英語	9
炭, パーム油, 機械類	石炭, 液化天然ガス, 電気機械	2.7	6.0	2.0	ルピア	14690.00	1945. 8	オランダ	ジャワ人40, スンダ人16	イスラム87, キリスト教10	インドネシア語	10
、天然ガス, 繊維品	アルミニウム, 綿糸	16) 0.0	0.0	3.2	スム	10348.00	1991. 8	－	ウズベク人78	イスラム76	ウズベク語, ロシア語	11
油, 液化天然ガス, 石油製品	原油, 液化天然ガス	3.0	7.3	14.2	オマーン・リアル	0.38	－	ポルトガル	アラブ人55, インド・パキスタン系32	イスラム89	アラビア語	12
油, 鉄鋼	原油, 合金鉄	10) 0.2	0.3	11.7	テンゲ	431.82	1991.12	－	カザフ人66, ロシア系22	イスラム70, キリスト教26	カザフ語, ロシア語	13
化天然ガス, 原油, 石油製品	原油, 液化天然ガス, 揮発油	17) 6.9	5.3	31.2	カタール・リヤル	3.64	1971. 9	イギリス	アラブ人40, インド系25	イスラム68, キリスト教14	アラビア語	14
類, 履物	衣類, 履物, ハンドバッグ類	13.5	25.0	0.6	リエル	4113.00	1953.11	フランス	カンボジア人（クメール）85	仏教97	カンボジア語（クメール語）	15
船舶, 石油製品, 医薬品	まぐろ, 化粧品, 果汁	11) 0.7	1.9	7.3	ユーロ	0.85	1960. 8	イギリス	ギリシャ系81, トルコ系11	ギリシャ正教78, イスラム18	ギリシャ語, トルコ語	16
、衣類, 貴金属鉱	天然はちみつ, 漢方用植物, 事務用機械	0.3	0.5	1.6	ソム	81.80	1991. 8	－	キルギス人71, ウズベク系14	イスラム61, キリスト教10	キルギス語, ロシア語	17
油, 石油製品	原油, 揮発油, 液化石油ガス	3.3	5.1	21.2	クウェート・ディナール	0.31	1961. 6	イギリス	アラブ人59, アジア系38	イスラム74, キリスト教13	アラビア語	18
油, 石油製品, プラスチック類	原油, 揮発油	17) 2.9	7.3	14.5	サウジアラビア・リヤル	3.75	－		サウジ系アラブ人74	イスラム94	アラビア語	19
動車, 銅鉱石, 鉄鋼	自動車, アルミニウム, ワイン	17) 0.6	0.7	2.3	ラリ	3.23	1991. 4	－	ジョージア人87	ジョージア正教84, イスラム11	ジョージア語	20
油, 石油製品, 繊維品	石けん	04) 12.2	26.4	1.5	シリア・ポンド	1250.00	1946. 4	フランス	アラブ人90	イスラム88	アラビア語, クルド語	21
械類, 石油製品, 精密機械	医薬品, 科学機器, 事務用機械	1.1	4.1	8.4	シンガポール・ドル	1.36	1965. 8	イギリス	中国系74, マレー系13	仏教33, キリスト教18	マレー語, 中国語, タミル語, 英語	22
類, 茶, ゴム製品	衣類, 船舶, 紅茶	17) 7.0	9.0	0.9	スリランカ・ルピー	186.16	1948. 2	イギリス	シンハラ人75, タミル人15	仏教70, ヒンドゥー教13	シンハラ語, タミル語	23
械類, 自動車	電気機械, 一般機械, 肉類	15) 5.3	8.8	3.4	バーツ	31.20	－		タイ人80, 中国系14	仏教95	タイ語	24
械類, 自動車, 石油製品	電気機械, 石油製品, 一般機械			11.7	韓国ウォン	1133.40	1948. 8	日本	朝鮮民族（韓民族）98	キリスト教28, 仏教16	韓国語	25
ルミニウム, 電力, 綿花	漢方薬品	14) 0.2	0.3	0.7	ソモニ	10.32	1991. 9	－	タジク人84, ウズベク系12	イスラム84	タジク語, ロシア語	26
械類, 衣類	電気機械, 事務用機械, 衣類	1.5	4.8	6.8	元	6.70	－		漢民族92	道教, 仏教	標準中国語, 中国7地域方言	27
物性生産品, 繊維品		08) 0.0	0.0	0.6	北朝鮮ウォン	104.46	1948. 9	日本	朝鮮民族99.8	仏教, キリスト教	朝鮮語	28
然ガス, 原油, 石油製品	漢方薬品	14) 0.3	0.4	11.8	トルクメン・マナト	3.50	1991.10	－	トルクメン人85	イスラム87	トルクメン語, ロシア語	29
、衣類, まぐろ, 一般機械		17) 1.2	6.5	4.6	リラ	7.82	－		トルコ人65, クルド人19	イスラム98	トルコ語, クルド語	30
気機械, 一般機械, 自動車	－	－		8.5	円	104.58	－		日本人	神道, 仏教, キリスト教など	日本語	31
維品, 衣類, 鉄鋼	衣類, 繊維製品, ハンドバッグ類	21.4	40.3	0.4	ネパール・ルピー	117.84	－		チェトリ人17, ブラーマン人12	ヒンドゥー教81, 仏教9	ネパール語	32
製品, 衣類, 米	衣類, エタノール, 綿織物	17) 28.9	53.5	0.9	パキスタン・ルピー	165.79	1947. 8	イギリス	パンジャブ人53, パシュトゥン人13	イスラム96	ウルドゥー語, 英語	33
油製品, アルミニウム, 鉄鉱石	原油, 揮発油, 液化石油ガス	1.2	5.1	19.2	バーレーン・ディナール	0.38	1971. 8	イギリス	アラブ人51, アジア系46	イスラム82, キリスト教11	アラビア語	34
類, 石油製品	衣類, 履物, えび	23.3	28.8	0.5	タカ	84.80	1971.12	パキスタン	ベンガル人98	イスラム89, ヒンドゥー教9	ベンガル語	35
ーヒー, 古着, 植物性原材料	液化石油ガス, コーヒー豆	28.1	35.8	－	米ドル	1.00	2002. 5	－	メラネシア系, マレー系	カトリック98	テトゥン語, ポルトガル語	36
械類, バナナ	電気機械, 木・コルク製品, バナナ	15) 1.9	1.8	1.2	フィリピン・ペソ	48.40	1946. 7	アメリカ合衆国	タガログ人28, セブアノ人13	カトリック80	フィリピノ語, 英語	37
鋼, 電力, 無機化合物	まつたけ, 植物性原材料	17) 25.0	42.9	－	ヌルタム	73.97	－		ブータン人（チベット系）50, ネパール系35	チベット仏教74, ヒンドゥー教25	ゾンカ語, ネパール語	38
化天然ガス, 原油, 石油製品	液化天然ガス, 原油	1.9	3.7	16.6	ブルネイ・ドル	1.36	1984. 1	イギリス	マレー系66, 中国系10	イスラム79	マレー語	39
類, 石油製品	電気機械, 衣類, 履物			2.3	ドン	23213.00	1945. 9	フランス	キン人86	仏教, カトリック7	ベトナム語	40
械類, 石油製品	電気機械, 液化天然ガス, 合板	16) 3.7	8.9	7.2	リンギット	4.16	1957. 8	イギリス	ブミプトラ62, 中国系23	イスラム61, 仏教20	マレー語, 英語, 中国語	41
械類, 石油製品	衣類, 履物, えび	16) 20.0	28.2	0.5	チャット	1308.80	1948. 1	イギリス	ビルマ人68	仏教88	ミャンマー語（ビルマ語）	42
まぐろ・かつお類, まぐろ・かつお調製品	かつお節, 魚介類	16) 2.7	1.9	－	ルフィア	15.40	1965. 7	イギリス	モルディブ人99	イスラム94	ディベヒ語	43
炭, 銅鉱石, 鉄鉱石	衣類, ほたる石, 動物性原材料	1.8	1.4	6.6	トゥグルグ	2851.99	1946.	中国	モンゴル人（ハルハ人）82	仏教53（おもにチベット仏教）	モンゴル語	44
学肥料, 銅鉱石	衣類, カリウム肥料, 有機化合物	1.4	2.2	2.3	ヨルダン・ディナール	0.71	－		アラブ人98	イスラム97	アラビア語	45
力, 銅鉱石, 銅	衣類, 電気機械, 履物	15) 10.0	20.6	2.5	キープ	9046.00	1953.10	フランス	ラオ人53, クム一人11	仏教65	ラオ語	46
類, 金, ダイヤモンド	銅くず	3.1	6.7	3.7	レバノン・ポンド	1507.50	1943.11	フランス	アラブ人85	イスラム59, キリスト教41	アラビア語	47

アルジェリア民主人民共和国
概要 1990年代に治安が悪化したが，近年治安対策を進め，市場経済導入による経済改革に取り組む。輸出は石油関係が大半。
国旗 白は平和を，緑は繁栄を表す。三日月と星はイスラーム共通のシンボルで，血を表す赤で描かれている。

アンゴラ共和国
概要 1975年独立以来の内戦も2002年に終結。石油，ダイヤモンド等の鉱物資源に恵まれ，経済成長が進んでいる。
国旗 赤は独立闘争で流された血，黒は国民を，中央のなたは農民，歯車は工場労働者を示す。星は社会主義を象徴する。

エジプト・アラブ共和国
概要 首都カイロはアラブ外交の中心地。観光，運河通航料，石油輸出，出稼ぎ者の送金がおもな外貨収入源。
国旗 赤は革命と国民の犠牲を，白は明るい未来を，黒は過去の長い抑圧を表す。中央の鷲は，クライシュ族のシンボル。

エチオピア連邦民主共和国
概要 1974年の社会主義革命後，経済は疲弊した。1991年に市場経済に移行。経済復興に取り組む。
国旗 緑・黄・赤の3色はキリスト教の信仰・希望・愛のシンボル。中央の「ソロモンの星」は国家と国民の統合を象徴する。

ガーナ共和国
概要 金，カカオ豆，原油などの一次産品がおもな輸出品。ガーナ沖油田の商業生産により，経済成長中。
国旗 アフリカ特有の赤・黄・緑の3色を採用し，中央の黒い星はアフリカの自由を象徴している。

カメルーン共和国
概要 英連邦加盟国だが，フランスとも緊密。多様な気候，多民族から「アフリカの縮図」とよばれる。
国旗 もともとは緑・赤・黄の縦3色で，連邦になって緑地に星が2つつき，東西カメルーンの統一で星1つになった。

ギニア共和国
概要 1984年のクーデター以降，政治は不安定。豊富な鉱産資源をもつが，インフラ整備が進まず，経済開発は遅れている。
国旗 赤はアフリカの太陽とすべての生命の源を，黄は黄金とアフリカの光を，緑は木と農産物を表す。

ケニア共和国
概要 茶，切り花，コーヒー豆栽培がさかん。アフリカ諸国の中では工業化が進む。国立公園などの観光収入も重要。
国旗 黒は国民を，赤は闘争と血を，緑は農業と天然資源を，白い線2本は平和と統一を表す。中央はマサイ人の盾と2本の槍を図案化。

コートジボワール共和国
概要 主産業は農業。カカオ豆，カシューナッツ，原油，石油製品を輸出。2011の内戦終結後，政情は安定化。
国旗 オレンジ色は国の繁栄と北部の肥沃なサバナ，白は平和・清純，緑は将来への希望と南部の豊かな原生林を表す。

コンゴ共和国
概要 1992年民主化。主産業は鉱業で輸[出]の7割が原油。近年，中国との経済関係緊密。2018年OPEC加盟。
国旗 コンゴ人民共和国から国名を戻す際，フランスからの独[立]時の国旗が再び採用された。

コンゴ民主共和国
概要 1997年ザイールから国名変更。銅[，]ダイヤモンドなど世界有数の鉱産資源[。]部族対立，資源争奪で政情は不安定。
国旗 現在の国旗は2006年に制定。水色は平和，赤は流され[る]血，黄は国の富，星は国の輝かしい未来を表す。

スーダン共和国
概要 原油が輸出の5割を占める。スーダン独立により，石油関連輸[出は減少。原油を巡る紛争は沈静[化]
国旗 赤・白・黒は「アラブの統一」，赤は革命と進歩，白は平和と[未]来への希望，黒は国名とアフリカ大陸，緑はイスラームの繁栄を表[す]

アフリカの国別統計

国名の色分けは次の加盟国を示す。□ アフリカ連合（AU）　赤太字は世界1位，赤字は2位から5位までの国を示す。人口・首都人口・面積・人口密度・人口増加率の青字は下位5か国を示す。面積・人口密度は居住不能な極地・島を除く。

国番号	正式国名	人口(万人)2019年	首都名	首都人口(万人)	面積(千km²)2019年	人口密度(人/km²)2019年	人口増加率(%)2015-2020年の平均	産業別人口の割合(%)2019年 第1次	第2次	第3次	老年人口率65歳以上(%)2019年	国土に占める森林割合(%)2018年	1人あたりの国民総所得(ドル)2019年	海外直接投資額(対外,残高)(億ドル)2019年	貿易額(百万ドル)2019年 輸出	輸入
1	アルジェリア民主人民共和国	4,341	アルジェ	236 08	2,382	18	2.0	10.1 17	30.9	59.0	6.6	0.8	3,970	28 17	35,191 17	46,05
2	アンゴラ共和国	3,017	ルアンダ	676 14	1,247	24	3.3	44.2 14	6.1	49.7	2.2	54.3	3,050	36 18	42,097 18	16,03
3	ウガンダ共和国	4,030	カンパラ	156 16	242	167	3.6	71.7 17	7.0	21.3	2.0	12.1	780	0.8 18	3,087 18	6,72
4	エジプト・アラブ共和国	9,890	カイロ	774 06	1,002	99	2.0	21.6 17	26.8	51.6	5.3	0.05	2,690	82	30,633 18	78,65
5	エスワティニ王国	117	ムババーネ	6 07	17	68	0.9	12.9 16	24.0	63.1	4.0	28.8	3,590	1	2,002	1,83
6	エチオピア連邦民主共和国	9,853	アディスアベバ	421 17	1,104	89	2.6	71.0 13	8.4	20.6	3.5	15.2	850	— 18	1,549 18	14,98
7	エリトリア国	337	アスマラ	77 14	121	28	1.2	—	—	—	4.8	10.5 11	600 03	— 03	7 03	43
8	ガーナ共和国	3,028	アクラ	207 13	239	127	2.2	28.4 17	21.0	50.6	3.1	35.0	2,220	5	16,768	10,44
9	カーボベルデ共和国	55	プライア	12 10	4	136	1.2	10.6	21.8	67.6	4.7	11.2	3,630	0.9	75 18	81
10	ガボン共和国	194 15	リーブルビル	70 13	268	7	2.7	43.5 93	9.6	46.9	3.5	91.4	7,210	0.8 09	5,356 09	2,50
11	カメルーン共和国	2,549	ヤウンデ	287 16	476	54	2.6	47.5 14	14.1	38.4	2.7	43.3	1,500	9	3,264 17	5,18
12	ガンビア共和国	221	バンジュール	3 13	11	196	2.9	29.6 12	15.4	55.0	2.6	25.1	740	—	25	49
13	ギニア共和国	1,221	コナクリ	165 14	246	50	2.8	74.8 12	5.6	19.6	2.8	25.5	950	0.7 15	1,574 15	2,13
14	ギニアビサウ共和国	160	ビサウ 09	38	36	44	2.5	—	—	—	2.9	71.0	820	0.1	23 05	11
15	ケニア共和国	4,756	ナイロビ 10	310	592	80	2.3	61.1 05	6.7	32.2	2.4	6.3	1,750	21	6,050 18	17,37
16	コートジボワール共和国	2,582	ヤムスクロ 14	21	322	80	2.5	41.9	12.5	45.6	2.9	9.6	2,290	14	12,718	10,48
17	コモロ連合 15	77	モロニ	5 14	2	348	2.2	38.0	19.0	43.0	3.1	18.2	1,420	—	20	20
18	コンゴ共和国	533	ブラザビル 07	137	342	16	2.6	35.2 05	20.6	44.2	3.0	64.4	1,750	0.8	5,576	2,24
19	コンゴ民主共和国 15	7,624	キンシャサ 10	841	2,345	33	3.2	71.5 05	8.2	20.3	3.0	56.6	520	29 17	10,980 17	10,82
20	サントメ・プリンシペ民主共和国	20	サントメ 12	6	1	214	1.9	26.2 06	14.5	59.3	3.0	55.4	1,960	0.03	10	14
21	ザンビア共和国	1,738	ルサカ 10	174	753	23	2.9	55.8	10.1	34.1	2.1	60.8	1,450	22	7,029	7,22
22	シエラレオネ共和国	790	フリータウン 15	105	72	109	2.1	57.0 14	6.0	37.0	2.9	35.7	500	—	103 17	1,07
23	ジブチ共和国 15	91	ジブチ	47 09	23	39	1.6	—	—	—	4.6	0.2	3,540	—	364 09	64
24	ジンバブエ共和国 18	1,484	ハラレ 12	148	391	38	1.5	67.2 14	7.4	25.4	3.0	45.3	1,390	6	4,279	4,78
25	スーダン共和国	4,020	ハルツーム 08	141	1,847	22	2.4	44.0 11	15.1	40.9	3.6	10.1	590	—	3,619 18	10,48
26	赤道ギニア共和国	140	マラボ 14	14	28	50	3.7	76.3 83	4.8	18.9	2.4	87.9	6,460	— 17	6,118 17	2,57
27	セーシェル共和国	9	ビクトリア 14	3	0.5	214	0.7	3.3	12.8	83.9	7.8	73.3	16,870	3	824	1,43
28	セネガル共和国	1,620	ダカール 13	※264	197	82	2.8	33.2 15	12.9	53.9	3.1	42.3	1,450	9	4,175	8,14
29	ソマリア連邦共和国 15	1,379	モガディシュ 14	165	638	22	2.8	—	—	—	2.9	9.8	—	— 14	819 14	3,48
30	タンザニア連合共和国	5,589	ダルエスサラーム 12	436	947	59	2.9	68.1 14	6.3	25.6	2.6	52.7	1,080	—	4,178 18	8,55
31	チャド共和国	1,569	ンジャメナ 09	95	1,284	12	3.0	70.4 18	8.9	20.7	2.5	3.6	700	— 17	2,464 17	2,16
32	中央アフリカ共和国 15	449	バンギ	78 14	623	7	1.4	—	—	—	2.8	35.9	520	— 17	197 17	41
33	チュニジア共和国	1,172	チュニス 14	63	164	72	1.1	14.7 17	33.1	52.2	8.6	4.5	3,360	15	14,944	21,57
34	トーゴ共和国	761	ロメ 18	201	57	134	2.5	11.1 15	11.1	77.8	2.9	22.3	690	29	917	1,84
35	ナイジェリア連邦共和国 16	19,339	アブジャ 10	201	924	209	2.6	37.8 13	11.7	50.5	2.7	24.1	2,030	89 18	62,400 18	43,01
36	ナミビア共和国	245	ウィントフック 11	32	824	3	1.9	22.6 18	16.2	61.2	3.6	8.2	5,060	16	6,256	8,08
37	ニジェール共和国 17	2,065	ニアメ 12	97	1,267	16	3.8	74.5 12	7.2	18.3	2.6	0.9	560	—	930 16	1,86
38	ブルキナファソ	2,087	ワガドゥグー 12	191	273	76	2.9	78.4 06	5.3	16.3	2.4	23.1	790	4	3,283 18	4,29
39	ブルンジ共和国	1,204	ブジュンブラ 08	49	28	433	3.1	86.3 15	3.5	10.2	2.3	10.9	280	0.03	169 18	79
40	ベナン共和国 18	1,149	ポルトノボ 13	26	115	100	2.7	43.6 11	18.6	37.8	3.3	28.7	1,250	3	852	2,90
41	ボツワナ共和国	233	ハボローネ 11	23	582	4	2.2	7.2	18.0	74.8	4.4	27.3	7,660	10	5,238	6,55
42	マダガスカル共和国	2,662	アンタナナリボ 18	133	587	45	2.7	74.5 15	9.2	16.3	3.0	21.4	520	4	2,689	3,94
43	マラウイ共和国 18	1,756	リロングウェ 18	98	118	149	2.7	—	—	—	2.6	24.7	380	4	884 17	2,54
44	マリ共和国 18	1,941	バマコ 09	181	1,240	16	2.9	63.0 15	7.7	29.3	2.5	10.9	880	3	1,903 17	4,33
45	南アフリカ共和国	5,877	プレトリア 16	327	1,221	48	1.4	5.3	22.3	72.4	5.4	14.1	6,040	2,079	89,396	88,03
46	南スーダン共和国 18	1,232	ジュバ 17	23	659	19	0.9	—	—	—	3.4	11.3 15	1,090	—	—	—
47	モザンビーク共和国	2,931	マプト 17	110	799	37	2.9	72.1 15	7.7	20.2	3.1	47.3	480	0.07	5,196 18	6,78
48	モーリシャス共和国	126	ポートルイス 17	14	2	640	0.2	5.6	23.9	70.5	12.0	19.1	12,740	8	1,876	5,60
49	モーリタニア・イスラム共和国 18	398	ヌアクショット 13	95	1,031	4	2.8	31.9 17	17.7	50.4	3.2	0.2	1,660	0.9	1,989 17	3,52
50	モロッコ王国	3,558	ラバト 14	57	447	80	1.3	37.2 14	17.7	45.1	7.3	12.8	3,190	65	29,328	51,07
51	リビア	616 15	トリポリ	94 15	1,676	4	1.4	19.7 86	30.0	50.3	4.5	0.1	7,640	209	18,380 17	11,36
52	リベリア共和国 15	447	モンロビア 08	101	111	40	2.6	33.7 14	9.0	57.3	3.1	79.7	580	47	261 17	1,16
53	ルワンダ共和国	1,237	キガリ 12	85	26	470	2.6	37.5	18.6	43.9	3.0	11.1	820	—	992	2,34
54	レソト王国 16	200	マセル 16	33	30	66	0.8	42.1 08	21.6	36.3	4.9	1.1	1,360	— 17	673 17	2,06
	アフリカ(54か国)合計	130,806			29,648	44	—	—	—	—		21.6	—			

人口・面積・人口密度の合計には，その他の地域を含む。　18) 西暦下2けたの年次を表す。　※都市的地域の人口。

赤道ギニア共和国

概要 1992年の油田開発以降，原油，天然ガスを輸出，急速な経済成長をとげた。2017年OPEC加盟。
国旗 青い三角形は大西洋，緑は農業，白は自国の平和，赤は独立闘争を表す。中央の紋章は，木とリボン，6つ星で大陸部のムビニと5島を表す。

タンザニア連合共和国

概要 1986年に社会主義経済から転換。農業が主で，コーヒー豆，ごまを生産。国立公園などの観光資源も重要。
国旗 緑は国土と農業を，黒はタンザニアの全国民，青はインド洋を，2本の黄色の線は豊かな鉱物資源を表す。

チュニジア共和国

概要 アフリカ北部，地中海に面する。2011年に民主化運動によって独裁政権が倒れ，その余波が各地に拡大した。
国旗 三日月と星は，ムスリムの国であることを示す。イスラームで上弦の月は，欠けた部分が満ちてくるので，幸福のしるしとされる。

ナイジェリア連邦共和国

概要 アフリカ最大の人口を有する。輸出の大半は原油。農業はキャッサバ，カカオ豆など。アフリカ有数の経済大国。
国旗 1959年一般公募から選ばれた国旗。緑は農業を，白は平和と全国民の一致を表す。

ナミビア共和国

概要 ダイヤモンド，ウラン，銅などの豊富な鉱産資源をもつ。沖合にはベンゲラ海流が流れ，漁業もさかん。
国旗 青は空を，赤は独立のために流された血，緑は豊かな森林と繁栄を表す。左上の金色の太陽は，独立の喜びと豊かな鉱産資源を表す。

マダガスカル共和国

概要 アフリカ大陸の東の島国。主産業は香辛料などの農業や漁業。環境破壊や政情不安で，観光業は停滞気味。
国旗 国旗の色の一部は，この国を支配していたハバ族の赤と白の旗に由来する。緑は東部の住民を表す。

南アフリカ共和国

概要 1991年アパルトヘイト（人種隔離政策）を廃止したが，黒人の貧困撲滅は今も課題。経済規模はサハラ以南では最大。
国旗 赤は独立と黒人解放運動の犠牲者の血，緑は農業，黄色は豊かな鉱物資源，青は希望・空，黒は黒人，白は白人を表す。

モザンビーク共和国

概要 独立以来1992年まで続いた内戦後，PKO活動が行われ，日本も参加した。農業国だが，天然ガスも産出する。
国旗 緑は農業，黒は人民の力，黄は鉱物資源，三角の赤地は人民の血，黄色い星は独立と政治信念，黒いくわと銃は農民と労働者，本は教育と知識人を表す。

モロッコ王国

概要 アフリカ大陸北西部。対岸のヨーロッパとの結びつきが強い。豊富な鉱産資源をもつ。
国旗 紋章は国家の安泰と神の加護を願う印「スレイマンの星」。緑はイスラームの神聖な色，赤は国民の祖先アラウィット家の家長を示す。

リビア

概要 1969年のクーデター以降，カダフィの独裁政権が続いたが，2011年に反政府デモが全土で勃発。数か月にわたる武力衝突を経て，カダフィ政権は崩壊した。
国旗 汎アラブ色にイスラームの象徴の三日月と星を配す。

リベリア共和国

概要 アメリカ合衆国から解放された黒人奴隷が1847年建国。近年，内戦で経済混乱が続いてきた。
国旗 アメリカからの解放奴隷によって建国された歴史からアメリカ合衆国の旗に似る。赤と白の線は独立宣言に署名した11人を表す。

ルワンダ共和国

概要 1994年ツチ族とフツ族の内戦が終結。コーヒー豆等の農業が主。内戦後の成長はアフリカの奇跡と呼ばれる。
国旗 右上の太陽は，希望の光，青は空と幸福と平和，黄色は経済発展，緑は資源の豊かさを表す。復興のなか2001年制定。

■15歳以上の人口に対する割合。　〔Demographic Yearbook 2019，ほか〕

おもな輸出品目	日本のおもな輸入品目 2019年	非識字率(%) 2018年 男	女	CO_2排出量 (t/人) 2018年	通貨単位	為替レート (1米ドルあたりの各国通貨単位) (2020年12月)	独立年月 (1943年以降)	旧宗主国	おもな民族(%)	おもな宗教(%)	おもな言語	国番号
…油, 天然ガス, 石油製品	原油, 揮発油, 液化天然ガス	12.6	24.7	3.2	アルジェリア・ディナール	129.14	1962. 7	フランス	アラブ人74, アマジグ(ベルベル)系26	イスラーム99.7	アラビア語, アマジグ語	1
…油	原油, アルミニウム	(14)20.0	46.6	0.6	クワンザ	620.21	1975.11	ポルトガル	オヴィンブンドゥ人37, キンブンド人25	カトリック55, 独立派教会30	ポルトガル語, ウンブンド語	2
コーヒー豆, 魚介類	コーヒー豆, ごま, 魚介類	17.3	29.2	0.1	ウガンダ・シリング	3740.46	1962.10	イギリス	バガンダ人17, バニャンコレ人25	キリスト教85, イスラーム12	スワヒリ語	3
…油製品, 金, 原油	揮発油, 液化天然ガス, 電気回路機器	(17)23.5	34.5	2.2	エジプト・ポンド	15.71	─	イギリス	エジプト人(アラブ人)99.6	イスラーム90, キリスト教10	アラビア語	4
…香油・香水, 砂糖, 化学品	柑橘加工品, 一般機械, グレープフルーツ	11.7	11.5	─	リランゲニ	16.26	1968. 9	イギリス	スワティ人82, ズールー人10	キリスト教90	スワティ語, 英語	5
…コーヒー豆, ごま, 野菜	コーヒー豆, ごま, 切花	(17)40.8	55.6	0.1	ブル	32.27	─	─	オロモ人35, アムハラ人26	エチオピア教会43, イスラーム34	アムハラ語	6
…魚介類, 皮革製品, サンゴ類	衣類	15.6	31.1	0.1	ナクファ	15.07	1993. 5	─	ティグライ人55, ティグレ人30	イスラーム50, キリスト教48	ティグリニャ語, アラビア語, 英語	7
…原油, カカオ豆	カカオ豆	16.5	25.5	0.4	セディ	5.68	1957. 3	イギリス	アカン人48, モレダバン人17	キリスト教63, イスラーム18	英語, アサンテ語	8
…介加工品, まぐろ・かつお類, 衣類	家具, 魚の肝油	(15)8.3	18.0	─	エスクード	94.23	1975. 7	ポルトガル	アフリカ系とヨーロッパ系の混血70	カトリック77	ポルトガル語, クレオール語	9
…木材, マンガン鉱	マンガン鉱石, 原油, 合金鉄	14.1	16.6	1.2	CFAフラン	560.74	1960. 8	フランス	ファン人29, ブヌ人10	カトリック74.2, プロテスタント14	フランス語, ファン語	10
…油, 木材, カカオ豆	原油, 木材, アルミニウム	17.4	28.4	0.2	CFAフラン	560.74	1960. 1	イギリス・フランス	バミレケ人12, フラ人9	カトリック38, プロテスタント26	フランス語, 英語	11
…油製品, 木材, カシューナッツ	魚粉飼料, 切下類	38.2	58.4	─	ダラシ	51.85	1965. 2	イギリス	マンディンカ人34, フラ人22	イスラーム96	英語, マンディンカ語	12
…ボーキサイト, 切下類	蜜ろう, 金, 銅くず, 観賞魚	56.4	78.0	─	ギニア・フラン	9400.82	1958.10	フランス	フラ人32, マリンケ人30	イスラーム87	フランス語, フラ語	13
…カシューナッツ, 切下類	観賞魚	(14)37.8	69.2	─	CFAフラン	560.74	1973. 9	ポルトガル	フラ人24, バランタ人23	イスラーム45, キリスト教22	ポルトガル語, クレオール語	14
…茶, 切花, 石油製品	非鉄金属類, 紅茶, バラ	15.0	21.8	0.3	ケニア・シリング	108.50	1963.12	イギリス	キクユ人17, ルヒヤ人14	キリスト教83, イスラーム11	スワヒリ語, 英語	15
…カカオ豆, 金, 石油製品	カカオ豆, ココアペースト, まぐろ	46.3	59.5	0.4	CFAフラン	560.74	1960. 8	フランス	アカン人29, ボルタイック・グロ人16	イスラーム43, キリスト教34	フランス語	16
…クローブ, 芳香油・香水, バニラ	芳香油・香水, バニラビーンズ	35.4	47.7	─	コモロ・フラン	420.56	1975. 7	フランス	コモロ人97	イスラーム98	コモロ語, アラビア語, フランス語	17
…油, 木材, 船舶	銅, 木材, アルミニウム	13.9	25.4	0.5	CFAフラン	560.74	1960. 8	フランス	コンゴ人48, サンガ人20	キリスト教79	フランス語, リンガラ語	18
…ダイヤモンド, 銅	銅, 木材, コーヒー豆	(16)11.5	33.5	0.03	コンゴ・フラン	1964.96	1960. 6	ベルギー	ルバ人18, コンゴ人16	キリスト教80, イスラーム10	フランス語, スワヒリ語	19
…カカオ豆, パーム油	一般機械	3.8	10.5	─	ドブラ	21.71	1975. 7	ポルトガル	アフリカ系とヨーロッパ系の混血80	カトリック80, プロテスタント15	ポルトガル語, クレオール語	20
…銅	銅, コバルト, たばこ	9.4	16.9	0.3	ザンビア・クワチャ	20.02	1964.10	イギリス	ベンバ人21, トンガ人14	プロテスタント75, カトリック20	英語, ベンバ語	21
…自動車, カカオ豆, 機械類	チタン鉱石, 銅くず	48.4	65.1	0.1	レオーネ	9828.24	1961. 4	イギリス	テムネ人35, メンデ人31	イスラーム65, キリスト教31	英語, メンデ語	22
…自動車, 機械類, ゴム製品	事務用機械			─	ジブチ・フラン	177.72	1977. 6	フランス	ソマリ人46, アファル人35	イスラーム94	フランス語, アラビア語	23
…ニッケル鉱, 金, たばこ	白金くず, たばこ, 粗鉱物	(14)10.8	11.7	0.8	ジンバブエ・ドル	82.15	1980. 4	イギリス	ショナ人71, ンデベレ人16	キリスト教94	英語, ショナ語, ンデベレ語	24
…ごま, 羊	アラビアゴム, ごま, 銅くず	34.6	43.9	0.4	スーダン・ポンド	55.00	1956. 1	イギリス・エジプト	アフリカ系52, アラブ人39	イスラーム68, 伝統信仰11	アラビア語, 英語	25
…油製品, 木材	液化天然ガス	(14)2.7	7.6	4.5	CFAフラン	560.74	1968.10	スペイン	ファン人57, ブビ人10	キリスト教87	スペイン語, フランス語, ポルトガル語	26
…まぐろ・かつお加工品, 船舶	まぐろ, かつお調製品, 船舶	4.6	3.4	─	セーシェル・ルピー	19.68	1976. 6	イギリス	クレオール93	カトリック76, プロテスタント11	クレオール語, 英語, フランス語	27
…油製品, 金, 魚介類	たこ, ジルコニウム鉱石, 銅くず	(17)35.2	60.2	─	CFAフラン	560.74	1960. 8	フランス	ウォロフ人39, フラ人27	イスラーム95	フランス語, ウォロフ語	28
…家畜, バナナ, 皮革類	いか, ごま, 魚の肝油	─	─	─	ソマリア・シリング	24300.00	1960. 7	イギリス・イタリア	ソマリ人92	イスラーム99	ソマリ語, アラビア語	29
…たばこ, カシューナッツ, たばこ	コーヒー豆, たばこ, ごま	(15)16.8	26.9	0.1	タンザニア・シリング	2297.60	1961.12	イギリス	バンツー系95	キリスト教61, イスラーム35	スワヒリ語, 英語	30
…油, 家畜, 綿花	アラビアゴム	(16)68.7	86.0	─	CFAフラン	560.74	1960. 8	フランス	サラ人30, アラブ人10	イスラーム52, キリスト教44	フランス語, アラビア語	31
…自動車, 木材	木材	50.5	74.2	─	CFAフラン	560.74	1960. 8	フランス	バヤ人33, バンダ人27	キリスト教80, 伝統信仰10	サンゴ語, フランス語	32
…機械類, 衣類	衣類, まぐろ, 電気機械	(14)13.9	27.8	2.2	チュニジア・ディナール	2.77	1956. 3	フランス	アラブ人96	イスラーム99	アラビア語, フランス語	33
…花, セメント, プラスチック製品	銅くず, ごま	(15)22.7	48.8	0.1	CFAフラン	560.74	1960. 8	フランス	エウェ人22, カブレ人13	キリスト教47, 伝統信仰33	フランス語, エウェ語	34
…油, 液化天然ガス	液化天然ガス, ごま, アルミニウム	28.7	47.3	0.5	ナイラ	381.00	1960.10	イギリス	ヨルバ人18, ハウサ人17	イスラーム51, キリスト教48	英語, ハウサ語, ヨルバ語, イボ語	35
…ダイヤモンド, ウラン鉱石	魚粉飼料, まぐろ, えび	8.4	8.7	1.5	ナミビア・ドル	16.36	1990. 3	南アフリカ	オバンボ人34, 混血15	プロテスタント49, カトリック18	英語, アフリカーンス語	36
…ラン鉱, 石油製品, 米	ごま, アクセサリー	(12)60.9	77.4	0.1	CFAフラン	560.74	1960. 8	フランス	ハウサ人53, ジェルマ・ソンガイ人21	イスラーム90	フランス語, ハウサ語	37
…綿花, カシューナッツ	ごま, 綿花	49.9	67.3	─	CFAフラン	560.74	1960. 8	フランス	モシ人52	イスラーム62, キリスト教30	フランス語, モシ語	38
…コーヒー豆, 茶	コーヒー豆, 紅茶	(17)23.7	38.8	─	ブルンジ・フラン	1926.14	1962. 7	ベルギー	フツ人81, ツチ人16	カトリック61, プロテスタント21	ルンディ語, フランス語	39
…花, カシューナッツ, 採油用種子	ハンドバッグ類, 植物性油脂, 繊維原料	46.0	68.9	0.6	CFAフラン	560.74	1960. 8	フランス	フォン人38, アジャ人15	キリスト教49, イスラーム28	フランス語, フォン語	40
…ダイヤモンド	ダイヤモンド	(14)12.3	13.5	3.5	プラ	11.46	1966. 9	イギリス	ツワナ人67, カランガ人15	キリスト教79	ツワナ語, 英語	41
…バニラ, 衣類, ニッケル	ニッケル, バニラビーンズ, コバルト	22.7	27.6	0.1	アリアリ	3882.84	1960. 6	フランス	マレーポリネシア系96	キリスト教67, 伝統信仰15	マダガスカル語, フランス語	42
…たばこ, 茶, 大豆飼料	たばこ, マカダミアナッツ, ごま	(15)30.2	44.8	─	マラウイ・クワチャ	756.93	1964. 7	イギリス	チェワ人35, ロムウェ人19	キリスト教87, イスラーム13	英語, チェワ語	43
…綿花, 牛	ごま, アラビアゴム, 美術品	53.8	74.3	0.2	CFAフラン	560.74	1960. 8	フランス	バンバラ人34, フラ人15	イスラーム95	フランス語, バンバラ語	44
…自動車, プラチナ, 機械類	パラジウム, 白金, 自動車	(17)12.3	13.5	7.4	ランド	16.26	─	─	アフリカ系80, 混血9	独立派教会37, プロテスタント…	ズールー語, アフリカーンス語, 英語	45
…油	二輪自動車	─	─	0.1	南スーダン・ポンド	164.90	2011. 7	─	ディンカ人38, ヌエル人17	キリスト教60	英語, アラビア語	46
…石炭, アルミニウム, 電力	石炭, ごま, チタン鉱石	(17)27.4	49.7	0.2	メティカル	73.24	1975. 6	ポルトガル	マクア・ロムウェ人52, ソンガ・ロンガ人24	キリスト教56, イスラーム18	ポルトガル語, マクア語	47
…類, 魚介類, 砂糖	まぐろ, 衣類, 魚粉飼料	6.6	10.6	3.2	モーリシャス・ルピー	40.13	1968. 3	イギリス	インド・パキスタン系67, クレオール27	ヒンドゥー教49, キリスト教33	英語	48
…魚介類, 鉄鉱石, 金	まぐろ, 鉄鉱石	(17)36.3	56.6	─	ウギア	36.83	1960.11	フランス	混血モール人40, モール人30	イスラーム99	アラビア語, プラー語	49
…機械類, 自動車, 衣類	たこ, 衣類, まぐろ	16.7	35.4	1.6	モロッコ・ディルハム	9.25	1956. 3	フランス	アマジグ(ベルベル)系45, アラブ人44	イスラーム99	アラビア語, アマジグ語	50
…原油, 石油製品, 天然ガス		(04)6.2	22.2	6.8	リビア・ディナール	1.41	1951.12	イタリア	アラブ人87	イスラーム97	アラビア語, アマジグ語	51
…天然ゴム, 木材, 鉄鉱石	船舶	(17)37.3	65.9	─	リベリア・ドル	199.40	─	アメリカ合衆国	クペレ人20, バサ人13	キリスト教86, イスラーム12	英語, マンデ語	52
…石油製品, 金, 茶	コーヒー豆, ハンドバッグ類	22.4	30.6	─	ルワンダ・フラン	963.26	1962. 7	ベルギー	フツ人85, ツチ人14	カトリック44, プロテスタント38	キニャルワンダ語, フランス語, 英語	53
…類, 機械類, 羊毛	ダイヤモンド, 電気回路機器, 衣類	(14)32.3	15.1	─	ロティ	16.26	1966.10	イギリス	ソト人80, ズールー人14	キリスト教91	ソト語, 英語	54

（注1）アフリカ金融共同体フラン。

アイスランド

概要 水力発電と地熱発電ですべての電力をまかなう。漁業や水産加工業が主産業。近年は観光業が好調。

国旗 スカンディナヴィア半島の国々と同じ十字架の図柄。青と白は古くからアイスランドの国民の色といわれる。

アイルランド

概要 アイルランド島の大部分を有しているが、島の北東部はイギリス領。中立政策をとり、NATOに加盟していない。

国旗 緑はアイルランドとカトリック、オレンジはイギリスとプロテスタントを意味し、両者の友愛と平和の願いが込められている。

イタリア共和国

概要 1861年に統一。北部は工業化により発展したが、南部は工業化が遅れており、この経済格差の克服が課題である。

国旗 1861年にイタリア王国が成立したときのサヴォイア家の三色旗に由来。緑、白、赤は自由、平等、友愛を表している。

ウクライナ

概要 1991年、ソ連邦崩壊により独立。東部は重化学工業が発達。クリム半島や東部でロシア編入の動きがある。2022年、ロシアが侵攻。

国旗 水色はウクライナの色とされ、空を表し、黄色は麦で、世界有数の農業国であることを表している。

エストニア共和国

概要 独立以来、自由経済を推進。国策としてICT立国化を推進し、多くの企業が誕生、行政は高度に電子化。

国旗 青は空・海や母国への忠誠心を、黒は大地と暗い過去、白は雪と明るい希望を表す。

オーストリア共和国

概要 1955年、永世中立を宣言。首都ウィーンは古くから国際外交の舞台で、国際原子力機関（IAEA）などの国際機関が本部を置く。

国旗 オーストリア大公レオボルド5世の十字軍遠征の際、白い軍服が敵の返り血で赤く染まり、ベルトの跡だけ白く残ったという伝説に基づく。

オランダ王国

概要 ライン川下流に位置し、国土の多くを干拓地が占める。ヨーロッパの交通の要衝。交易と金融などによって栄える。

国旗 赤は多くの戦いにのぞんだ国民の勇気を、白は神の永遠の祝福を願う信仰心を、青は祖国への変わらぬ忠誠心を表す。

ギリシャ共和国

概要 古代文明発祥地の一つ。海運と観光業がおもな外貨収入源。2009年に巨額の財政赤字を隠していたことが明らかになり世界的な金融危機を招いた。

国旗 青は海を、白は空を、十字はキリスト教の信仰を表す。青と白の9本の縞は、「自由か、死か」というギリシャ語の9音節を意味する。

グレートブリテン及び北アイルランド連合王国

概要 18世紀の産業革命以来、世界経済を牽引した。首都ロンドンは世界の金融の中心地の一つ。

国旗 ユニオンジャック（組み合わさった旗の意味）。イングランド、スコットランド、アイルランドを表す3つの十字を組み合わせたもの。

クロアチア共和国

概要 旧ユーゴスラビア連邦構成国。2013年EU加盟。主産業は観光、造船、石油化学工業、食品加工業。

国旗 赤白のチェック模様はクロアチア王国の紋章。その上の図柄は国内5地域の紋章。

スイス連邦

概要 1815年以来、永世中立国。ドイツ語、フランス語、イタリア語、ロマンシュ語が公用語。世界保健機関（WHO）など多くの国際機関の本部がこの国に置かれる。

国旗 独立時の3州の一つ、シュヴィーツ州が独立運動のとき使った旗に由来する。

スウェーデン王国

概要 社会政策、福祉政策が充実し、それをまかなう税負担が重い。武装中立を貫き、軍縮、人権、環境問題などで国連への協力も積極的。

国旗 1157年にフィンランドとの戦いで、エリク王が神に祈ると金色の十字架の光明が青空を横切ったという伝説に由来する。

スペイン王国

概要 大航海時代以来アメリカ大陸に植民地を拡大した歴史をもつ。1960年代以降工業化が進んだ。地中海沿岸では農業がさかん。

国旗 黄は国土、赤は血を表し、国土を守る決意を示す。紋章の両側の柱はヘラクレスの柱で、ジブラルタルと対岸のレオナ岬を表す。

スロバキア共和国

概要 1993年、チェコから平和裏に分離。農業が中心であったが、独立後は工業と経済成長が進んだ。

国旗 ロシアと同様の白・青・赤の横三色旗。スロバキア人がスラブであることを表す。国章は、複十字とカルパティア山脈を図案化した。

セルビア共和国

概要 旧ユーゴスラビアの構成国の一つ。19◯年代には民族間の激しい紛争が起きた。20◯年にはコソボがセルビアからの独立を宣言。

国旗 赤・青・白の3色はスラブ系の国であることを表す。左寄り中央の図柄は双頭の鷲の盾で、セルビア人を象徴する国章。

ヨーロッパの国別統計

国名の色分けは次の加盟国を示す。　■ヨーロッパ連合（EU）　□欧州自由貿易連合（EFTA）

赤太字は世界1位、赤字は2位から5位までの国を示す。人口・首都人口・面積・人口密度・人口増加率の青字は下位5か国を示す。面積・人口密度は居住不能な極地・島を除く。

国番号	正式国名	人口（万人）2019年	首都名	首都人口（万人）2019年	面積（千km²）2019年	人口密度（人/km²）2019年	人口増加率(%) 2015-2020年の平均	産業別人口の割合(%) 2019年 第1次	第2次	第3次	老年人口率65歳以上(%) 2019年	国土に占める森林割合(%) 2018年	1人あたりの国民総所得（ドル）2019年	海外直接投資額（対外、残高）（億ドル）2019年	貿易額（百万ドル）2019年 輸出	輸入
1	アイスランド	35	レイキャビク	12	103	3	0.7	4.0	17.4	78.6	15.2	0.5	72,850	57	5,228	6,57◯
2	アイルランド	490	ダブリン	54	70	70	1.2	4.4	18.7	76.9	14.2	11.2	62,210	10,852	170,743	101,47◯
3	アルバニア共和国	286	ティラナ	41	29	100	−0.1	36.4	20.2	43.4	14.2	28.3	5,240	7	18) 2,876	18) 5,94◯
4	アンドラ公国	7	アンドララベリャ	1	0.5	163	−0.2				13.6	34.0			18) 129	18) 1,60◯
5	イタリア共和国	18) 6,042	ローマ	18) 287	302	200	−0.04	3.9	25.9	70.2	23.0	31.8	34,460	5,584	532,684	473,56◯
6	ウクライナ	4,215	キーウ（キエフ）	19) 295	604	70	−0.5	17) 15.4	24.3	60.3	16.7	16.7	3,370	80	18) 47,335	18) 57,18◯
7	エストニア共和国	132	タリン	42	45	29	0.2	3.2	28.7	68.1	20.0	56.1	23,220	101	16,811	18,65◯
8	オーストリア共和国	885	ウィーン	189	84	106	0.3	3.7	25.4	70.9	19.1	47.2	51,300	2,346	171,532	176,59◯
9	オランダ王国	1,728	アムステルダム	17) 84	42	416	0.2	1.9	14.5	83.6	19.6	10.9	53,200	25,653	577,617	514,51◯
10	北マケドニア共和国	207	スコピエ	55	26	81	0.04	13.9	31.1	55.0	14.1	39.7	5,910	1	7,186	9,47◯
11	ギリシャ共和国	1,072	アテネ	11) 66	132	81	−0.4	11.6	15.3	73.1	21.9	30.3	20,320	198	37,886	62,19◯
12	グレートブリテン及び北アイルランド連合王国	6,679	ロンドン	②882	242	275	0.6	1.0	18.1	80.9	18.5	13.1	42,370	19,494	468,322	692,49◯
13	クロアチア共和国	407	ザグレブ	80	57	72	−0.6	6.2	27.6	66.2	20.9	34.2	14,910	11	17,063	28,00◯
14	コソボ共和国	178	プリシュティナ	11) 14	11	163		5.2	27.6	67.2	−	−	4,640	5	17) 428	17) 3,22◯
15	サンマリノ共和国	18) 3	サンマリノ	18) 0.4	0.06	574	0.3	0.3	42.4	57.3	18) 19.4	16.7	−	−	11) 3,827	11) 2,55◯
16	スイス連邦	851	ベルン	13	41	206	0.8	2.5	19.9	77.6	18.8	31.9	85,500	15,262	③313,630	③276,29◯
17	スウェーデン王国	1,023	ストックホルム	94	439	23	0.7	1.7	18.3	80.0	19.6	68.7	55,840	3,965	160,538	158,71◯
18	スペイン王国	4,693	マドリード	17) 318	506	93	0.04	4.0	20.4	75.6	19.6	37.2	30,390	6,065	337,215	375,48◯
19	スロバキア共和国	545	ブラチスラバ	14) 41	49	111	0.1	2.8	36.1	61.1	16.2	40.1	19,320	47	90,050	90,97◯
20	スロベニア共和国	208	リュブリャナ	15) 27	20	103	0.1	4.3	33.9	61.8	20.2	61.7	25,750	70	37,575	38,16◯
21	セルビア共和国	696	ベオグラード	17) 168	78	90	−0.3	15.6	27.4	57.0	18.7	31.1	7,020	41	19,633	26,73◯
22	チェコ共和国	1,066	プラハ	129	79	135	0.2	2.7	37.2	60.1	19.8	34.6	22,000	454	198,852	178,55◯
23	デンマーク王国	581	コペンハーゲン	77	43	135	0.4	2.2	18.5	79.3	20.0	15.7	63,240	2,025	109,907	97,27◯
24	ドイツ連邦共和国	8,301	ベルリン	17) 361	358	232	0.5	1.2	27.2	71.6	21.6	32.7	48,520	17,194	1,492,835	1,240,50◯
25	ノルウェー王国	④532	オスロ	18) 67	④324	④16	0.8	2.0	19.4	78.6	17.3	33.3	82,500	2,185	104,030	86,14◯
26	バチカン市国	0.06	バチカン	19) 0.06	0.44km²	1,398	0.1	−	−	−	−	−	−			
27	ハンガリー	977	ブダペスト	18) 174	93	105	−0.2	4.7	32.1	63.2	19.7	22.5	16,140	337	121,995	116,55◯
28	フィンランド共和国	⑤554	ヘルシンキ	64	⑤338	⑤16	0.2	3.8	21.6	74.6	22.1	73.7	49,580	1,301	72,704	73,50◯
29	フランス共和国	⑥6,702	パリ	16) 219	⑥641	⑥105	0.3	2.5	20.1	77.4	20.4	31.2	42,400	15,328	⑦569,757	⑦651,16◯
30	ブルガリア共和国	700	ソフィア	17) 126	110	63	−0.7	6.6	30.0	63.4	21.3	35.6	9,410	28	33,415	37,27◯
31	ベラルーシ共和国	947	ミンスク	18) 198	208	46	0.02	11.1	30.4	58.5	15.2	43.1	6,280	14	18) 33,726	18) 38,40◯
32	ベルギー王国	1,145	ブリュッセル	18) ※119	31	375	0.6	0.9	20.8	78.3	19.0	22.8	47,350	6,564	445,214	426,48◯
33	ボスニア・ヘルツェゴビナ	349	サラエボ	12) 31	51	68	−0.9	18.0	31.7	50.3	17.2	42.7	6,150	9	6,578	11,15◯
34	ポーランド共和国	3,797	ワルシャワ	17) 176	313	121	−0.1	9.1	32.0	58.9	18.1	30.9	15,200	248	251,865	246,65◯
35	ポルトガル共和国	1,027	リスボン	17) 50	92	111	−0.3	5.5	24.7	69.8	22.4	36.2	23,080	581	67,012	89,92◯
36	マルタ共和国	49	バレッタ	17) 0.5	0.3	1,565	1.0	1.0	18.9	80.1	20.8	1.4	27,290	613	4,143	8,21◯
37	モナコ公国	3	モナコ	19) 3	2.02km²	18,861	0.8	−	−	−	16) 25.9	−				
38	モルドバ共和国	268	キシナウ	18) 69	34	79	−0.2	21.0	21.7	57.3	12.0	11.8	18) 3,930	3	2,779	5,84◯
39	モンテネグロ	62	ポドゴリツァ	19	14	45	0.04	7.2	19.4	73.4	15.4	61.5	9,010	2	18) 466	18) 3,00◯
40	ラトビア共和国	192	リガ	18) 63	65	30	−1.1	7.3	23.7	69.0	20.3	54.8	17,730	18	14,447	17,76◯
41	リトアニア共和国	279	ビリニュス	19) 54	65	43	−1.5	6.4	25.7	67.9	20.2	35.1	18,990	47	33,151	35,75◯
42	リヒテンシュタイン公国	3	ファドーツ	17) 0.5	0.2	241	0.4	17) 1.0	28.5	70.5	17.9	41.9	09) 116,430			
43	ルクセンブルク大公国	61	ルクセンブルク	11	3	237	2.0	0.6	10.1	89.3	14.3	36.5	73,910	2,172	15,148	23,11◯
44	ルーマニア	1,941	ブカレスト	16) 183	238	81	−0.7	21.2	30.1	48.7	18.8	30.1	12,630	13	77,299	96,64◯
45	ロシア連邦	15) 14,400	モスクワ	18) 1,234	17,098	8	0.1	5.8	26.8	67.4	15.1	49.8	11,260	3,866	426,720	247,16◯
	ヨーロッパ（45か国）合計	74,718			22,135	34	−					45.9				

人口・面積・人口密度の合計には、その他の地域を含む。　18）西暦下2けたの年次を表す。　①サンマリノ、バチカンを含む。②大ロンドン市（Greater London）の人口。　③リヒテンシュタインを含む。　⑥フランス海外県（ギアナ、マルティニーク、グアドループ、レユニオン、マヨット）を含む。フランス本土：人口6,482万人、面積552千km²、人口密度118人/km²。⑦モナコを含む。※都市的地域の人口。

チェコ共和国

概要 1989年の「ビロード革命」により共産党政権が崩壊。市場経済化が進んだ。技術水準が高く、ガラス製品などが有名。
国旗 ボヘミアを表す赤、モラビアの民族色の白、青はスロバキアの□。スロバキアとの分離独立後も、1930年制定の国旗をそのまま使う。

デンマーク王国

概要 地球環境問題への対策に積極的。北海油田で原油・天然ガスを産するなど資源に恵まれる。グリーンランドやフェロー諸島を領有する。
国旗 13世紀初め、ワルデマール2世がエストニア人との戦いで苦戦した際、□上に舞い落ちてきたこの旗を掲げると奇跡的に勝利したという伝説をもつ。

ドイツ連邦共和国

概要 1989年「ベルリンの壁」崩壊。翌年東西ドイツが統一。EUの経済の中心的な地位を占めるが、東西の経済格差の解消が課題。
国旗 19世紀にドイツ統一を推進した学生義勇軍の服装（黒いマントに赤い肩章と金ボタン）の色を取り入れたもの。

ノルウェー王国

概要 ヨーロッパ最大の水産業国。水力発電を用いたアルミ製造など工業もさかん。海岸にはフィヨルドが発達する。
国旗 青・白・赤は自由を表す。スウェーデン支配下のおり、ノルウェー旗としてデンマーク国旗に青十字を重ねたものが採用された。

バチカン市国

概要 イタリア・ローマ市内にある世界最小の独立国。首長はローマ教皇。軍はもたず、警察もスイス衛兵があたる。世界のカトリックの総本山である。
国旗 紋章の教皇の冠とペテロの鍵と呼ばれる金銀の鍵は、カトリックのシンボル。

ハンガリー

概要 1989年に民主化を果たし、これが冷戦終結につながったとされる。冷戦後、旧東欧では比較的高い経済成長をとげた。
国旗 16世紀ころつくられたといわれている。旗の色は赤が血、白は清潔、緑は希望を表している。

フィンランド共和国

概要 農業や林業がさかんであったが、近年は携帯電話を中心としたハイテク産業が台頭した。高い教育水準を誇る。
国旗 青は湖と空、白は雪を表す。十字は北ヨーロッパ諸国の一員であることを示す。公式行事のとき、十字の中心にライオンの紋章が付く。

フランス共和国

概要 工業だけでなく、農業でもEU最大規模。国連安保理常任理事国であり、政治的にも重要な地位を占める。
国旗 青・白・赤は自由・平等・博愛のシンボル。ブルボン王家の色の白に、パリ市の色の青と赤を加えたフランス革命時の帽章に由来。

ブルガリア共和国

概要 1989年に共産党政権が崩壊。91年に旧東欧で初の民主的な新憲法を採択。しかし経済の低迷が続いた。
国旗 スラブ民族を象徴する赤と白に、農業と豊かさを表す緑で構成されている。

ベルギー王国
概要 首都ブリュッセルにはEU本部やNATO事務局が置かれる。工業がさかんで、貿易への依存度が高い。フラマン系、ワロン系の言語対立が続く。
国旗 フランスの3色旗を手本にしたともいわれるが、黒・黄・赤のベルギー国旗の色は伝統的な紋章の色からとった。

ポーランド共和国

概要 1980年代の「連帯」運動以来、東欧の民主化を牽引した。工業だけでなく農業もさかんである。
国旗 建国者が夕焼けの空を飛ぶ白鷲を見て旗にしたという伝説がある。赤は独立と国のために流された血、白は喜びを表す。

ポルトガル共和国

概要 ユーラシア大陸最西端の国。大航海時代以来海外領土を拡張した歴史をもつ。コルクがしなど伝統的農業がみられる。
国旗 緑は誠実と希望、赤は大海原にのりだした勇気あるポルトガル人の血、紋章の天測儀は海外発展を表す。盾には7つの城が描かれている。

ルクセンブルク大公国

概要 銀行・金融業がさかんでヨーロッパの金融センターである。1人あたり国民所得は世界トップレベルで経済的に豊か。
国旗 旗の色は、13世紀の大公家の紋章「青と白のしまに赤いライオン」からとったといわれている。

ルーマニア

概要 1989年のルーマニア革命により民主化した。90年代は繊維、近年は自動車を中心に製造業が伸長。
国旗 王制時代に定めた青・黄・赤の3色旗。1947年に中央に社会主義のシンボルの紋章が入れられたが、1989年の政変で元に戻った。

ロシア連邦

概要 1991年ソ連崩壊。旧構成国の独立後も世界最大の国土面積をもつ。石油、天然ガスなど資源も豊富にある。近年、経済成長が進んだ。
国旗 ソ連解体時に、鎌とハンマーの赤旗から帝政時代の旗に戻った。オランダの国旗に感激したピョートル大帝が色を並べかえてつくったといわれる。

■15歳以上の人口に対する割合。　　［Demographic Yearbook 2019, ほか］

おもな輸出品目	日本のおもな輸入品目 2019年	非識字率(%) 2018年 男	女	CO2排出量(t/人) 2018年	通貨単位	為替レート(1米ドルあたりの各国通貨単位)(2020年12月)	独立年月と旧宗主国(1943年以降)		おもな民族(%)	おもな宗教(%)	おもな言語	国番号
魚介類, アルミニウム	魚介類, 合金鉄, 鯨肉	−	−	6.2	アイスランド・クローナ	140.56	1944. 6	デンマーク	アイスランド人93	ルーテル派プロテスタント77	アイスランド語	1
薬品, 有機化合物, 機械類	医薬品, コンタクトレンズ	−	−	7.2	ユーロ	0.85	−	イギリス	アイルランド人82	カトリック78	アイルランド人, 英語	2
類, 履物	合金鉄, 衣類, クロム鉱石	1.5	2.2	1.5	レク	106.16	−		アルバニア人83	イスラーム59, カトリック10	アルバニア語	3
械類, 自動車, 義歯・同用品	電気機械	−	−	−	ユーロ	0.85	1993. 3	フランス・スペイン	アンドラ人46, スペイン系26	カトリック89	カタルーニャ語	4
械類, 自動車, 医薬品	たばこ, 一般機械, ハンドバッグ類	0.6	1.0	①5.2	ユーロ	0.85	−		イタリア人96	カトリック83	イタリア語	5
鋼, 機械類, ひまわり油	たばこ, 鉄鉱石	12) 0.0	0.0	4.0	フリブニャ	28.44	1991. 8	−	ウクライナ人78, ロシア系17	ウクライナ正教84, カトリック10	ウクライナ語, ロシア語	6
械類, 石油製品, 自動車	通信機器, 木・コルク製品, 木材	11) 0.1	0.1	11.9	ユーロ	0.85	1991. 9	−	エストニア人69, ロシア系25	キリスト教64	エストニア語, ロシア語	7
械類, 自動車, 医薬品	自動車, 一般機械, 電気機械	−	−	6.9	ユーロ	0.85	−		オーストリア人91	カトリック66	ドイツ語	8
械類, 石油製品, 医薬品	精密機械, 電気機械, 一般機械	−	−	8.7	ユーロ	0.85	−		オランダ人79	カトリック28, プロテスタント19	オランダ語	9
械類, 化学品, 鉄鋼	電気機械, たばこ, 衣類	14) 1.2	3.3	3.3	デナール	52.74	1991. 9	−	マケドニア人64, アルバニア人25	マケドニア正教65, イスラーム32	マケドニア語, アルバニア語	10
油製品, 機械類, 医薬品	たばこ, 揮発油, 綿花	11) 1.7	3.5	5.7	ユーロ	0.85	−		ギリシャ人90	ギリシャ正教90	ギリシャ語	11
械類, 自動車, 医薬品	一般機械, 自動車, 医薬品	−	−	5.3	英ポンド	0.77	−		イングランド人84, スコットランド人5	キリスト教72	英語	12
械類, 医薬品, 石油製品	まぐろ, 有機化合物, 衣類	11) 0.4	1.3	3.7	クーナ*	6.48	1991. 6	−	クロアチア人90, セルビア系4	カトリック86	クロアチア語	13
物性生産品, 革製品	自動車品, チョコレート菓子, 植物性原材料	−	−	4.4	ユーロ	0.85	2008. 2	−	アルバニア系93	イスラーム96	アルバニア語, セルビア語	14
築用石材	−	0.1	0.1	−	ユーロ	0.85	−		サンマリノ人85, イタリア系13	カトリック89	イタリア語	15
薬品, 金, 機械類	医薬品, 時計, たばこ	−	−	4.1	スイス・フラン	0.92	−		ドイツ系65, フランス系18	カトリック37, プロテスタント25	ドイツ語, フランス語, イタリア語	16
械類, 自動車, 医薬品	医薬品, 自動車, 一般機械	−	−	3.3	スウェーデン・クローナ	8.86	−		スウェーデン人77	ルーテル派プロテスタント77	スウェーデン語	17
動車, 機械類	自動車, 医薬品, 有機化合物	1.1	2.0	5.3	ユーロ	0.85	−		スペイン人45, カタルニャ系28	カトリック77	スペイン語, カタルーニャ語	18
動車, 機械類	自動車, 一般機械, 電気機械	−	−	5.8	ユーロ	0.85	1993. 1	−	スロバキア人81	カトリック62	スロバキア語	19
械類, 自動車, 医薬品	自動車, 医薬品, 一般機械	14) 0.3	0.4	6.5	ユーロ	0.85	1991. 6	−	スロベニア人83	カトリック58	スロベニア語	20
械類, 自動車, ゴム製品	たばこ	0.9	2.5	6.4	セルビア・ディナール	100.61	1992. 4	−	セルビア人83	セルビア正教85	セルビア語	21
械類, 自動車	一般機械, 電気機械, 科学光学機器	−	−	9.4	コルナ	23.30	1993. 1	−	チェコ人64	カトリック77	チェコ語	22
械類, 医薬品	医薬品, 豚肉, 電気機械	−	−	5.5	デンマーク・クローネ	6.37	−		デンマーク人92	ルーテル派プロテスタント76	デンマーク語	23
械類, 自動車, 医薬品	自動車, 医薬品, 一般機械	−	−	8.4	ユーロ	0.85	−		ドイツ人88	カトリック29, プロテスタント27	ドイツ語	24
油, 天然ガス, 魚介類	さけ・ます, 揮発油, 一般機械	−	−	6.7	ノルウェー・クローネ	9.48	−		ノルウェー人83	ルーテル派プロテスタント82	ノルウェー語	25
手類	−	−	−	−	ユーロ	0.85	−		イタリア人, スイス人など	カトリック	ラテン語, イタリア語, フランス語	26
械類, 自動車, 医薬品	自動車, 一般機械, 電気機械	14) 0.8	0.9	4.6	フォリント	315.04	−		ハンガリー人86	カトリック37, プロテスタント15	ハンガリー語(マジャール語)	27
械類, 紙・同製品, 石油製品	木材, コバルト, 紙・同製品	−	−	7.9	ユーロ	0.85	−		フィン人93	ルーテル派プロテスタント72	フィンランド語, スウェーデン語	28
械類, 航空機, 自動車	航空機, 医薬品, ワイン			⑦4.5	ユーロ	0.85	−		フランス人77	カトリック64	フランス語	29
械類, 石油製品, 銅	衣類, 電気機械, ハンドバッグ類	11) 1.3	2.0	5.6	レフ	1.67	−		ブルガリア人77	ブルガリア正教59	ブルガリア語	30
油製品, 機械類, カリウム肥料	カリウム肥料, ミルク・クリーム, 繊維製品	0.2	0.3	6.0	ベラルーシ・ルーブル	2.64	1991. 8	−	ベラルーシ84, ロシア系8	ベラルーシ正教48	ベラルーシ語, ロシア語	31
薬品, 自動車, 機械類	医薬品, 有機化合物, 自動車	−	−	7.9	ユーロ	0.85	−		フラマン系54, ワロン系36	カトリック50	フランス語, フラマン語, ドイツ語	32
薬品, 金属製品, 機械類	医薬品, 履物, 木材	13) 0.8	5.1	6.6	兌換マルカ	1.67	1992. 3	−	ボシュニャク50, セルビア系31	イスラーム51, セルビア正教31	ボスニア語, セルビア語, クロアチア語	33
械類, 自動車, 家具	一般機械, 電気機械, 自動車	08) 0.7	1.7	7.9	ズロチ	3.96	−		ポーランド人97	カトリック87	ポーランド語	34
動車, 機械類, 衣類	衣類, 有機化合物, 電気機械	2.6	4.9	4.5	ユーロ	0.85	−		ポルトガル人92	カトリック81	ポルトガル語	35
油製品, 機械類, 医薬品	まぐろ, 半導体等電子部品	7.0	4.0	3.2	ユーロ	0.85	1964. 9	イギリス	マルタ人95	カトリック95	マルタ語, 英語	36
手類	化粧品類, 科学光学機器, 一般機械	−	−	−	ユーロ	0.85	−		フランス系28, モナコ人22	カトリック	フランス語	37
械類, 衣類, ひまわりの種	機械類, 収集品・標本, ワイン	14) 0.4	0.9	2.2	モルドバ・レウ	16.96	1991. 8	−	モルドバ人76	モルドバ正教32, ベッサラビア正教16	モルドバ語, ロシア語	38
ルミニウム, 電力, 木材	機械類, 電気機械, 自動車	0.5	1.7	4.0	ユーロ	0.85	2006. 6	−	モンテネグロ45, セルビア系29	セルビア正教72, イスラーム19	モンテネグロ語, セルビア語	39
械類, 木材, 自動車	木材, 電気機械, 魚介類加工品	11) 0.1	0.1	3.7	ユーロ	0.85	1991. 9	−	ラトビア人62, ロシア系26	ルーテル派プロテスタント20, 正教15	ラトビア語, ロシア語	40
械類, 石油製品, 家具	たばこ, 科学光学機器	11) 0.2	0.2	3.9	ユーロ	0.85	1991. 9	−	リトアニア人84	カトリック77	リトアニア語, ロシア語	41
密機械		−	−	−	スイス・フラン	0.91	−		リヒテンシュタイン人66, スイス系10	カトリック76	ドイツ語	42
械類, 鉄鋼, 自動車	繊維製品, 一般機械, プラスチック	−	−	14.6	ユーロ	0.85	−		ルクセンブルク53, ポルトガル系16	カトリック90	ルクセンブルク語, フランス語	43
動車	たばこ, 電気機械, 衣類	0.9	1.4	3.6	ルーマニア・レウ	4.18	−		ルーマニア人83	ルーマニア正教82	ルーマニア語	44
油, 石油製品, 天然ガス	原油, 液化天然ガス, 石炭	0.3	0.3	10.9	ロシア・ルーブル	79.33	−		ロシア人78	ロシア正教53	ロシア語	45

スヴァールバル諸島などの海外領土を除く。⑤オーランド諸島を含む。＊2023年1月1日よりユーロへ移行。

アメリカ合衆国
概要 経済・政治のほか，文化においても世界をリードする。工業，農業とも世界最大規模。先端技術にも強い。
国旗 赤と白の横線は独立したときの13州の数。50の星は，アラスカ，ハワイを含む現在の州の数を表す。

コスタリカ共和国
概要 1949年，憲法により軍隊を廃止した世界初の国。自然を生かした観光立国をめざしている。
国旗 白は平和，青は美しい空，赤は自由のために流された血を表す。赤はフランス革命を記念した色ともいわれる。

パナマ共和国
概要 1999年米国から返還されたパナマ河や，自由貿易地区の収入が経済の中心。2016年，パナマ運河の拡張工事が完了。
国旗 赤と青は，2大政党の保守党と自由党を表し，赤い星は国の権威と国の発展，青い星は忠誠，白は両党の協力を表す。

エルサルバドル共和国
概要 1979年以来の内戦が92年に終結の後，国連の監視下で和平を回復した。国連平和維持活動の成功例とされる。
国旗 中央に「自由の帽子」，独立の日付，5つの火山，14州を表す14の小枝をもつ月桂樹と，「中央アメリカ，エルサルバドル共和国」の文字。

ジャマイカ
概要 世界有数のボーキサイト産出国。さとうきび，バナナなど農業や観光業が主要産業。
国旗 黒は困難にうち勝つ意志，緑は希望と農業，黄は富と豊かさ，十字は熱心なキリスト教国であることを表す。

バハマ国
概要 約700の島々からなるサンゴの諸島の国。観光と金融業がさかんで，経済的に豊か。
国旗 黒の三角形は黒人の国の象徴で，民族の団結を，黄色は国土と陽を，上下の青はカリブ海と大西洋に囲まれた島国であることを表す。

カナダ
概要 おもにイギリス人，フランス人が入植し建国した。面積は世界第2位。資源に恵まれ，工業，農業ともさかん。
国旗 中央は国のシンボルの赤いカエデの葉。両側の赤は大西洋・太平洋を表す。赤と白は，カナダのシンボルカラーといわれる。

トリニダード・トバゴ共和国
概要 石油，天然ガスの産出が豊富。また，トバゴ島での観光業もさかん。石油依存の経済からの転換をめざしている。
国旗 赤は資源と国民の活力，太陽の暖かい恵み，勇気と友情を，黒は力と理想を表す。2本の白い線は2つの島と，大西洋とカリブ海を表す。

メキシコ合衆国
概要 原油，銀の生産は世界有数。外国業の進出も多く，工業が発展した。機械，自動車，原油などを輸出。
国旗 緑・白・赤は諸独立，カトリック，統一を表す。へをくわえた鷲は，アステカの首都建設の伝説に由来する。

キューバ共和国
概要 1959年の革命で社会主義体制に転換。東側諸国との関係を重視してきたが，2015年米国と国交回復。
国旗 赤は独立に流された血，白は独立の精神，3本の青い線は独立時の3州，白い星は輝かしい未来を表す。

ハイチ共和国
概要 世界初の黒人による共和制国家。農業以外の産業に乏しく世界の最貧国の一つ。2010年のハイチ大地震で甚大な被害を受けた。
国旗 フランスの三色旗から白人を連想させる白を除いた地色。中央の国章には，自由と独立を勝ちとった歴史が示され，フランス語で「団結は力」と書かれている。

アルゼンチン共和国
概要 1983年民政移管。2000年初頭に経済が破綻したが，回復に功。ヨーロッパ系住民が多い。
国旗 水色と白は革命軍の軍服からとったといわれ，空と海を表す。央の太陽は1810年5月に始まった解放闘争の象徴である「5月の太陽

北アメリカ・南アメリカ・オセアニアの国別統計

国名の色分けは次の加盟国を示す。■米国・メキシコ・カナダ協定（USMCA）　□中米統合機構（SICA）　□南米南部共同市場*（MERCOSUR）　□アンデス共同体　□太平洋諸島フォーラム（PIF）

国番号	正式国名	人口(万人)2019年	首都名	首都人口(万人)	面積(千km²)2019年	人口密度(人/km²)2019年	人口増加率(%)2015-2020年の平均	産業別人口の割合(%)2019年 第1次	第2次	第3次	老年人口率65歳以上(%)2019年	国土に占める森林割合(%)2018年	1人あたりの国民総所得(ドル)2019年	海外直接投資額(対外,残高)(億ドル)2019年	貿易額(百万ドル)2019年 輸出	輸入
1	アメリカ合衆国	32,824	ワシントンD.C.	69 17)	①9,834	33	0.6	1.4	19.9	78.7	16.2	33.9	65,760	77,217	1,644,276	2,567,492
2	アンティグア・バーブーダ	9	セントジョンズ	2 11)	0.4	218	0.9	08) 2.8	15.6	81.6	9.1	18.8	16,660	0.9	37	56
3	エルサルバドル共和国 18)	664	サンサルバドル	23 17)	21	316	0.5	16.3	22.5	61.2	8.5	28.6	4,000	0.04	5,943	12,01
4	カ ナ ダ	3,758	オ タ ワ	99 17)	①9,985	4	0.9	1.5	19.3	79.2	17.6	38.7	46,370	16,525	446,148	453,23
5	キューバ共和国	1,120	ハ バ ナ	212 17)	110	102	0.003	14) 18.9	16.9	64.2	15.6	31.2	16) 7,480	— 17)	2,630 17)	11,06
6	グアテマラ共和国 18)	1,731	グアテマラシティ	99 13)	109	159	1.9	17) 31.8	19.0	49.2	4.9	33.1	4,610	17	11,289	19,87
7	グ レ ナ ダ 17)	11	セントジョージズ	3 11)	0.3	322	0.5	98) 13.8	23.9	62.3	9.7	52.1	9,980	0.8 08)	31 09)	28
8	コスタリカ共和国	506	サ ン ホ セ	34 17)	51	99	0.9	11.9	18.7	69.4	9.9	58.6	11,700	35	11,252 18)	16,56
9	ジャマイカ	273	キングストン	※67 17)	11	249	0.5	15.2	16.2	68.6	8.9	54.4	5,250	10	1,310 17)	5,81
10	セントクリストファー・ネービス 15)	5	バセテール	1 11)	0.3	196	0.8	01) 0.2	48.8	51.0 11)	7.8	42.3	19,030	0.2 17)	33 17)	30
11	セントビンセント及びグレナディーン諸島	11	キングスタウン	1 14)	0.4	284	0.5	01) 15.4	19.7	64.9	9.7	73.2	7,460	0.6	44 18)	35
12	セントルシア 18)	17	カストリーズ	1 10)	0.5	332	0.5	9.8	14.2	76.0	10.0	34.0	11,020	2 17)	142 17)	66
13	ドミニカ共和国	1,035	サントドミンゴ	96 17)	49	213	1.1	8.8	18.8	72.4	7.3	44.0	8,090	17	8,856 17)	19,52
14	ドミニカ国 17)	6	ロ ゾ ー	1 11)	0.8	89	0.2	01) 21.0	19.9	59.1 11)	11.2	63.8	8,090	0.02 17)	37 17)	21
15	トリニダード・トバゴ共和国	136	ポートオブスペイン	3 11)	5	266	0.4	16) 3.2	27.3	69.5	11.1	44.6	16,890	12 17)	10,756 17)	9,29
16	ニカラグア共和国	652	マ ナ グ ア	103 17)	130	50	1.3	14) 31.1	17.5	51.4	5.5	30.0	1,910	7 18)	5,014 18)	7,35
17	ハ イ チ共和国	1,157	ポルトープランス	97 15)	28	417	1.3	12) 31.3	6.7	62.0	5.1	12.8	790	— 17)	980 17)	3,61
18	パ ナ マ共和国	421	パナマシティ	47 17)	75	56	1.6	14.4	17.7	67.9	8.3	57.1	14,950	131	713	12,83
19	バ ハ マ国	38	ナ ッ ソ ー	※26 16)	14	28	0.9	11) 3.7	12.9	83.4	7.5	50.9	31,780	71	443 15)	3,16
20	バ ル バ ド ス 15)	27	ブリッジタウン	0.5 00)	0.4	638	0.1	16) 2.9	19.3	77.8	16.2	14.7	17,380	38	458 18)	1,60
21	ベ リ ー ズ	40	ベルモパン	2 18)	23	18	1.9	17) 17.3	15.6	67.1	4.9	57.0	4,450	0.7	245	98
22	ホンジュラス共和国	915	テグシガルパ	112 18)	112	81	1.6	29.5	21.4	49.1	4.8	57.2	2,390	24 17)	4,970 18)	8,61
23	メキシコ合衆国	12,657	メキシコシティ	844 18)	1,964	64	1.1	12.4	25.4	62.2	7.4	33.9	9,430	2,304	472,273	467,27
	北アメリカ(23か国)合計	58,752		—	21,330	28	—	—	—	—	—	35.5	—			
1	アルゼンチン共和国	4,493	ブエノスアイレス	306 18)	2,780	16	0.9	•0.1	21.8	78.1	11.2	10.5	11,200	435	65,114	49,12
2	ウルグアイ東方共和国	351	モンテビデオ	130 11)	174	20	0.4	8.4	18.8	72.8	14.9	11.4	16,230	76 18)	7,498 18)	8,89
3	エクアドル共和国	1,726 н	キ ト	179 17)	257	67	1.4	29.7	17.2	53.1	7.4	50.8	6,080	—17)	21,606 18)	23,02
4	ガイアナ共和国	74	ジョージタウン	11 12)	215	3	0.5	18) 15.9	24.9	59.2	6.7	93.6	5,180	0.4 18)	1,487 18)	3,99
5	コロンビア共和国	4,939	ボ ゴ タ	816 18)	1,142	43	1.4	15.8	20.1	64.1	8.8	53.7	6,510	638	39,489	52,69
6	スリナム共和国 18)	59	パラマリボ	24 12)	164	4	0.9	16) 7.5	25.1	67.4	7.0	97.6	5,540	2	1,461	1,71
7	チ リ共和国	1,910	サンティアゴ	561 16)	756	25	1.2	9.0	22.2	68.8	11.9	24.2	15,010	1,316	69,681	69,59
8	パラグアイ共和国	715	アスンシオン	52 19)	407	18	1.4	18.7	18.1	63.2	6.6	41.9	5,510	—	9,042 18)	13,33
9	ブラジル連邦共和国	21,014	ブラジリア	297 18)	8,516	25	0.8	9.1	20.0	70.9	9.3	59.7	9,130	2,239	225,383	177,34
10	ベネズエラ・ボリバル共和国*	3,206	カラカス	208 15)	930	34	−1.1 17)	8.0	19.8	72.2	7.6	52.5 14)	13,080	278 13)	87,961 13)	44,95
11	ペ ル ー共和国	3,213	リ マ	1,019 17)	1,285	25	1.6	25.5	16.3	58.2	8.4	56.8	6,740	94	46,132	42,37
12	ボリビア多民族国*	1,147	ラ パ ス	75 12)	1,099	10	1.4	28.3	20.1	51.6	7.3	47.3	3,530	9 18)	9,065 18)	10,04
	南アメリカ(12か国)合計	42,719		—	17,461	24	—	—	—	—	—	48.6	—			
1	オーストラリア連邦	2,536	キャンベラ	41 17)	7,692	3	1.3	2.6	19.1	78.3	15.9	17.4	54,910	5,793	266,377	221,48
2	キリバス共和国 15)	11	タ ラ ワ	6 15)	0.7	152	1.5	15) 24.3	18.2	57.5	4.1	1.5	3,350	0.02 16)	11 16)	11
3	クック諸島	2	アバルア	0.4 16)	0.2	86	-0.02	2.7	11.5	85.8 16)	10.4	65.0	—	0.1 17)	3 11)	10
4	サ モ ア 独 立 国	20	ア ピ ア	7 16)	3	71	0.5	17) 21.9	15.4	62.7	4.9	57.5	4,180	0.2	46 18)	36
5	ソロモン諸島	68	ホ ニ ア ラ	6 09)	29	24	2.6	18) 36.7	8.2	55.1	3.6	90.2	2,050	0.7 18)	569 18)	60
6	ツ バ ル 16)	1	フナフティ	0.6 12)	0.03	423	1.2	16) 27.0	9.5	63.5	4.9	33.3	5,620	— 05)	0.1 08)	2
7	トンガ王国 16)	10	ヌクアロファ	2 16)	0.7	135	0.9	03) 31.8	30.6	37.6	5.9	12.4 18)	4,300	—	19 14)	21
8	ナウル共和国	1	ヤレン	0.07 11)	0.02	524	0.4	17) 6.0	24.9	72.4 16)	1.9	0.0	14,230	— 17)	125 16)	5
9	ニ ウ エ 17)	0.17	アロフィ	0.06 11)	0.3	7	1.7	9.0	20.4	70.6	13.3	72.5	—	—	2 04)	10
10	ニュージーランド	491	ウェリントン	21 18)	268	18	0.9	5.8	19.5	74.7	16.0	37.4	42,670	169	39,540	42,27
11	バヌアツ共和国	29	ポートビラ	5 16)	12	24	2.5	10) 63.6	6.8	29.6	3.6	36.3	3,170	0.3 11)	64 11)	28
12	パプアニューギニア独立国 16)	815	ポートモレスビー	36 11)	463	18	2.0	00) 72.3	3.6	24.1	3.5	79.3	2,780	5	4,518 11)	8,34
13	パ ラ オ共和国 18)	2	マルキョク	0.02 15)	0.5	39	0.5	15) 7.3	2.7	90.1 15)	7.3	89.7 18)	17,280	—	18 15)	15
14	フィジー共和国	88	ス バ	9 16)	18	49	0.6	16) 19.1	14.2	66.7	5.6	61.7	5,860	−0.5 17)	1,041 18)	2,72
15	マーシャル諸島共和国 15)	5	マ ジ ュ ロ	2 11)	0.2	304	0.6	11) 11.0	9.4	79.6 16)	2.0	52.2 18)	4,860	—	47 16)	10
16	ミクロネシア連邦	10	パリキール	10)	0.7	149	1.1	14) 34.6	6.2	59.2	4.2	91.9 18)	3,400	0.05	40 15)	16
	オセアニア(16か国)合計	4,212		—	8,486	5	—	—	—	—	—	21.8	—			
	世界(197か国)合計	771,346		—	130,094	59	1.1	—	—	—	9.1	31.2	11,570	345,711		

人口・面積・人口密度の合計には，その他の地域を含む。ただし世界の面積には，南極大陸の13,985千km²は含まない。　18）西暦下2けたの年次を表す。　※都市的地域の人口。・都市部のみの統計。
①国連の統計による（五大湖などの水域面積を含む）。

ウルグアイ東方共和国

概要 1985年に民政移管。牛肉，羊毛の生産が主要産業。隣国のブラジル，アルゼンチンの経済情勢の影響を受けやすい。

国旗 9本の青と白の帯は独立に参加した9地方を，白は平和，青は自由を表す。太陽は古代インカの象徴で，独立の精神を表す。

エクアドル共和国

概要 原油生産の他，バナナ，カカオ豆などの農業が主産業。世界遺産のガラパゴス諸島は重要な観光資源。

国旗 黄は太陽と鉱産資源，青は海と空，赤は独立に流した血を表す。中央の紋章はコンドル，雪をかぶったチンボラソ火山，航行する船，太陽と黄道をデザインした。

コロンビア共和国

概要 コーヒー豆や切り花の輸出は世界有数。鉱産資源も豊富。2016年，50年以上続いた内戦が終結。

国旗 黄は鉱産資源，赤は独立のために流した英雄たちの血，青は空と太平洋，カリブ海の水の色を表す。

チリ共和国

概要 1990年民政移管。銅鉱石の埋蔵・生産国。ワインなどの農産物，水産物の食品加工業もさかん。

国旗 赤はスペインから独立するために流された血，青い四角はチリの空の色，白はアンデスの雪，星は国家の統一を表す。

ブラジル連邦共和国

概要 南アメリカで最大の面積をもつ。鉄鉱石など天然資源が豊富。工業，農業ともさかんである。日本からの移民が多い。

国旗 青い円は天体で，星は首都と州の数で27個ある。天体の帯にはポルトガル語で「秩序と進歩」と書かれている。緑は豊かな森林，黄は鉱産資源を表す。

ベネズエラ・ボリバル共和国

概要 世界有数の石油産出国。天然ガス，ボーキサイトなど天然資源も豊富。主要産業の国有化が進められている。

国旗 青はカリブ海，黄は金などの鉱産資源，赤は独立のために流された血を表している。

ペルー共和国

概要 インカ帝国がスペインに征服・植民地化された後，1821年独立。銀の産出は世界有数。漁業もさかん。

国旗 赤は勇気と愛国心，白は平和・名誉・進歩を表す。中央にはビクーニャやキナの木，豊かさを表す豊饒角が描かれている。

ボリビア多民族国

概要 内陸国。天然ガス，すず鉱を産出するなど豊富な資源をもつが，開発が遅れる。リチウムの埋蔵量は世界最大規模。

国旗 赤は動物，黄は鉱産資源，緑は森林資源を表す。中央の紋章には，コンドル，リャマ，ポトシ銀山，太陽などが描かれる。

オーストラリア連邦

概要 鉄鉱石，石炭など豊富な鉱産資源をもつ。羊毛，肉類，小麦の生産もさかん。多文化政策を進めている。

国旗 ユニオンジャックは，英連邦の一員を示す。右の5つの星は南十字星で，大きな星の7つの光は，6州と1つの島を表す。

キリバス共和国

概要 温暖化による海面上昇が問題。1979年にりん鉱石が枯渇して以来，海外支援や入漁料収入に依存。

国旗 太陽は世界で最も早い日の出，グンカンドリは希望，3本の白い波は構成する3地域を示す。

ツバル

概要 太平洋上の小島嶼国。標高の最高点が5m程度しかなく，近年の浸水被害は，地球温暖化の影響ともいわれる。

国旗 左上のユニオンジャックは英連邦を，9つの星はツバルの島々を，青い色は太平洋の大海原を表す。

ニュージーランド

概要 乳製品や羊毛，肉類，果実など農産物の輸出が中心の農業国。生活水準は比較的高い。

国旗 1902年にイギリスの商船旗をもとにつくられた。ユニオンジャックは，英連邦の一員を示す。4つの星は南十字星。

赤太字は世界1位，赤字は2位から5位までの国を示す。（人口・首都人口・面積・人口密度・人口増加率の青字は下位5か国を示す。面積・人口密度は居住不能な極地・湖・島を除く。）

■15歳以上の人口に対する割合。

＊2021年8月現在，ベネズエラは加盟資格停止中。ボリビアは各国議会の批准待ち。

〔Demographic Yearbook 2019，ほか〕

おもな輸出品目	日本のおもな輸入品目 2019年	非識字率■(%) 2018年 男	非識字率■(%) 2018年 女	CO₂排出量(t/人) 2018年	通貨単位	為替レート(1米ドルあたりの各国通貨単位)(2020年12月)	独立年月と旧宗主国(1943年以降)	おもな民族(%)	おもな宗教(%)	おもな言語	国番号
機械類，自動車，石油製品	電気機械，一般機械，科学光学機器	−	−	15.0	米ドル	1.00	−	ヨーロッパ系73，アフリカ系13	プロテスタント47，カトリック21	英語，スペイン語	1
金，石油製品，蒸留酒	科学光学機器，電気計測器類，履物	15) 1.6	0.6	−	東カリブ・ドル	2.70	1981.11 イギリス	アフリカ系87	キリスト教84	英語	2
衣類，繊維品，機械類	コーヒー豆，衣類，電気機械	17) 9.4	13.3	1.0	米ドル	1.00	− スペイン	ヨーロッパ系86，ヨーロッパ系13	カトリック57，プロテスタント・独立派キリスト教40	スペイン語	3
原油，自動車，機械類	石炭，豚肉，菜種	−	−	15.2	カナダ・ドル	1.33	− イギリス	カナダ人32，イングランド系18	カトリック39，プロテスタント20	英語，フランス語	4
ニッケル鉱，医薬品，砂糖	たばこ，酸化ニッケル，えび	12) 0.3	0.2	2.1	兌換ペソ／キューバ・ペソ＊	1.00	− スペイン	混血50，ヨーロッパ系25	カトリック47	スペイン語	5
衣類，果実，砂糖	コーヒー豆，バナナ，ごま	14) 13.2	23.6	0.9	ケツァル	7.80	− スペイン	混血60，マヤ系先住民39	カトリック57，プロテスタント・独立派キリスト教40	スペイン語	6
小麦粉，機械類，紙・同製品	電気ギター，カカオ豆	14) 1.4	1.4	−	東カリブ・ドル	2.70	1974. 2 イギリス	アフリカ系82，混血13	プロテスタント49，カトリック36	英語，クレオール語	7
精密機器，パイナップル，電気機器，果実	科学光学機器，電気機械，果実	2.2	2.1	1.5	コスタリカ・コロン	608.83	− スペイン	ヨーロッパ系・メスチーソ84	カトリック76，プロテスタント14	スペイン語	8
アルミナ，石油製品，アルコール飲料	コーヒー豆，ラム酒，とうがらし類	14) 16.6	7.3	2.7	ジャマイカ・ドル	141.57	1962. 8 イギリス	アフリカ系90	プロテスタント65	英語，クレオール語	9
機械類，切手類，金属製品	衣類	−	−	−	東カリブ・ドル	2.70	1983. 9 イギリス	アフリカ系90	プロテスタント75，カトリック11	英語	10
小麦粉，鉄鋼，ビール	まぐろ，めかじき	−	−	−	東カリブ・ドル	2.70	1979.10 イギリス	アフリカ系65，ムラート20	キリスト教88	英語，クレオール語	11
自動車，金，貴金属	ラム酒	−	−	−	東カリブ・ドル	2.70	1979. 2 イギリス	アフリカ系85，混血11	カトリック26，プロテスタント29	英語，クレオール語	12
金，機械類，精密機械	科学光学機器，電気機械，医薬品	16) 6.2	6.2	2.1	ドミニカ・ペソ	58.47	− スペイン	ムラート70，アフリカ系16	カトリック64	スペイン語，ハイチ語	13
せっけん，切手類，機械類	衣類，科学光学機器，履物	−	−	−	東カリブ・ドル	2.70	1978.11 イギリス	アフリカ系87	カトリック61，プロテスタント29	英語，クレオール語	14
液化天然ガス，石油製品，アンモニア	メタノール	10) 0.9	1.7	12.3	トリニダード・トバゴ・ドル	6.77	1962. 8 イギリス	インド系35，アフリカ系34	キリスト教55，ヒンドゥー教18	英語，クレオール語	15
衣類，機械類，牛肉	衣類，動物性原材料，コーヒー豆	15) 17.6	17.2	0.7	コルドバ	34.43	− スペイン	メスチーソ63，ヨーロッパ系14	カトリック59，プロテスタント23	スペイン語	16
金，機械類，マンゴー	衣類，芳香油・香水，魚介類	34.7)	41.7	0.2	グールド	65.92	− フランス	アフリカ系94	カトリック54，プロテスタント54	フランス語，ハイチ語	17
バナナ，魚介類，金属くず	船舶，金属くず類，ホホバ油	4.0	5.1	2.2	バルボア★★	1.00	− スペイン	メスチーソ65，ヨーロッパ系12	カトリック75，プロテスタント・独立派キリスト教20	スペイン語	18
プラスチック類，石油製品，ロブスター	船舶，有機化合物	−	−	−	バハマ・ドル	1.00	1973. 7 イギリス	アフリカ系91	プロテスタント70，カトリック12	英語，クレオール語	19
石油製品，ラム酒，医薬品	ラム酒	10) 0.4	0.4	−	バルバドス・ドル	2.00	1966.11 イギリス	アフリカ系92	プロテスタント66	英語	20
砂糖，かつお，天然真珠	ソース，かつお，天然真珠	−	−	−	ベリーズ・ドル	2.00	1981. 9 イギリス	メスチーソ52，クレオール26	カトリック40，プロテスタント32	英語，スペイン語	21
コーヒー豆，機械類，魚介類	コーヒー豆，衣類，メロン	12.9	12.7	0.9	レンピラ	24.33	− スペイン	メスチーソ87	カトリック46，プロテスタント41	スペイン語	22
機械類，自動車，原油	電気機械，一般機械，豚肉	3.8	5.4	3.6	メキシコ・ペソ	21.16	− スペイン	メスチーソ64，②先住民18	カトリック83	スペイン語	23
		−	−	−		−					
大豆飼料，とうもろこし，自動車	えび，アルミニウム，とうもろこし	1.1	0.9	3.8	アルゼンチン・ペソ	76.08	− スペイン	ヨーロッパ系86	カトリック70	スペイン語	1
肉類，木材，乳製品・鶏卵	牛肉，羊毛，魚介類	1.6	1.8	1.8	ウルグアイ・ペソ	42.58	− スペイン	ヨーロッパ系88	カトリック47	スペイン語	2
原油，魚介類，バナナ	原油，バナナ，冷凍ブロッコリー	17) 6.2	7.9	2.1	米ドル	1.00	− スペイン	メスチーソ72	カトリック74，福音プロテスタント10	スペイン語，ケチュア語	3
金，自動車，ボーキサイト	アルミニウム鉱石	14) 13.7	15.0	3.1	ガイアナ・ドル	208.50	1966. 5 イギリス	インド系40，アフリカ系29	キリスト教64，ヒンドゥー教25	英語，クレオール語	4
原油，石炭，石油製品	コーヒー豆，石炭，カーネーション	5.1	4.7	1.4	コロンビア・ペソ	3849.53	− スペイン	メスチーソ58，ヨーロッパ系20	カトリック79，プロテスタント14	スペイン語	5
金，木材	えび，木材	3.9	7.3	3.5	スリナム・ドル	14.15	1975.11 オランダ	インド・パキスタン系27，マルーン22	キリスト教50，ヒンドゥー教22	オランダ語，英語，スリナム語	6
銅鉱石，銅，果実	銅鉱石，さけ・ます，モリブデン鉱石	17) 3.5	3.2	4.5	チリ・ペソ	770.45	− スペイン	メスチーソ72，ヨーロッパ系22	カトリック67，プロテスタント16	スペイン語	7
大豆，電力，牛肉	ごま，大豆油かす，植物性原材料	5.5	6.5	1.1	グアラニー	7024.75	− スペイン	メスチーソ86	カトリック90	スペイン語，グアラニー語	8
大豆，原油，鉄鉱石	鉄鉱石，とうもろこし，鶏肉	7.0	6.6	1.9	レアル	5.77	− ポルトガル	ヨーロッパ系48，ムラート43	カトリック65，プロテスタント22	ポルトガル語	9
原油，石油製品	メタノール，カカオ豆，アルミニウム	16) 3.0	2.8	3.9	ボリバル・ソベラノ★★★	38456.00	− スペイン	メスチーソ52，ヨーロッパ系44	カトリック85	スペイン語	10
銅鉱石，金，果実	銅鉱石，液化天然ガス，揮発油	2.9	8.3	1.5	ソル	3.43	− スペイン	②先住民52，メスチーソ32	カトリック81，福音派プロテスタント13	スペイン語，ケチュア語，アイマラ語	11
天然ガス，亜鉛鉱，金	亜鉛鉱石，鉛鉱石	15) 3.5	11.4	1.8	ボリビアーノ	6.91	− スペイン	②先住民55，メスチーソ30	カトリック77，プロテスタント16	スペイン語，ケチュア語，アイマラ語	12
鉄鉱石，石炭，液化天然ガス	液化天然ガス，石炭，鉄鉱石	−	−	15.3	オーストラリア・ドル	1.42	− イギリス	ヨーロッパ系90	キリスト教52	英語	1
コプラ油，魚介類，コプラ	まぐろ	−	−	−	オーストラリア・ドル	1.42	1979. 7 イギリス	ミクロネシア系99	カトリック57，プロテスタント33	キリバス語，英語	2
野菜・果実ジュース，サンゴ類	魚介類	−	−	−	ニュージーランド・ドル	1.51	1965 ニュージーランド	クック諸島マオリ人81	プロテスタント63，カトリック17	クック諸島マオリ語，英語	3
魚介類，石油製品，野菜・果実ジュース	果汁	1.0	0.8	−	タラ	1.51	1962. 1 ニュージーランド	サモア人93	カトリック19，プロテスタント	サモア語，英語	4
木材，魚介類	09) 16.3	31.0	−	ソロモン・ドル	8.12	1978. 7 イギリス	メラネシア系95	プロテスタント73，カトリック19	英語，ピジン語	5
機械類，切手類，液化石油ガス	まぐろ	−	−	−	オーストラリア・ドル	1.42	1978.10 イギリス	ポリネシア系95	ツバル教91	ツバル語，英語	6
魚介類，野菜，石油製品	まぐろ，かぼちゃ類，海藻	0.6	0.5	−	パアンガ	2.27	1970. 6 イギリス	トンガ人(ポリネシア系)97	キリスト教97	トンガ語，英語	7
りん鉱石	りん鉱石	−	−	−	オーストラリア・ドル	1.42	1968. 1 オーストラリア	ナウル人96	キリスト教60，カトリック33	ナウル語，英語	8
ココナッツクリーム，コプラ	果汁	−	−	−	ニュージーランド・ドル	1.51	1974 ニュージーランド	ニウエ人67，混血13	キリスト教92	ニウエ語，英語	9
乳製品，肉類，木材	キウイフルーツ，アルミニウム，チーズ	−	−	6.4	ニュージーランド・ドル	1.51	− イギリス	ヨーロッパ系71，マオリ14	キリスト教46	英語，マオリ語	10
コプラ，野菜，魚介類	まぐろ	11.7	13.3	−	バツ	113.60	1980. 7 イギリス・フランス	バヌアツ人98	プロテスタント70，カトリック12	ビスラマ語，英語，フランス語	11
プラチナ，パーム油，銅鉱石	液化天然ガス，銅鉱石，石油製品	10) 34.7	42.1	−	キナ	3.50	1975. 9 オーストラリア	パプア人84，メラネシア系15	カトリック36，プロテスタント	英語，ピジン英語，モツ語	12
	一般機械	15) 3.7	3.2	−	米ドル	1.00	1994.10 アメリカ合衆国	パラオ人73，アジア系22	カトリック45，プロテスタント35	パラオ語，英語	13
石油製品，魚介類，清涼飲料水	ウッドチップ，まぐろ，飲料	17) 0.9	0.9	−	フィジー・ドル	2.14	1970.10 イギリス	フィジー人57，インド系38	キリスト教65，ヒンドゥー教28	英語，フィジー語，ヒンディー語	14
コプラ，ココナッツオイル，魚介類	まぐろ，きく	11) 1.7	1.8	−	米ドル	1.00	1986.10 アメリカ合衆国	マーシャル人92	プロテスタント83	マーシャル語，英語	15
魚介類	まぐろ，かつお	−	−	−	米ドル	1.00	1986.11 アメリカ合衆国	チューク人49，ポンペイ30	カトリック55，プロテスタント41	英語，チューク語	16
		10.2	17.2	4.4							

数値は兌換ペソの為替レート。1兌換ペソ＝24キューバ・ペソ。2021年1月よりキューバ・ペソに統一。　②南北アメリカのインディオは先住民とした。

★流通しているのは米ドル紙幣で，それを「バルボア」とよんでいる（硬貨は独自のものもあり）。　★★★2021年10月より「ボリバル・デジタル」に変更。

① 地球の大きさ

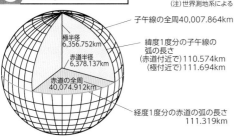

(注)世界測地系による

- 子午線の全周40,007.864km
- 極半径 6,356.752km
- 赤道半径 6,378.137km
- 緯度1度分の子午線の弧の長さ（赤道付近で）110.574km（極付近で）111.694km
- 赤道の全周 40,074.912km
- 経度1度分の赤道の弧の長さ 111.319km

地球の質量	5.972 × 10^{24}kg
自転周期	23時間56分4秒
公転周期	365.2422日
地球の表面積	510,066,000km²
地球の陸地の面積	147,244,000km²
地球の海の面積	362,822,000km²
地球の体積	1,083,847,550,000km³
北回帰線・南回帰線の緯度（赤道面と軌道面の傾き）	23°26′21.406″

② 地球に関する極値

〔理科年表 2021，ほか

項目	値	場所
最高点	8,848m	エヴェレスト山（ヒマラヤ山脈）
最深点	−10,920m	チャレンジャー海淵（太平洋，マリアナ海溝）
最深の湖	−1,741m	バイカル湖（ロシア）
陸上の最低点	−400m	死海の湖面（イスラエル，ヨルダン）
最高気温	56.7℃	デスヴァレー（アメリカ合衆国）
最低気温	−67.8℃	ヴェルホヤンスク（ロシア），オイミャコン（ロシア）（北半球）
	−89.2℃	ヴォストーク基地（南極）（南半球）
最多年降水量	26,467mm	チェラプンジ（インド）
最少年平均降水量	0.76mm	アリーカ（チリ）

③ 世界のおもな山

山　名	所在地	高さ(m)
アジア		
エヴェレスト山	ヒマラヤ山脈	8,848
K2(ゴッドウィンオースティン)山	カラコルム山脈	8,611
カンチェンジュンガ山	ヒマラヤ山脈	8,586
マ ナ ス ル 山	ヒマラヤ山脈	8,163
ナンガパルバット山	ヒマラヤ山脈	8,126
アンナプルナ山	ヒマラヤ山脈	8,091
ポ ベ ダ 山	テンシャン山脈	7,439
▲ダマヴァンド山	エルブールズ山脈	5,670
ヨーロッパ		
▲エルブルース山	カフカス山脈	5,642
モンブラン山	アルプス山脈	4,810
モンテローザ山	アルプス山脈	4,634
マッターホルン山	アルプス山脈	4,478
ユングフラウ山	アルプス山脈	4,158
ア ネ ト 山	ピレネー山脈	3,404
▲エ ト ナ 山	シチリア島	3,330
▲ヴェスヴィオ山	イタリア半島	1,281
アフリカ		
▲キリマンジャロ山	タンザニア	5,895
▲キリニャガ(ケニア)山	ケ ニ ア	5,199
ルウェンゾリ山	ウガンダ，コンゴ民主共和国	5,110
北アメリカ		
デナリ(マッキンリー)山	アラスカ山脈	6,190
▲オリサバ山	メキシコ	5,675
▲ポポカテペトル山	メキシコ	5,426
南アメリカ		
アコンカグア山	アンデス山脈	6,959
▲コトパクシ山	エクアドル	5,911
オセアニア		
ジャヤ峰	ニューギニア島	4,884
アオラキ(クック)山	ニュージーランド南島	3,724
▲タラナキ(エグモント)山	ニュージーランド北島	2,518
コジアスコ山	オーストラリア	2,229
南極大陸		
ヴィンソンマッシーフ	—	4,897
▲エ レ バ ス 山	—	3,794

▲火山

④ 日本のおもな山

山　名	所在地	高さ(m)
北海道		
▲大　雪　山(旭岳)	北 海 道	2,291
東北		
▲燧　ケ　岳	福 島	2,356
▲鳥　海　山	秋田・山形	2,236
▲岩　手　山	岩 手	2,038
▲吾　妻　山(西吾妻)	福島・山形	2,035
▲月　山	山 形	1,984
▲磐　梯　山	福 島	1,816
関東		
▲白　根　山	栃木・群馬	2,578
▲浅　間　山	群馬・長野	2,568
▲男　体　山	栃 木	2,486
中 部		
▲富　士　山(剣ケ峰)	山梨・静岡	3,776
北　岳	山 梨	3,193
穂　高　岳(奥穂高)	長野・岐阜	3,190
槍　ケ　岳	長野・岐阜	3,180
▲御　嶽　山	長野・岐阜	3,067
▲乗　鞍　岳	長野・岐阜	3,026
立　山(大汝山)	富 山	3,015
▲剱　岳	富 山	2,999
駒ケ岳(甲斐駒)	長野・山梨	2,967
駒ケ岳(木曽駒)	長 野	2,956
白　馬　岳	長野・富山	2,932
▲八　ケ　岳(赤岳)	長野・山梨	2,899
▲白　山	石川・岐阜	2,702
近畿		
八　経　ケ　岳	奈 良	1,915
中国・四国		
石　鎚　山(天狗岳)	愛 媛	1,982
▲大　山	鳥 取	1,729
九州		
宮　之　浦　岳	鹿児島(屋久島)	1,936
▲霧　島　山(韓国岳)	宮崎・鹿児島	1,700
▲阿　蘇　山(高岳)	熊 本	1,592

▲火山

⑤ 世界のおもな川

河川名	流域面積(百km²)	長さ(km)
アジア		
オ ビ 川	29,900	5,568[1]
エニセイ川	25,800	5,550
レ ナ 川	24,900	4,400
長 江(揚子江)	19,590	6,380
アムール川	18,550	4,416
ガンジス(ガンガ)川	16,210	2,510
ブラマプトラ川		2,840
黄 河	9,800	5,464
メ コ ン 川	8,100	4,425
ユーフラテス川	7,650	2,800
ヨーロッパ		
ヴォルガ川	13,800	3,688
ドナウ川	8,150	2,850
ド ン 川	4,300	1,870
ラ イ ン 川	2,240	1,230
セ ー ヌ 川	778	780
テ ム ズ 川	136	365
アフリカ		
コ ン ゴ 川	37,000	4,667
ナ イ ル 川	33,490	6,695[2]
ニジェール川	18,900	4,184
ザンベジ川	13,300	2,736
北アメリカ		
ミシシッピ川	32,500	5,969[3]
セントローレンス川	14,630	3,058
ユーコン川	8,550	3,185
コロラド川	5,900	2,333
リオグランデ川	5,700	3,057
南アメリカ		
アマゾン川	70,500	6,516
ラプラタ川	31,000	4,500[4]
オリノコ川	9,450	2,500
オセアニア		
マ リ ー 川	10,580	3,672[5]

1)イルティシ川源流から 2)カゲラ川源流から 3)ミズーリ川源流から 4)パラナ川源流から 5)ダーリング川源流から

⑥ 日本のおもな川

河川名	流域面積(百km²)	長さ(km)
北海道		
石 狩 川	14,330	268
十 勝 川	9,010	156
東北		
北 上 川	10,150	249
最 上 川	7,040	229
阿 武 隈 川	5,400	239
雄 物 川	4,710	133
関東		
利 根 川	16,840	322
荒 川	2,940	173
多 摩 川	1,240	138
中部		
信 濃 川	11,900	367
木 曽 川	9,100	229
阿 賀 野 川	7,710	210
天 竜 川	5,090	213
富 士 川	3,990	128
九 頭 竜 川	2,930	116
大 井 川	1,280	168
近畿		
淀 川	8,240	75
熊 野 川	2,360	183
紀 の 川	1,750	136
中国・四国		
江 の 川	3,900	194
吉 野 川	3,750	194
高 梁 川	2,670	111
四 万 十 川	2,270	196
旭 川	1,810	142
太 田 川	1,710	103
仁 淀 川	1,560	124
九州		
筑 後 川	2,863	143
大 淀 川	2,230	107
球 磨 川	1,880	115

⑦ 世界のおもな湖沼

湖沼名	面積(km²)	最大水深(m)
*カ ス ピ 海	374,000	1,025
スペリオル湖	82,367	406
ヴィクトリア湖	68,800	84
ヒューロン湖	59,570	228
ミシガン湖	58,016	281
タンガニーカ湖	32,000	1,471
バイカル湖	31,500	1,741
マラカイボ湖	13,010	60
*ア ラ ル 海	10,030	43
チチカカ湖	8,372	281

*塩湖

⑧ 日本のおもな湖沼

湖沼名	面積(km²)	最大水深(m)
琵 琶 湖(滋賀)	669	104
霞 ケ 浦(茨城)	168	12
サロマ湖(北海道)	152	20
猪 苗 代 湖(福島)	103	94
中 海(島根・鳥取)	86	17
屈 斜 路 湖(北海道)	80	118
宍 道 湖(島根)	79	6
支 笏 湖(北海道)	78	360
十和田湖〔青森・秋田〕	61	327
田 沢 湖(秋田)	26	423

⑨ 世界のおもな島

島　名	所 属	面積(km²)
グリーンランド	デンマーク	2,175,600
ニューギニア	インドネシア，パプアニューギニア	771,900
カリマンタン(ボルネオ)	インドネシア，マレーシア，ブルネイ	736,600
マダガスカル	マダガスカル	590,300
バッフィン島	カ ナ ダ	512,200
スマトラ	インドネシア	433,800
本 州	日 本	227,941
グレートブリテン	イギリス	217,800
スラウェシ	インドネシア	179,400
南 島	ニュージーランド	150,500
ジャワ	インドネシア	126,100
キューバ	キューバ	114,500
北 島	ニュージーランド	114,300

⑩ 日本のおもな島

島　名	所 属	面積(km²)
本 州	—	227,941
北 海 道	—	77,984
九 州	—	36,783
四 国	—	18,297
択 捉 島	北 海 道	3,167
国 後 島	北 海 道	1,489
沖 縄 島	沖 縄	1,207
佐 渡 島	新 潟	855
大島(奄美大島)	鹿 児 島	712
対 馬	長 崎	696
淡 路 島	兵 庫	593
天 草 下 島	熊 本	575
屋 久 島	鹿 児 島	504
種 子 島	鹿 児 島	444

⑪ 持続可能な社会を考える統計 −事実と数字−

公表されている国による順位

〔SDG Indicators，ほか〕

貧困率(%) 2010〜16年

①	マダガスカル	77.6
②	コンゴ民主共和国	76.6
③	ブルンジ	71.8
④	マラウイ	70.3
⑤	ギニアビサウ	67.1

1日1.9ドル（国際貧困ライン）未満で暮らす人

世界で7億3400万人が国際貧困ライン未満で生活しており，その8割以上が南アジアとサハラ以南のアフリカ地域に集中している。

栄養不足人口率(%) 2018年

①	ハイチ	48.2
②	北朝鮮	47.6
③	マダガスカル	41.7
④	チャド	39.6
⑤	リベリア	37.5

栄養不足は幼児や乳児への影響が大きく，消耗症や低体重を引き起こす要因となる。

世界で十分な食料を得られない人々は7億。とくに東アフリカでは異常気象や紛争，経済成長低迷のため，人口の1/3が栄養失調にあると推定される。

5歳未満児の死亡率(%) 2019年

①	ナイジェリア	11.7
②	ソマリア	11.7
③	チャド	11.4
④	中央アフリカ	11.0
⑤	シエラレオネ	10.9

日本は0.25%。子どもの死亡数のほとんどが5歳未満児。

死因は出産時の合併症，肺炎，下痢，マラリアなど，予防や治療が可能なものである。また，罹患しやすく回復できない理由に栄養不良があげられる。

人口10万人あたりの自殺者数(人) 2016年

①	リトアニア	31.9
②	ロシア	31.0
③	ガイアナ	29.2
④	韓国	26.9
⑤	ベラルーシ	26.2

日本は18.5人

WHO（世界保健機関）は「世界中で自殺が重大な問題であるという認識がなく，議論もタブーとされ，予防への取り組みは十分ではない」と世界自殺予防戦略を掲げて活動している。

不就学児童の割合(%) 2015〜19年

①	南スーダン	62.4
②	赤道ギニア	55.3
③	エリトリア	47.3
④	ニジェール	41.0
⑤	マリ	41.0

学齢期にある子どものうち，小学校へ通えていない割合

学校に通っていない1億人以上の子どものうち，4割は後進国に，2割は紛争地に暮らす。また，読み書きのできない成人は7億人以上で，その3/5は女性である。

男女の格差が小さい国(指数) 2021年

①	アイスランド	0.892
②	フィンランド	0.861
③	ノルウェー	0.849
④	ニュージーランド	0.840
⑤	スウェーデン	0.823

ジェンダーギャップ指数。0は完全不平等，1は完全平等。日本は0.656で156か国中120位

ジェンダーギャップ指数は経済，教育，健康，政治の4つの分野での評価を指数化する。北欧諸国は評価指数のうち差が出やすい経済，政治でスコアが高い。

12 都道府県別統計

赤太字は1位，赤字は2位から5位までの都道府県を示す。

〔令和2年　全国都道府県市区町村別面積調〕〔2019年　工業統計表，ほか〕

県番号	都道府県	都道府県庁所在地	人口(万人)2020年	面積(km²)2020年	人口密度(人/km²)2020年	人口増減率(‰)2018~2019年	老年人口率65歳以上(%)2020年	合計特殊出生率2019年	産業別人口の割合(%) 2015年			農業産出額(億円) 2019年					漁業生産量(千t)2019年	製造品出荷額(億円)2018年	小売業年間販売額(億円)2018年	1人あたり県民所得(千円)2017年
									第1次	第2次	第3次		米	野菜	果実	畜産				
1	北海道	札幌	526	83,424	63	-6.9	31.4	1.24	7.4	17.9	74.7	12,558	1,254	1,951	71	7,350	963	64,136	65,406	2,682
2	青森	青森	127	9,646	132	-13.1	32.7	1.38	12.4	20.4	67.2	3,138	596	642	914	885	184	18,031	13,707	2,490
3	岩手	盛岡	123	15,275	81	-11.7	32.8	1.35	10.8	25.4	63.8	2,676	603	259	130	1,569	123	27,451	13,481	2,772
4	宮城	仙台	229	7,282	315	-4.7	27.7	1.23	4.5	23.4	72.1	1,932	839	265	27	736	271	46,912	27,350	2,944
5	秋田	秋田	98	11,638	85	-14.8	36.5	1.33	9.8	24.4	65.8	1,931	1,126	281	84	362	6	13,496	10,936	2,699
6	山形	山形	108	9,323	116	-11.9	33.1	1.40	9.4	29.1	61.5	2,557	898	460	719	371	4	28,880	11,604	2,923
7	福島	福島	188	13,784	137	-10.0	30.7	1.47	6.7	30.6	62.7	2,086	814	438	273	435	71	52,812	20,832	2,971
8	茨城	水戸	292	6,097	479	-5.0	28.8	1.39	5.9	29.8	64.3	4,302	809	1,575	102	1,243	■295	130,944	29,563	3,306
9	栃木	宇都宮	196	6,408	307	-5.4	28.2	1.39	5.7	31.9	62.4	2,859	671	784	76	1,156	1	92,571	22,101	3,413
10	群馬	前橋	196	6,362	310	-5.9	29.3	1.40	5.1	31.8	63.1	2,361	156	912	83	1,058	0.3	92,011	21,431	3,325
11	埼玉	さいたま	739	・3,798	1,946	1.7	26.2	1.27	1.7	24.9	73.4	1,678	354	796	55	249	0.002	143,440	68,620	3,067
12	千葉	千葉	631	・5,158	1,225	1.4	26.9	1.28	2.9	20.6	76.5	3,859	689	1,305	114	1,248	117	132,118	61,532	3,193
13	東京	東京(23区)	1,383	・2,194	6,306	6.9	22.6	1.15	0.4	17.5	82.1	234	1	121	35	19	■53	78,495	198,532	5,427
14	神奈川	横浜	920	2,416	3,811	2.2	25.0	1.28	0.4	22.4	76.7	655	33	333	71	148	35	185,700	90,263	3,227
15	新潟	新潟	223	・12,584	178	-10.3	32.0	1.38	5.9	28.9	65.2	2,494	1,501	317	86	474	30	51,212	24,161	2,873
16	富山	富山	105	・4,248	249	-6.9	31.7	1.53	3.3	33.6	63.1	654	452	56	24	84	23	40,606	11,440	3,319
17	石川	金沢	113	・4,186	272	-5.5	29.2	1.46	3.1	28.5	68.4	551	299	97	34	91	41	31,841	12,868	2,962
18	福井	福井	78	4,191	186	-8.2	29.8	1.56	3.8	31.3	64.9	468	309	81	9	44	■12	22,822	8,287	3,265
19	山梨	甲府	82	・4,465	185	-7.4	30.1	1.44	7.3	28.4	64.3	914	61	110	595	78	2	26,121	8,205	2,973
20	長野	長野	208	・13,562	154	-6.9	31.2	1.57	9.3	29.2	61.5	2,556	473	818	743	279	2	65,287	22,792	2,940
21	岐阜	岐阜	203	・10,621	191	-5.7	29.6	1.45	3.2	33.1	63.7	1,066	229	323	55	372	2	59,674	21,948	2,849
22	静岡	静岡	370	・7,777	477	-4.8	29.3	1.44	3.9	33.2	62.9	1,979	198	607	234	461	179	176,639	38,079	3,388
23	愛知	名古屋	757	・5,173	1,464	1.4	24.7	1.45	2.2	33.6	64.2	2,949	298	1,010	190	813	75	489,829	85,676	3,685
24	三重	津	181	・5,774	314	-5.9	29.2	1.47	3.7	32.0	64.3	1,106	285	139	65	442	152	112,597	18,446	3,111
25	滋賀	大津	142	・4,017	354	0.6	25.7	1.47	2.7	33.8	63.5	647	378	106	7	107	■0.4	81,024	13,945	3,290
26	京都	京都	254	4,612	552	-3.6	28.9	1.25	2.2	23.6	74.2	666	174	248	20	125	9	59,924	27,950	3,018
27	大阪	大阪	884	1,905	4,645	0.1	26.9	1.31	0.6	24.3	75.1	320	72	136	67	19	■15	179,052	98,672	3,183
28	兵庫	神戸	554	8,401	661	-3.8	28.2	1.41	2.1	26.0	71.9	1,509	480	348	36	569	■106	166,391	53,612	2,966
29	奈良	奈良	135	3,691	367	-6.6	30.8	1.31	2.7	23.4	73.9	403	110	104	77	56	0.01	21,998	10,994	2,600
30	和歌山	和歌山	95	4,725	202	-10.7	32.4	1.46	9.0	22.3	68.7	1,109	76	144	740	49	17	27,549	8,714	2,797
31	鳥取	鳥取	56	3,507	160	-8.6	31.5	1.63	9.1	22.0	68.9	761	151	213	69	286	84	8,113	6,411	2,485
32	島根	松江	67	6,708	101	-9.9	33.8	1.68	8.0	23.0	69.0	612	193	94	39	252	85	12,857	6,825	2,553
33	岡山	岡山	190	・7,114	268	-4.2	29.7	1.47	4.8	27.4	67.8	1,417	324	205	249	581	22	83,907	19,731	2,839
34	広島	広島	282	8,480	333	-4.1	28.9	1.49	3.2	26.8	70.0	1,168	247	236	172	467	116	101,053	31,099	3,167
35	山口	山口	136	6,113	224	-9.5	33.9	1.56	4.9	26.1	69.0	629	204	148	47	178	24	67,213	14,404	3,258
36	徳島	徳島	74	4,147	179	-10.7	32.7	1.46	8.5	24.1	67.4	961	133	349	88	263	21	18,659	7,267	3,091
37	香川	高松	98	・1,877	523	-6.1	30.7	1.59	5.4	25.9	68.7	803	120	242	63	320	36	28,003	11,343	3,018
38	愛媛	松山	136	5,676	241	-9.1	32.3	1.46	7.7	24.2	68.1	1,207	152	190	527	249	139	42,861	14,696	2,741
39	高知	高知	70	7,104	100	-11.5	34.6	1.47	11.8	17.2	71.0	1,117	112	715	104	81	70	6,047	6,932	2,650
40	福岡	福岡	512	4,987	1,029	-0.3	27.2	1.44	2.9	21.2	75.9	2,027	376	702	239	389	60	103,019	56,451	2,888
41	佐賀	佐賀	82	2,441	338	-6.0	29.7	1.64	8.7	24.2	67.1	1,135	155	335	193	340	77	20,804	8,066	2,630
42	長崎	長崎	135	4,131	327	-10.7	32.1	1.66	7.7	20.1	72.2	1,513	116	453	146	558	275	18,084	14,201	2,571
43	熊本	熊本	176	7,409	239	-5.7	30.7	1.60	9.8	21.1	69.1	3,364	368	1,220	313	1,148	65	28,638	17,858	2,613
44	大分	大分	115	6,341	182	-7.7	32.3	1.53	7.2	23.4	69.6	1,195	210	309	119	444	55	44,532	11,945	2,710
45	宮崎	宮崎	109	7,735	142	-7.1	31.7	1.73	11.0	21.1	67.9	3,396	172	661	123	2,209	117	17,322	10,810	2,487
46	鹿児島	鹿児島	163	・9,187	177	-8.1	31.5	1.63	9.5	19.4	71.1	4,890	209	532	110	3,227	■115	21,010	15,525	2,492
47	沖縄	那覇	148	2,281	650	3.6	21.8	1.82	4.9	15.1	80.0	977	5	146	60	459	■34	5,119	13,078	2,349
	全国合計	(全国平均)	12,713	377,975	(336)	(-2.4)	(27.9)	(1.36)	(4.0)	(25.0)	(71.0)	89,387	17,484	21,515	8,399	32,344	4,195	3,346,804	1,387,787	(3,304)

1) 面積の項の北海道には歯舞群島95km²，色丹島248km²，国後島1,489km²，択捉島3,167km²を含み，島根県には竹島0.2km²を含む。全国計にも含む。
2) 面積の項の・印のある県は，県界に境界未定地域があるため，総務省統計局で推定した面積を記載している。
3) 第1次産業人口→農林，水産業など，第2次産業人口→鉱・工業，建設業など，第3次産業人口→商業，運輸・通信業など。
4) 漁業生産量の項の■印のある県の数値は，海面養殖または内水面漁業，内水面養殖の数値を含まない。ただし，全国計には含む。

基本的な飲料水サービス*を利用できない人の割合(%) 2017年

① チャド 61.3
② 南スーダン 59.3
③ エチオピア 58.9
④ パプアニューギニア 58.7
⑤ コンゴ民主共和国 56.8

*自宅から往復30分以内に，改善された水源から飲料水を得られること

安全に管理された水を飲めない22億人のうち，8億人は基本的な飲料水サービスを受けられず，そのうちの6億人は保護されていない水源や池などの飲料に適さない水を飲んでいる。

トイレを使えない人の割合(%) 2017年

① ツバル 93.7
② ニジェール 90.4
③ シエラレオネ 86.7
④ 北マケドニア 83.4
⑤ コロンビア 83.0

安全に管理されたトイレ。サハラ以南のアフリカ，南アジアの国はデータが少ない。

世界では42億人が安全に管理されたトイレを使用できず，そのうち6.7億人が家や近所にトイレがなく，道端や草むらなど屋外排泄をしている。

教育・仕事・訓練に参加していない若者の割合(%) 2013~19年

① トリニダード・トバゴ 52.1
② ガンビア 49.6
③ キリバス 46.9
④ イエメン 44.8
⑤ ジンバブエ 44.8

15~24歳の若者が対象。日本は3.1%

世界の若者の1/5は，就労，就学，職業訓練のいずれも行っていない状態にある。世界の失業率は成人5.1%に対し，若年層は12%である。

海洋プラスチックごみ発生量(万t) 2010年

① 中国 132~353
② インドネシア 48~129
③ フィリピン 28~75
④ ベトナム 28~73
⑤ スリランカ 24~64

年間推計値。日本は年間2~6万t

発生量を人口密度や経済状態等から国別に推計した結果，アジア諸国が上位を占めた。海洋プラスチックごみの8割が河川を通じて流出している。

自然災害の経済損失額(億ドル) 1998~2017年

① アメリカ合衆国 9,448
② 中国 4,922
③ 日本 3,763
④ インド 795
⑤ プエルトリコ 717

世界全体で2兆9080億ドル。低所得国を中心に被害状況が不明な国も多い。

損失額は前の20年間に比べ，2.2倍に増加。発生件数7255件のうち，9割は気象に起因する。地球温暖化による異常気象は今後も続く可能性が高い。

政府開発援助(ODA)実績(億ドル) 2019年

① アメリカ合衆国 346
② ドイツ 238
③ イギリス 194
④ 日本 155
⑤ フランス 122

DAC加盟国の数値。ODA総額は1528億ドル

政府開発援助の国際公約「GNIの0.7%を援助」を達成したのは，ルクセンブルク，ノルウェー，スウェーデン，デンマーク，イギリスの5国。

統計

⑬ 世界のおもな都市の人口

首都人口は p.147～154 を参照。　　（調査年次は西暦の下2桁を掲載）〔The Statesman's Yearbook 2019, ほか〕

都市名	国名	人口(万人)	調査年次	都市名	国名	人口(万人)	調査年次	都市名	国名	人口(万人)	調査年次	都市名	国名	人口(万人)	調査年次
アビジャン	コートジボワール	439	(14)	サンパウロ	ブラジル	1,217	(18)	ナポリ	イタリア	96	(18)	マルセイユ	フランス	86	(16)
アルマティ	カザフスタン	180	(18)	サンフランシスコ	アメリカ合衆国	88	(17)	ニューオーリンズ	アメリカ合衆国	39	(17)	マンチェスター	イギリス	54	(17)
イスタンブール	トルコ	1,506	(18)	シアトル	アメリカ合衆国	72	(17)	ニューヨーク	アメリカ合衆国	862	(17)	ミュンヘン	ドイツ	145	(17)
ヴァンクーヴァー	カナダ	67	(17)	シーアン	中国	629	(16)	ハイデラバード	インド	673	(11)	ミラノ	イタリア	136	(18)
ウーハン	中国	518	(16)	シェンヤン	中国	586	(16)	バーミンガム	イギリス	113	(17)	ムンバイ	インド	1,244	(11)
ウラジオストク	ロシア	60	(18)	シカゴ	アメリカ合衆国	271	(17)	バルセロナ	スペイン	162	(17)	メルボルン	オーストラリア	485	(17)
エディンバラ	イギリス	51	(17)	シドニー	オーストラリア	513	(16)	バンドン	インドネシア	249	(16)	モンテレー	メキシコ	121	(15)
オデーサ	ウクライナ	101	(19)	シャンハイ	中国	1,450	(16)	ハンブルク	ドイツ	183	(17)	モントリオール	カナダ	177	(17)
カオシュン	(台湾)	277	(19)	ジュネーヴ	スイス	20	(17)	プサン	韓国	347	(18)	ヤンゴン	ミャンマー	516	(14)
カラチ	パキスタン	1,491	(18)	タイペイ	(台湾)	266	(17)	フランクフルト	ドイツ	74	(17)	ヨハネスブルグ	南アフリカ共和国	494	(16)
ケープタウン	南アフリカ共和国	400	(16)	ターリエン	中国	398	(16)	ブリズベン	オーストラリア	240	(17)	ラスヴェガス	アメリカ合衆国	64	(17)
ケルン	ドイツ	108	(17)	チョンチン	中国	2,448	(16)	ベンガルール(バンガロール)	インド	844	(11)	ラホール	パキスタン	1,112	(17)
コルカタ(カルカッタ)	インド	449	(11)	テンチン	中国	1,044	(16)	ボストン	アメリカ合衆国	68	(17)	リオデジャネイロ	ブラジル	668	(17)
コワンチョウ	中国	870	(16)	ドバイ	アラブ首長国連邦	297	(17)	ホーチミン	ベトナム	588	(09)	ロサンゼルス	アメリカ合衆国	399	(17)
サンクトペテルブルク	ロシア	535	(18)	トロント	カナダ	292	(17)	ホンコン	中国	748	(18)	ロッテルダム	オランダ	63	(17)

注）人口は市域人口をさす

⑭ 日本の市と人口（2020年）

赤字は都道府県庁所在地，● は政令指定都市＊，○ は中核市＊＊〔住民基本台帳 人口・世帯数表〕

＊：政令指定都市　政令で指定する人口 50 万以上の市で，ほぼ府県なみの行政権・財政権をもっている。
＊＊：中核市　人口 20 万人以上の市で，保健衛生や都市計画で政令指定都市に準じた事務が都道府県から委譲される。

（単位：人口 千人）

北海道：●札幌 1,959／○旭川 334／○函館 255／苫小牧 171／釧路 168／帯広 166／江別 119／北見 116／小樽 114／千歳 97／室蘭 82／岩見沢 80／恵庭 70／石狩 58／北広島 58／登別 47／滝川 46／網走 35／伊達 33／稚内 33／名寄 27／根室 25／富良野 21／紋別 21／美唄 21／留萌 20／深川 20／士別 18／砂川 16／芦別 13／赤平 9／三笠 8／夕張 7／歌志内 3

青森：○青森 281／八戸 227／弘前 170／十和田 61／むつ 56／五所川原 53／三沢 39／黒石 33／つがる 31／平川 31

岩手：○盛岡 288／奥州 116／一関 115／花巻 95／北上 92／滝沢 55／宮古 51／大船渡 35／久慈 34／釜石 32／二戸 26／遠野 26／八幡平 26／陸前高田 18

宮城：●仙台 1,064／石巻 142／大崎 129／名取 79／登米 78／栗原 67／気仙沼 62／多賀城 62／富谷 53／岩沼 52／東松島 39／白石 33／角田 28

秋田：○秋田 307／横手 88／大仙 80／由利本荘 76／大館 71／能代 52／湯沢 44／潟上 32／北秋田 31／鹿角 30／男鹿 26／にかほ 24

山形：山形 244／鶴岡 125／酒田 101／米沢 79／天童 61／東根 47／寒河江 40／新庄 35／南陽 34／上山 30／村山 23／尾花沢 15

福島：郡山 322／いわき 321／福島 277／会津若松 118／須賀川 76／白河 60／伊達 59／二本松 54／喜多方 47／相馬 34／本宮 36／田村 36

栃木：○宇都宮 521／小山 167／栃木 159／足利 147／佐野 117／那須塩原 117／鹿沼 97／日光 81／真岡 78／大田原 70／下野 60／さくら 44／矢板 32／那須烏山 26

群馬：○高崎 373／前橋 336／太田 223／伊勢崎 213／桐生 110／渋川 76／館林 75／藤岡 65／安中 57／みどり 50／富岡 48／沼田 47

茨城：水戸 271／つくば 237／日立 177／ひたちなか 158／古河 142／土浦 142／取手 107／筑西 104／神栖 95／牛久 84／龍ケ崎 77／笠間 74／石岡 74／守谷 67／鹿嶋 66／常総 63／那珂 53／坂東 53／つくばみらい 51／結城 51／常陸太田 51／小美玉 48／鉾田 43／下妻 43／北茨城 43／かすみがうら 41／桜川 41／常陸大宮 41／稲敷 40／行方 28／高萩 27／潮来 27

埼玉：●さいたま 1,314／○川口 607／川越 353／所沢 344／越谷 344／草加 249／春日部 234／上尾 228／熊谷 196／新座 165／久喜 153／狭山 150／深谷 143／三郷 142／朝霞 141／戸田 140／鴻巣 118／ふじみ野 114／加須 113／富士見 113／坂戸 101／八潮 92／東松山 90／和光 83／行田 79／飯能 78／本庄 76／桶川 75／北本 67／鶴ヶ島 69／吉川 72／蓮田 62／日高 54／幸手 50／白岡 52

千葉：●千葉 972／船橋 642／松戸 498／市川 490／柏 424／市原 275／八千代 199／流山 199／佐倉 175／習志野 175／浦安 170／野田 154／木更津 136／成田 132／我孫子 132／鎌ケ谷 109／印西 103／四街道 94／茂原 89／君津 83／香取 75／八街 69／富里 50／山武 50

東京：東京(23区) 9,570／○八王子 562／町田 428／府中 260／調布 237／西東京 205／小平 194／三鷹 188／立川 186／日野 184／東村山 151／多摩 148／武蔵野 146／青梅 133／国分寺 125／小金井 122／東久留米 116／昭島 113／稲城 91／東大和 85／狛江 83／国立 76／清瀬 74／武蔵村山 71／福生 57／羽村 55／あきる野 80

神奈川：●横浜 3,754／●川崎 1,514／●相模原 718／藤沢 436／横須賀 401／平塚 256／茅ヶ崎 243／大和 239／厚木 224／小田原 190／鎌倉 176／秦野 161／海老名 134／座間 131／伊勢原 100／綾瀬 85／逗子 59／三浦 42／南足柄 42

新潟：●新潟 788／長岡 268／上越 191／三条 97／新発田 97／柏崎 82／燕 79／村上 59／南魚沼 54／佐渡 52／十日町 51／糸魚川 41／五泉 48／阿賀野 41／見附 39／妙高 32／小千谷 35／胎内 28／加茂 25

富山：○富山 415／高岡 170／射水 92／南砺 50／砺波 48／氷見 46／魚津 41／黒部 41／滑川 33

石川：○金沢 452／白山 113／小松 108／加賀 66／野々市 52／能美 50／七尾 50／輪島 26／珠洲 14

福井：福井 263／坂井 91／越前 82／鯖江 69／敦賀 65／大野 32／小浜 29／あわら 28／勝山 22

山梨：甲府 187／甲斐 75／南アルプス 71／笛吹 69／富士吉田 46／北杜 46／山梨 34／中央 31／韮崎 29／上野原 22

長野：○長野 375／松本 238／上田 156／飯田 100／佐久 98／安曇野 97／塩尻 67／伊那 67／千曲 60／茅野 55／須坂 50／諏訪 49／岡谷 49／小諸 42／駒ヶ根 32／中野 44／大町 27／東御 30

岐阜：○岐阜 408／大垣 161／各務原 147／多治見 110／可児 102／関 88／高山 87／中津川 78／羽島 67／恵那 49／美濃加茂 57／土岐 55／瑞穂 55／瑞浪 37／郡上 41／海津 34／本巣 34／飛騨 23

静岡：●浜松 802／●静岡 698／富士 253／沼津 194／磐田 169／藤枝 144／焼津 139／富士宮 132／掛川 117／三島 109／島田 98／袋井 88／御殿場 88／伊東 68／裾野 51／湖西 59／菊川 48／牧之原 45／伊豆の国 48／熱海 36／御前崎 32／下田 21

愛知：●名古屋 2,301／○豊田 425／一宮 387／○岡崎 385／○豊橋 377／春日井 311／安城 190／豊川 186／西尾 172／小牧 153／刈谷 152／稲沢 135／瀬戸 129／半田 120／東海 115／江南 100／日進 91／あま 89／北名古屋 85／尾張旭 83／知多 85／碧南 72／犬山 73／津島 62／大府 92／愛西 63／清須 69／豊明 69／みよし 61／長久手 60／常滑 59／田原 59／岩倉 47／知立 71

三重：○四日市 311／津 278／鈴鹿 199／松阪 163／桑名 142／伊勢 125／名張 78／亀山 51／いなべ 45／志摩 49／鳥羽 17／熊野 16／尾鷲 17

滋賀：大津 343／草津 134／長浜 114／東近江 112／彦根 112／守山 83／近江八幡 82／甲賀 90／栗東 69／野洲 51／湖南 55／高島 47／米原 38

京都：●京都 1,409／宇治 185／亀岡 88／舞鶴 81／長岡京 81／城陽 76／八幡 70／京田辺 70／福知山 77／向日 54／京丹後 54／綾部 33／南丹 31／宮津 17

大阪：●大阪 2,730／●堺 834／○東大阪 488／○豊中 408／枚方 401／吹田 373／○高槻 351／茨木 282／八尾 266／寝屋川 231／岸和田 194／和泉 186／守口 143／門真 121／大東 120／箕面 137／松原 119／羽曳野 111／富田林 111／河内長野 104／池田 103／泉佐野 100／摂津 86／交野 77／貝塚 86／泉大津 74／柏原 70／藤井寺 64／泉南 60／四條畷 56／大阪狭山 58／高石 57／阪南 53

兵庫：●神戸 1,533／○姫路 535／○西宮 488／○尼崎 463／○明石 303／加古川 264／宝塚 234／伊丹 199／川西 157／三田 111／高砂 90／芦屋 95／豊岡 78／三木 76／たつの 76／丹波 76／小野 49／淡路 44／南あわじ 46／西脇 40／相生 29／宍粟 37／朝来 30／養父 23／丹波篠山 40

奈良：○奈良 356／橿原 121／生駒 119／大和郡山 85／香芝 79／天理 64／桜井 56／葛城 37／五條 30／御所 25

和歌山：○和歌山 366／田辺 73／橋本 61／紀の川 61／岩出 53／海南 50／新宮 28／有田 27／御坊 23

鳥取：鳥取 186／米子 147／倉吉 46／境港 33

島根：松江 201／出雲 174／浜田 53／益田 46／雲南 37／大田 34／安来 38

岡山：●岡山 708／○倉敷 482／津山 100／総社 69／玉野 58／笠岡 47／備前 32／真庭 44／瀬戸内 34／赤磐 44／浅口 34／井原 39／高梁 29／新見 29

広島：●広島 1,195／○福山 468／○呉 221／東広島 188／尾道 136／廿日市 117／三原 93／府中 38／三次 51／庄原 34／大竹 28／安芸高田 28／江田島 22／竹原 24

山口：○下関 260／山口 191／宇部 164／周南 142／岩国 133／防府 115／山陽小野田 57／光 50／下松 57／長門 33／柳井 33／美祢 23／萩 46

徳島：徳島 253／阿南 72／鳴門 56／吉野川 40／小松島 37／阿波 35／美馬 28／三好 25

香川：○高松 427／丸亀 112／三豊 65／観音寺 59／坂出 52／さぬき 48／善通寺 32／東かがわ 30

愛媛：○松山 511／今治 158／新居浜 118／西条 108／四国中央 86／宇和島 74／大洲 42／伊予 36／八幡浜 33／東温 33

高知：○高知 327／南国 47／四万十 33／香南 33／土佐 26／須崎 21／宿毛 20／安芸 17／土佐清水 13／室戸 13

福岡：●福岡 1,554／●北九州 950／○久留米 305／飯塚 128／大牟田 113／春日 113／筑紫野 104／糸島 101／宗像 97／大野城 101／太宰府 71／柳川 66／八女 62／古賀 59／直方 56／行橋 71／小郡 59／那珂川 50／中間 40／筑後 49／大川 34／田川 47／うきは 28／みやま 37／朝倉 51／宮若 27

佐賀：佐賀 232／唐津 121／鳥栖 73／伊万里 54／武雄 48／小城 45／神埼 31／鹿島 28／嬉野 26／多久 19

長崎：長崎 416／佐世保 249／諫早 139／大村 94／島原 44／南島原 43／雲仙 43／五島 37／西海 28／対馬 30／平戸 30／壱岐 25

熊本：●熊本 738／八代 125／天草 76／玉名 65／合志 62／宇城 55／荒尾 52／山鹿 50／菊池 47／宇土 36／上天草 24／阿蘇 25／水俣 23

大分：○大分 478／別府 118／中津 84／佐伯 69／日田 63／宇佐 56／臼杵 36／豊後大野 33／杵築 28／由布 34／竹田 21／津久見 17／国東 27／豊後高田 22

宮崎：○宮崎 401／都城 163／延岡 120／日向 59／小林 43／日南 52／西都 29／串間 17／えびの 18

鹿児島：○鹿児島 601／霧島 126／鹿屋 102／薩摩川内 93／姶良 77／出水 52／日置 49／指宿 41／奄美 41／南さつま 34／南九州 34／いちき串木野 28／曽於 34／志布志 30／阿久根 20／垂水 14／西之表 15／枕崎 21

沖縄：那覇 320／うるま 124／沖縄 142／浦添 114／宜野湾 99／名護 63／糸満 61／豊見城 64／石垣 49／宮古島 55／南城 44

15 世界のおもな都市の月平均気温・月降水量

→世界の気候 p.119〜120，p.121〜122

段：気温(℃) 下段：降水量(mm)　赤字：最高　青字：最低　〔理科年表 2022，ほか〕

市(観測地点の高さ(m))と経緯度		1月	2月	3月	4月	5月	6月	7月	8月	9月	10月	11月	12月	全年
帯雨林気候(Af)乾季なし														
ロンボ (7)	6°54'N	27.2	27.6	28.4	28.6	28.9	28.3	28.1	28.1	27.9	27.5	27.3	27.2	27.9
	79°52'E	86.7	81.4	111.6	229.4	303.4	198.4	120.4	119.5	263.7	347.4	322.2	187.1	2371.2
ンガポール (5)	1°22'N	26.8	27.3	27.9	28.2	28.6	28.5	28.2	28.1	28.0	27.9	27.2	26.8	27.8
	103°59'E	221.0	104.9	151.1	164.0	164.3	136.5	144.9	148.8	133.4	166.5	254.2	333.1	2122.7
サンガニ (396)	0°31'N	24.9	25.0	25.2	25.1	24.9	24.4	23.7	23.7	24.2	24.5	24.5	24.5	24.6
	25°11'E	95.0	114.9	151.8	181.3	166.7	114.7	100.4	185.7	173.9	228.2	177.0	114.1	1803.7
帯雨林気候(Am)弱い乾季あり														
アンズ (3)	16°52'S	27.6	27.5	26.8	25.5	23.8	22.2	21.4	21.9	23.5	25.1	26.5	27.4	24.9
	145°44'E	393.6	496.4	372.4	178.9	74.6	41.2	35.3	26.9	30.5	66.2	90.3	195.4	2001.7
カ パ (15)	0°02'N	26.8	26.4	26.5	26.8	27.2	27.3	27.2	28.1	28.6	28.9	28.7	27.9	27.5
	51°03'W	274.8	362.6	357.3	376.8	325.9	248.3	205.2	102.2	25.7	18.2	46.9	167.7	2511.6
サバナ気候(Aw)														
ルカタ(ルカッタ) (6)	22°32'N	19.9	23.8	28.2	30.6	31.2	30.6	29.5	29.4	29.4	28.3	25.1	21.1	27.3
	88°20'E	11.9	23.8	37.6	55.5	129.4	279.1	387.8	369.9	319.2	177.1	34.8	6.0	1832.1
ーチミン (19)	10°49'N	25.8	26.8	28.0	29.2	28.9	27.7	27.5	27.4	27.2	26.9	26.3	25.8	27.3
	106°40'E	13.1	1.3	10.1	39.3	223.9	300.1	318.1	268.6	309.5	266.3	91.1	30.8	1872.2
ステップ気候(BS)														
ア メ (223)	13°29'N	24.6	27.8	31.8	34.7	34.5	32.2	29.5	28.1	29.6	31.3	29.0	25.6	29.9
	2°10'E	0.0	0.0	0.5	11.6	24.9	81.2	141.7	192.3	85.8	18.2	0.0	0.0	556.2
ホール (214)	31°33'N	13.3	16.8	21.9	28.0	32.5	33.4	31.6	31.0	29.9	26.3	20.3	15.1	25.0
	74°20'E	21.7	33.0	33.4	18.0	19.0	72.9	180.3	165.1	86.5	10.1	7.1	7.2	654.3
漠気候(BW)														
イ ロ (116)	30°06'N	14.1	14.8	17.3	21.6	24.5	27.4	28.0	28.2	26.6	24.0	19.2	15.1	21.7
	31°24'E	7.1	4.3	6.9	1.2	0.4	0.0	0.0	0.3	0.0	0.1	6.4	7.9	34.6
ヤ ド (635)	24°42'N	14.6	17.6	21.6	27.3	33.1	35.9	36.9	37.0	33.7	28.4	21.4	16.5	27.0
	46°44'E	15.1	8.1	24.2	36.1	6.5	0.0	0.1	0.4	0.0	0.9	15.1	20.8	127.3
中海性気候(Cs)														
ー マ (2)	41°48'N	8.4	9.0	10.9	13.2	17.2	21.0	23.9	24.0	21.1	16.9	12.1	9.4	15.6
	12°14'E	74.0	73.9	60.7	60.0	33.5	21.4	8.5	32.7	74.4	98.2	93.3	86.3	716.9
ープタウン (46)	33°58'S	21.6	21.7	20.2	17.7	15.3	13.1	12.5	12.9	14.4	16.8	18.5	20.6	17.1
	18°36'E	9.6	10.6	13.1	41.4	63.1	89.0	81.2	73.0	44.1	29.0	26.4	12.1	492.6
ー ス (20)	31°55'S	24.7	24.8	22.9	19.7	16.2	13.9	13.0	13.4	14.6	17.1	20.1	22.8	18.6
	115°58'E	15.2	16.6	17.6	30.0	79.8	124.7	137.1	120.6	77.7	33.3	28.9	9.3	690.8
暖冬季少雨気候(Cw)														
ンコン (64)	22°18'N	16.1	16.8	19.1	22.7	26.0	28.0	28.6	28.4	27.6	25.3	21.9	17.8	23.2
	114°10'E	32.7	37.0	68.9	138.5	284.8	453.7	382.0	456.1	320.6	116.6	39.2	29.2	2359.3
ンタオ(青島) (77)	36°04'N	0.2	2.1	6.3	11.6	17.1	20.8	24.7	25.6	22.3	16.7	9.5	2.7	13.3
	120°20'E	11.2	16.0	17.4	33.9	64.1	70.8	159.2	158.9	70.6	35.0	34.6	15.4	687.1
暖湿潤気候(Cfa)														
ューヨーク (7)	40°46'N	1.2	2.2	5.9	11.8	17.4	22.7	26.0	25.2	21.4	15.1	9.3	4.3	13.5
	73°54'W	82.7	74.1	102.1	97.4	91.3	102.8	107.3	111.9	97.8	97.0	79.8	104.6	1148.8
ューオーリンズ (1)	29°59'N	12.2	14.3	17.5	20.9	24.9	27.7	28.6	28.6	26.9	22.3	16.7	13.5	21.2
	90°15'W	131.6	103.9	111.1	131.6	142.5	193.5	168.9	179.8	132.4	93.8	98.4	104.0	1591.5
ノスアイレス (25)	34°35'S	24.9	23.8	22.1	18.2	15.0	12.2	11.2	13.3	14.8	17.8	20.8	23.4	18.1
	58°29'W	153.1	115.3	125.1	139.3	101.5	67.2	67.9	72.8	65.9	115.7	117.8	114.5	1256.1
岸海洋性気候(Cfb)														
ンドン (24)	51°28'N	5.7	6.0	8.0	10.5	13.7	16.8	19.0	18.7	15.9	12.3	8.5	6.1	11.8
	0°27'W	59.7	46.6	41.7	42.6	46.9	49.7	47.2	57.7	46.1	66.3	69.3	59.6	633.4
リ (89)	48°43'N	4.6	5.0	8.2	11.2	14.9	18.2	20.4	20.1	16.3	12.3	7.8	5.1	12.0
	2°23'E	44.8	43.4	44.0	41.4	62.2	58.4	53.1	62.3	42.2	54.2	54.6	62.2	622.8
寒帯(冷帯)湿潤気候(Df)														
スクワ (147)	55°50'N	-6.2	-5.9	-0.7	6.9	13.6	17.3	19.7	17.6	11.9	5.8	-0.5	-4.4	6.3
	37°37'E	53.2	44.0	39.0	36.6	61.2	77.4	83.8	78.3	66.1	70.1	51.9	51.4	713.0
ィニペグ (238)	49°55'N	-17.3	-12.2	-5.5	3.9	11.6	16.7	18.9	18.6	12.7	5.1	-5.0	-14.4	2.8
	97°14'W	15.9	14.6	23.6	36.4	66.8	79.0	96.9	78.5	44.0	47.6	27.0	16.8	547.1
帯(冷帯)冬季少雨気候(Dw)														
ルクーツク (467)	52°16'N	-17.6	-14.0	-5.5	3.6	10.4	16.4	19.0	16.5	9.5	2.0	-7.9	-15.3	1.4
	104°19'E	14.6	9.7	11.8	21.6	35.2	68.6	101.4	96.5	52.6	21.1	20.2	18.5	471.8
タ (671)	52°05'N	-24.5	-18.2	-8.1	2.2	10.2	17.2	19.5	16.6	9.2	-0.1	-12.5	-22.0	-0.9
	113°29'E	2.9	1.8	3.5	11.7	26.5	60.8	87.6	85.2	40.8	9.4	5.2	5.1	340.5
ンドラ気候(ET)														
ィクソン (42)	73°30'N	-24.0	-24.1	-20.6	-15.3	-7.0	1.1	5.8	6.0	2.5	-6.4	-16.4	-21.7	-10.0
	80°24'E	36.2	32.5	27.5	21.9	24.3	28.1	32.2	41.0	42.3	37.9	29.4	36.3	389.6
キアグヴィク(バロー) (11)	71°17'N	-24.2	-24.4	-23.5	-15.4	-5.1	2.3	5.5	4.4	1.0	-5.9	-14.6	-21.3	-10.1
	156°47'W	4.6	6.4	8.9	4.8	7.1	11.4	24.4	27.2	20.1	13.6	9.2	6.9	144.6
雪気候(EF)														
和基地 (29)	69°00'S	-0.8	-2.9	-6.8	-10.4	-13.5	-15.2	-17.6	-18.8	-18.3	-13.3	-6.3	-1.5	-10.5
	39°35'E	–	–	–	–	–	–	–	–	–	–	–	–	–
山気候(H)														
パ ス (4058)	16°31'S	9.0	9.0	8.8	8.1	6.5	5.3	4.9	5.8	7.3	8.6	9.5	9.4	7.7
	68°11'W	124.9	119.6	82.0	30.3	14.0	9.9	7.5	11.0	29.6	48.2	44.5	108.3	629.8

この表の気候区分は，各都市の気温，降水量をケッペンの気候区分のもととなっている計算式にあてはめて
ている。ただし，ケッペンの気候区分では高山気候を区分せず，ラパスはケッペンの気候区分では温暖冬
雨気候（Cw）に区分されている。

16 日本のおもな都市の月平均気温・月降水量

→日本の気候 p.124

上段：気温(℃) 下段：降水量(mm) 赤字：最高　青字：最低　資料 1991〜2020年の平均〔理科年表 2022〕

地域	都市(観測地点の高さ(m))と経緯度		1月	2月	3月	4月	5月	6月	7月	8月	9月	10月	11月	12月	全年
北海道	稚内 (3)	45°25'N	-4.3	-4.3	-0.6	4.5	9.1	13.0	17.2	19.5	17.2	11.3	3.8	-2.1	7.0
		141°41'E	84.6	60.6	55.1	50.3	68.1	65.8	100.9	123.1	136.7	129.7	121.4	112.9	1109.2
	旭川 (120)	43°45'N	-7.0	-6.0	-1.4	5.6	12.3	17.0	20.7	21.2	16.4	9.4	2.3	-4.2	7.2
		142°22'E	66.9	54.7	55.0	48.5	66.6	71.4	129.5	152.9	136.3	105.8	114.5	102.4	1104.4
	札幌 (17)	43°04'N	-3.2	-2.7	1.1	7.3	13.0	17.0	21.1	22.3	18.6	12.1	5.2	-0.9	9.2
		141°20'E	108.4	91.9	77.6	54.6	55.5	60.4	90.7	126.8	142.2	109.9	113.8	114.5	1146.1
	釧路 (5)	42°59'N	-4.8	-4.3	-0.4	4.0	8.6	12.2	16.1	18.2	16.5	11.0	4.7	-1.9	6.7
		144°23'E	40.4	24.8	55.9	79.4	115.7	114.2	120.3	142.3	153.0	112.7	64.7	56.6	1080.1
	函館 (35)	41°49'N	-2.4	-1.8	1.9	7.3	12.3	16.2	20.3	22.1	18.8	12.5	6.0	-0.1	9.4
		140°45'E	77.4	64.5	64.1	71.9	88.9	79.8	123.6	156.5	150.5	105.6	110.8	94.6	1188.0
日本海側	青森 (3)	40°49'N	-0.9	-0.4	2.8	8.5	13.7	17.6	21.8	23.5	19.9	13.5	7.2	1.4	10.7
		140°46'E	139.9	99.0	75.2	68.7	76.7	75.0	129.5	142.0	133.0	119.2	137.4	155.2	1350.7
	秋田 (6)	39°43'N	0.4	0.8	4.0	9.6	15.2	19.6	23.4	25.0	21.0	14.5	8.3	2.8	12.1
		140°06'E	118.9	98.5	99.5	109.9	125.0	122.9	197.0	184.6	161.0	175.5	189.1	159.8	1741.6
	新潟 (4)	37°54'N	2.5	3.1	6.2	11.3	16.7	20.9	24.9	26.5	22.5	16.7	10.5	5.3	13.9
		139°01'E	180.9	115.8	112.0	97.2	94.4	121.1	222.3	163.4	151.9	157.7	203.5	225.9	1845.9
	上越(高田) (13)	37°06'N	2.5	2.7	5.8	11.7	17.0	20.9	25.0	26.4	22.3	16.4	10.5	5.3	13.9
		138°15'E	429.6	263.3	194.7	105.3	87.0	136.5	206.8	184.5	205.8	213.9	334.2	475.5	2837.1
	富山 (9)	36°43'N	3.0	3.4	6.9	12.3	17.5	21.4	25.5	26.9	22.8	17.0	11.2	5.7	14.5
		137°12'E	259.0	171.7	164.6	134.5	122.8	172.6	245.6	207.0	218.1	171.9	224.8	281.6	2374.2
	金沢 (6)	36°35'N	4.0	4.2	7.3	12.6	17.7	21.6	25.8	27.3	23.2	17.6	11.9	6.8	15.0
		136°38'E	256.0	162.6	157.2	143.9	138.0	170.3	233.4	179.3	231.9	177.1	250.8	301.1	2401.5
	鳥取 (7)	35°29'N	4.2	4.7	7.9	13.2	18.1	22.0	26.2	27.3	22.9	17.2	11.9	6.8	15.2
		134°14'E	201.2	154.0	144.3	102.2	123.0	146.0	188.6	128.6	225.4	153.6	145.9	218.4	1931.3
	松江 (17)	35°27'N	4.6	5.0	8.0	13.1	18.0	21.7	25.8	27.1	22.9	17.4	12.0	7.0	15.2
		133°04'E	153.3	118.4	134.0	113.0	130.3	173.0	234.1	129.6	204.1	126.1	121.6	154.5	1791.9
太平洋側	前橋 (112)	36°24'N	3.7	4.5	7.9	13.4	18.6	22.1	25.8	26.8	22.9	17.1	11.2	6.1	15.0
		139°04'E	29.7	26.5	58.3	74.8	99.4	147.8	202.1	195.6	204.3	142.2	43.0	23.8	1247.4
	東京 (25)	35°42'N	5.4	6.1	9.4	14.3	18.8	21.9	25.7	26.9	23.3	18.0	12.5	7.7	15.8
		139°45'E	59.7	56.5	116.0	133.7	139.7	167.8	156.2	154.7	224.9	234.8	96.3	57.9	1598.2
	名古屋 (51)	35°10'N	4.8	5.5	9.2	14.6	19.4	23.0	26.9	28.2	24.5	18.6	12.6	7.2	16.2
		136°58'E	50.8	64.7	116.2	127.5	150.3	186.5	211.4	139.5	231.6	164.7	79.1	56.6	1578.9
	京都 (41)	35°01'N	4.8	5.4	8.8	14.4	19.5	23.3	27.3	28.5	24.4	18.4	12.5	7.2	16.2
		135°44'E	53.3	65.1	106.2	117.0	151.4	199.7	223.6	153.8	178.5	143.2	73.9	57.3	1522.9
	福岡 (3)	33°35'N	6.9	7.8	10.8	15.4	19.9	23.3	27.4	28.4	24.7	19.6	14.2	9.1	17.3
		130°23'E	74.4	69.8	103.7	118.2	133.7	249.6	299.1	210.0	175.1	94.5	91.4	67.5	1686.9
	熊本 (38)	32°49'N	6.0	7.4	10.9	15.8	20.5	23.7	27.5	28.4	25.2	19.6	13.5	8.0	17.2
		130°42'E	57.2	83.2	124.8	144.9	160.9	448.5	386.8	195.4	172.6	87.1	84.4	61.2	2007.0
	やませの影響を受ける														
	宮古 (43)	39°39'N	0.5	0.8	3.9	8.9	13.5	16.5	20.3	22.1	19.1	13.6	8.1	2.9	10.8
		141°58'E	63.4	54.7	87.5	91.9	98.1	123.4	157.5	177.9	216.4	166.1	62.8	67.6	1370.9
	仙台 (39)	38°16'N	2.0	2.4	5.5	10.7	15.6	19.2	22.9	24.4	21.2	15.7	9.8	4.5	12.8
		140°54'E	42.3	33.9	74.4	90.2	110.2	143.7	178.4	157.8	192.6	150.6	58.7	44.1	1276.7
	冬温暖で，夏は雨が多い														
	八丈島 (151)	33°07'N	10.1	10.4	12.5	15.8	18.8	21.3	25.2	26.5	24.5	21.0	16.9	12.7	18.0
		139°47'E	201.7	205.5	296.5	215.2	256.7	390.3	254.1	169.5	360.5	479.1	277.4	200.2	3306.6
	浜松 (46)	34°45'N	6.3	6.8	10.3	15.0	19.3	22.6	26.3	27.8	24.9	19.6	14.2	8.8	16.8
		137°43'E	59.2	76.8	147.1	179.2	191.9	224.5	209.3	126.8	246.1	207.1	112.6	62.7	1843.2
	尾鷲 (15)	34°04'N	6.5	7.2	10.3	14.7	18.7	21.9	25.8	26.8	23.8	18.8	13.7	8.8	16.4
		136°12'E	106.0	118.8	233.8	295.4	360.5	436.6	405.2	427.3	745.7	507.6	211.5	121.3	3969.6
	室戸 (185)	33°15'N	7.7	8.2	11.0	15.2	18.8	21.5	25.0	26.3	24.0	19.8	15.1	10.2	16.9
		134°11'E	89.5	113.8	177.4	203.2	240.6	330.8	267.9	210.2	322.3	251.8	164.3	93.3	2465.0
	高知 (1)	33°34'N	6.7	7.8	11.2	15.8	20.0	23.1	27.0	27.9	25.0	19.9	14.2	8.8	17.3
		133°33'E	59.1	107.8	174.8	225.3	280.4	359.5	357.3	284.1	398.1	207.5	129.6	83.1	2666.4
	宮崎 (9)	31°56'N	7.8	8.9	12.1	16.4	20.3	23.2	27.3	27.6	24.7	20.0	14.7	9.7	17.7
		131°25'E	72.7	95.8	155.7	194.5	227.6	516.3	339.3	275.5	370.9	196.7	105.7	74.9	2625.5
	鹿児島 (4)	31°33'N	8.7	9.9	12.8	17.1	21.0	24.0	28.1	28.8	26.3	21.6	16.2	10.9	18.8
		130°33'E	78.3	112.7	161.0	194.9	205.2	570.0	365.1	224.3	222.9	104.6	102.5	93.2	2434.7
太平洋側(内陸)	冬寒く，夏涼しい														
	長野 (418)	36°40'N	-0.4	0.4	4.3	10.6	16.4	20.4	24.3	25.4	21.0	14.4	7.9	2.3	12.3
		138°12'E	54.6	49.1	60.1	56.9	69.3	106.1	137.7	111.8	125.5	100.3	44.4	49.4	965.1
	松本 (610)	36°15'N	-0.3	0.6	4.6	10.8	16.5	20.2	24.2	25.1	20.4	13.9	7.8	2.5	12.2
		137°58'E	39.8	38.5	78.0	81.1	94.5	114.9	131.3	101.6	148.0	128.3	56.3	32.7	1045.1
	飯田 (516)	35°31'N	1.0	2.3	6.1	11.8	16.9	20.6	24.4	25.4	21.5	15.0	8.6	3.4	13.1
		137°49'E	63.4	78.7	139.1	141.0	153.8	192.0	240.1	149.4	208.6	163.3	93.4	65.4	1688.1
	年降水量が比較的少ない														
	大阪 (23)	34°41'N	6.2	6.6	9.9	15.2	20.1	23.6	27.7	29.0	25.2	19.5	13.8	8.7	17.1
		135°31'E	47.0	60.5	103.1	101.9	136.5	185.1	174.4	113.0	152.8	136.0	72.5	55.5	1338.3
	岡山 (5)	34°41'N	4.6	5.2	8.7	14.1	19.1	22.7	27.0	28.1	23.9	18.0	11.6	6.6	15.8
		133°56'E	36.2	45.4	82.5	90.0	112.6	169.3	177.4	97.2	142.2	95.4	53.3	41.5	1143.1
	広島 (4)	34°24'N	5.4	6.2	9.5	14.8	19.6	23.2	27.2	28.5	24.7	18.8	12.9	7.5	16.5
		132°28'E	46.2	64.0	118.3	141.0	169.8	226.5	279.8	131.4	162.7	109.2	69.3	54.0	1572.2
	高松 (9)	34°19'N	5.9	6.3	9.4	14.7	19.8	23.3	27.5	28.6	24.7	19.0	13.2	8.1	16.7
		134°03'E	39.4	45.8	81.4	74.6	100.9	153.1	159.8	106.0	167.4	120.1	55.0	46.7	1150.1
南西諸島	奄美(名瀬) (3)	28°23'N	15.0	15.3	17.1	19.8	22.8	26.2	28.8	28.5	27.0	23.9	20.4	16.7	21.8
		129°30'E	184.1	161.6	210.1	213.9	278.1	427.4	214.9	294.4	346.0	261.3	173.6	170.4	2935.7
	那覇 (28)	26°12'N	17.3	17.5	19.1	21.5	24.2	27.2	29.1	29.0	27.9	25.5	22.5	19.0	23.3
		127°41'E	101.6	114.5	142.8	161.0	245.3	284.4	188.1	240.0	275.2	179.2	119.1	110.0	2161.0

統計

① 地球儀を切り開いたイメージ

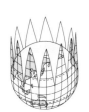

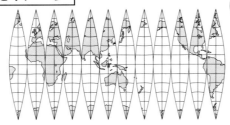

キーワード 地図投影法

球面である地球を平面である地図に変換する方法が、地図投影法である。平面化した時に、中心からの距離と方位のように正確性を両立できる場合もあるが、正角、正積、正距、正方位のすべてを同時に一枚の地図上に表すことはできない。そのため多様な地図が求められ、目的に応じたさまざまな図法が発達した。図法は、投影方法によって円筒図法、円錐図法、方位図法などに分類される。角度が正しい、面積が正しい、距離が正しい、方位が正しい、形のひずみが小さいなど各図法の特徴を把握し、用途により使い分けることが重要である。

② さまざまな地図投影法

各図法中の〇は、半径1000kmの範囲を示す。

円筒図法

[a] メルカトル図法（正角円筒図法）

大圏航路　〇 等角航路

[b] ミラー図法

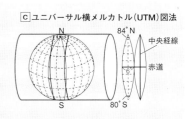

[c] ユニバーサル横メルカトル（UTM）図法

N　84°N　中央経線　赤道　S　80°S

擬円筒図法 円筒図法の緯線の性質を生かし、経線を両極で内側に曲げて高緯度地域のひずみを小さくした図法。

[a] サンソン図法

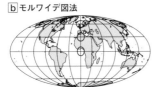

[b] モルワイデ図法

[c] ホモロサイン（グード）図法

M：モルワイデ図法　S：サンソン図法

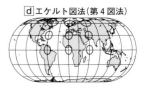

[d] エケルト図法（第4図法）

円錐図法

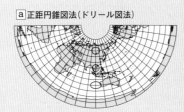

[a] 正距円錐図法（ドリール図法）

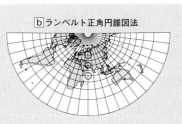

[b] ランベルト正角円錐図法

その他の図法

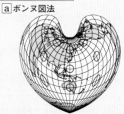

[a] ボンヌ図法

方位図法（平面図法）

視点による分類

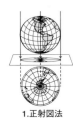

1.正射図法

2.平射図法

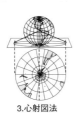

3.心射図法

[a] ランベルト正積方位図法

[b] 正距方位図法

大圏航路　等角航路

[b] ヴィンケル図法（第3図法）

③ 地図投影法の説明

注）▲正角図法　●正積図法　■正距図法　→p.（各図法が図中で使用されているおもなページ）

	図法名	特色	おもな用途
円筒図法	▲[a] メルカトル図法	円筒図法で、経線が縦の平行直線になりすべて上が北極方向を指す。緯線も直線で、高緯度ほど実際より長さが拡大されるので、これと同じ比で経線の長さも拡大して等角航路が直線になるようにした。これにより正確な外洋航海ができるようになった。	海図
	[b] ミラー図法	高緯度の緯線間隔をメルカトル図法よりも狭くすることで、高緯度の面積のひずみをより小さくしている。→p.1〜3	世界全図
	▲[c] ユニバーサル横メルカトル（UTM）図法	円筒を経線に沿って横からかぶせたメルカトル図法（横メルカトル図法）で、経線間隔6°ごとに投影する。経度差6°未満の範囲では、各図葉が平面上で切れ目なく接合でき、ひずみも小さいので、大縮尺の地形図などに利用される。	地形図
擬円筒図法	●[a] サンソン図法	正積性を保つために、地球儀上の経線間隔に合わせて、経線を中央に寄せた図法。経線は、中央経線以外正弦曲線（サインカーブ）になる。中央経線と赤道に沿った部分の形のひずみは小さいが、高緯度の外周部ではひずみが非常に大きくなる。	世界全図
	●[b] モルワイデ図法	経線に楕円を用いてふっくらとさせることで、サンソン図法よりも外縁部のひずみを小さくした図法。高緯度で幅が広がった分、緯線間隔を高緯度ほど狭くすることで正積性を保っている。中央経線と各緯線が直線であることは、サンソン図法と同様。	世界全図
	●[c] ホモロサイン（グード）図法	モルワイデ図法の高緯度部分のひずみが小さい長所を生かし、サンソン図法の低緯度部分と緯線の長さが同じになる緯度40°44′で接合した正積図。さらに、適当な経線に沿って海洋を断裂させて、大陸の形のひずみを小さくしている。	世界全図
	[d] エケルト図法（第4図法）	中・高緯度のひずみを小さくするために、極を赤道の1/2の長さの直線にする。第4図法では、最外周の経線を円弧にしてふくらみをもたせ、正積にするために緯線間隔を高緯度になるほど狭くしてある。その分、低緯度部分は南北に伸びる。	世界全図
円錐図法	■[a] 正距円錐図法（ドリール図法）	経線は放射状直線、緯線は同心円状の円弧、経線沿いの距離が正しい。中緯度地域のひずみが小さい。→p.11〜12, p.37〜38, p.63〜64	中緯度地方図
	▲[b] ランベルト正角円錐図法	経線は放射状直線、緯線は同心円状の円弧、正角性のために緯線間隔を調整。全体のひずみが小さい。→p.25〜26	中緯度地方図
方位図法	●[a] ランベルト正積方位図法	中心から外側方向への距離を調整して、正積性をもたせた図法。外縁部のひずみが大きい。→p.9〜10, p.61〜62	大陸図
	■[b] 正距方位図法	地図の中心点を平面にあて、全球図の場合は対蹠点から中心に向かって切り開き、広げて貼り付け、円形にして描いた図法。これにより中心から他の1点への方位と距離が正しくなる。全球図は外周部が対蹠点となる。→p.7〜8, p.145	大陸図
	▲ 平射（ステレオ）図法	視点に光源を置き平面に投影した図法（投射図法）のうち、視点を投影面と地球との接点の対蹠点においた図法。	極地方図
その他の図法	●[a] ボンヌ図法	緯線は同心円、経線は曲線で、緯線間・経線間の間隔が正しく正積な図法。中央部分のひずみが小さい。	中緯度地方図
	[b] ヴィンケル図法（第3図法）	正距円錐図法とエイトフ図法という2つの図法を投影する数式の平均をとって描画した図法。赤道と極は直線となり他の緯線は曲線となる。正角・正積などの正性質はないが、総合的なひずみが小さいため、世界全図に用いられる。→p.131〜132①, p.133〜134①, p.141〜142①, p.143〜144①	世界全図

1 地球の歴史

〔著者原図〕

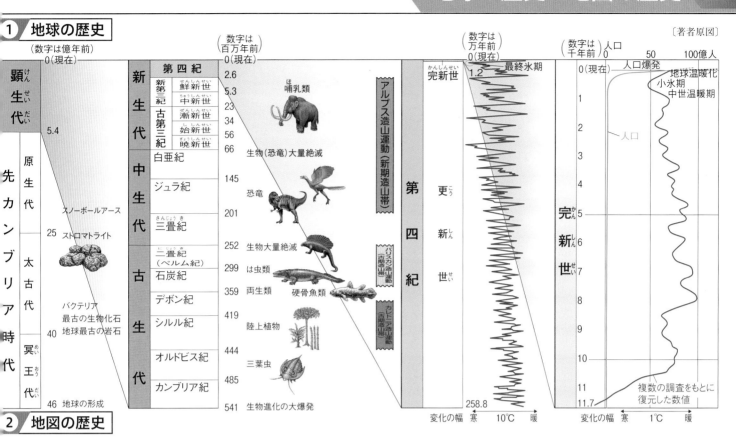

（数字は億年前）
0（現在）

顕生代	新生代	第四紀		2.6
		新第三紀	鮮新世	5.3
			中新世	23
		古第三紀	漸新世	34
			始新世	56
			暁新世	66

5.4

（数字は百万年前）
0（現在）

中生代
- 白亜紀　145
- ジュラ紀　201
- 三畳紀（さんじょうき）　252
- 二畳紀（ペルム紀）（にじょうき）　299

古生代
- 石炭紀　359
- デボン紀　419
- シルル紀　444
- オルドビス紀　485
- カンブリア紀　541

先カンブリア時代
- 原生代
  - スノーボールアース
  - ストロマトライト　25
- 太古代
  - バクテリア
  - 最古の生物化石　40
  - 地球最古の岩石
- 冥王代（めいおうだい）　46　地球の形成

哺乳類（は乳類）

生物（恐竜）大量絶滅

恐竜

生物大量絶滅

は虫類

両生類　硬骨魚類

陸上植物

三葉虫

生物進化の大爆発

アルプス造山運動（新期造山帯）

バリスカン造山運動（古期造山帯）

カレドニア造山運動（古期造山帯）

第四紀

完新世（かんしんせい）　1.2

更新世（こうしんせい）

258.8

変化の幅　寒　10℃　暖

（数字は万年前）
0（現在）　最終氷期

（数字は千年前）　人口
0（現在）　0　50　100億人

人口爆発　地球温暖化
小氷期
中世温暖期

人口

完新世（かんしんせい）

0（現在）
1
2
3
4
5
6
7
8
9
10
11
11.7

複数の調査をもとに復元した数値

変化の幅　寒　1℃　暖

2 地図の歴史

A 古代バビロニアの世界（前8〜前7世紀ごろ）

バビロニアの世界図
1 海　2 山
3 バビロン　4 小都市
5 ユーフラテス川
6 湿地帯
7 ペルシア湾

粘土板に描かれた最古の世界図。世界はバビロンを中心に広がる円盤状のもので、その外側には海が広がっていると考えられていた。

B 古代ギリシャ・ローマの世界（2世紀ごろ）

プトレマイオスの世界地図　注）15世紀作

古代ギリシャ時代に人々の地理的知識は大きく広がった。また、地球球体説が唱えられ、その大きさが測定された。上図は、プトレマイオスの著書をもとに15世紀に再構成されたもの。

C 古代の日本図（8世紀ごろ〜）

行基図　注）16〜17世紀作

奈良時代の僧、行基がつくったとされる地図。行基図は位置関係がよくわかるので、江戸時代まで使われていた。

D 中世ヨーロッパの世界（13世紀）

TOマップ

1 エルサレム
2 アフリカ
3 ヨーロッパ
4 インド

中世になると、キリスト教的世界観により地理的知識は後退した。かれらは、世界はエルサレムを中心とした丸く平らな陸地であると考えた。

E 近世ヨーロッパの世界（16世紀）

メルカトルの世界地図　注）下図は、メルカトルの地図の輪郭を利用して作られたクワッドの地図

北アメリカ　ヨーロッパ　アジア
大西洋　アフリカ　日本
太平洋　南アメリカ

大航海時代にヨーロッパ人の地理的知識は著しく拡大した。アメリカ大陸が「発見」され、アジアやアフリカの知識も正確になった。だが、オーストラリアはまだ確認されず、架空の南方大陸が描かれている。

F 江戸時代の日本図（19世紀）

伊能図「大日本沿海輿地全図 関東」（えんかいよち）（部分）

日本で初めてとなる、測量に基づいてつくられた地図。伊能忠敬らが1800年から1816年にかけて徒歩で日本各地の海岸の測量を行い、1821年に完成した。

G 5万分の1地形図（20世紀）

陸地測量部の五万分一地形図

明治から大正にかけて陸軍の陸地測量部によって、同一縮尺・精度・規格の地図としてはじめて日本全国を整備した地図。ヨーロッパから輸入した測量器具などを用い、ドイツ式の一色刷りで作成された。

H 2万5千分の1地形図（20世紀〜）

国土地理院の地形図

千代田区

地形図は、空中写真などを用いてデジタル上で作成されるようになった。また、2003年よりインターネット上で自由に閲覧できる電子国土Web（2013年より地理院地図に名称が変更）も整備された。地理院地図上では、写真や、起伏図などいくつかの図を重ね合わせて確認できる。

I 位置情報などを備えたデジタル地図（21世紀）

ナビゲーションシステム

人工衛星の電波を受信して現在位置を認識する全地球測位システム（GPSなど）により、自分の位置を地図上で確認できるようになった。また、FMラジオ経由の電波やインターネット等から得た情報により、現在地や目的地周辺のようすを地図上で確認できる。

資料図

さくいんの引き方

経線間の位置を示す

ページを示す

緯線間の位置を示す

例　ロンドン‥‥‥‥‥**37**① E5S

E・5のワク内における位置を示す
(N→北側，S→南側)
(無印→中央部付近)

地名を示す　図番号を示す
(五十音順に配列)　(地図ページの①の場合は省略。ここでは仮に付記。)

※記号で地点を表した都市や山などの地名の
　さくいんは，その記号のある場所を示している。

※山脈・高原・半島・海洋・湖沼などの自然地域名や国名などの
　さくいんは，その地名の文字がある場所を示している。

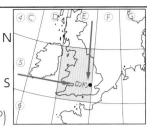

N
S
ロンドン

赤文字	国　名
赤文字	首都名
♯	油　田
×	鉱　山
■	炭　田
∴	史跡・古戦場跡・名勝
🏛	世界遺産

【ア】

アイオワ‥‥‥‥‥‥63 H3
アイザワル‥‥‥‥‥26 H4N
アイスランド‥‥‥‥54 ③B1S
アイセル湖‥‥‥‥‥41 D2N
アイゼンヒュッテンシュタット 42 G2N
アイダホ‥‥‥‥‥‥63 C-D3N
アイビッサ島‥‥‥‥47 D3N
アイリッシュ海‥‥‥53 D4N
アイルランド‥‥‥‥37 C-D5N
アイルランド島‥‥‥37 C-D5N
アイントホーフェン‥41 D2
アヴィニョン‥‥‥‥41 D5N
アウクスブルク‥‥‥42 F3
アウシュヴィッツ→オシフィエンチム
‥‥‥‥‥‥‥‥‥42 I2S
青ナイル川‥‥‥‥‥34 I6S
アオラキ山‥‥‥‥‥80 M8S
アカデムゴロドク‥‥57 K4
アカバ‥‥‥‥‥‥‥29 B-C4N
アカプルコ‥‥‥‥‥62 I-J8N
アガルタラ‥‥‥‥‥26 H4N
アーカンザスシティ‥63 G4
アーカンソー‥‥‥‥63 G4
アキテーヌ盆地‥‥‥41 B-C4S
アクー[阿克蘇]‥‥‥11 C3S
アクソンボダム‥‥‥34 E-F7
アコルーニャ‥‥‥‥47 D7
アコンカグア山‥‥‥74 B-C6N
アザデガン♯‥‥‥‥27 E3
アサバスカ川‥‥‥‥61 H4
アサンソル‥‥‥‥‥26 G4N
アシガバット‥‥‥‥57 H6N
アジャンター🏛‥‥‥26 E4S
アシュート‥‥‥‥‥33 I5
アシュート‥‥‥‥‥57 J4S
アストラハニ‥‥‥‥57 G5N
アスマラ‥‥‥‥‥‥33 I6
アスワン‥‥‥‥‥‥33 I5
アスワンハイダム‥‥33 I5
アスンシオン‥‥‥‥73 D5
アゼルバイジャン共和国‥27 D2S
アゼルバイジャン共和国‥27 D2S
アセンション島‥‥‥60 I6
アゾフ海‥‥‥‥‥‥38 M6S
アゾレス諸島‥‥‥‥60 H4N
アタカマ砂漠‥‥‥‥73 C5
アダナ‥‥‥‥‥‥‥38 M8
アチェ‥‥‥‥‥‥‥24 B5-6
アッサム‥‥‥‥‥‥26 H3
アッツ島‥‥‥‥‥‥78 I2N
アディスアベバ‥‥‥34 I7N
アテネ‥‥‥‥‥‥‥48 H3
アデレード‥‥‥‥‥79 F6-7
アデン‥‥‥‥‥‥‥27 D5N
アドゥイゲ共和国‥‥56 G5N
アトラス山脈‥‥‥‥33 E-F4
アトランタ‥‥‥‥‥64 J5S
アドリア海‥‥‥‥‥38 H-I7
アナトリア高原‥‥‥38 L8N
アナポリス‥‥‥‥‥64 K4N
アナンバス諸島‥‥‥24 D6N
アネト山‥‥‥‥‥‥41 C5
アーネムランド半島‥79 E-F2S
アハガル高原‥‥‥‥33 F5
アバダン‥‥‥‥‥‥27 D3S
アバディーン‥‥‥‥37 E4
アパラチア山脈‥‥‥61-62 K-L5-6
アバルア‥‥‥‥‥‥78 K6N
アピア‥‥‥‥‥‥‥78 J5
アビジャン‥‥‥‥‥34 E7
アフガニスタン・イスラム共和国
‥‥‥‥‥‥‥‥‥28 F3
アブジャ‥‥‥‥‥‥34 F7N
アブシンベル神殿🏛‥27 C4S
アブダビ‥‥‥‥‥‥27 E4
アブハジア自治共和国 38 M-N7
アフワーズ‥‥‥‥‥27 D3S
アーヘン‥‥‥‥‥‥41 E2S
アマゾナス‥‥‥‥‥73 C3
アマゾン川‥‥‥‥‥73 E2S
アマゾン盆地‥‥‥‥73 C3
アマパ‥‥‥‥‥‥‥73 D2S
アマリロ‥‥‥‥‥‥63 F4S
アミアン‥‥‥‥‥‥41 C3N
アムステルダム‥‥‥37 F-G5
アムダリヤ川‥‥‥‥57 I5S
アムリットサル‥‥‥28 G3S
アムール川‥‥‥‥‥59 C2S
アーメダーバード‥‥25 D4
アメリカ合衆国‥‥‥62 I-K6
アメリカ高地‥‥‥‥82 ②L2
アモイ[厦門]‥‥‥‥12 J7N
アユタヤ‥‥‥‥‥‥23 C4N
アラカジュ‥‥‥‥‥73 F4N
アラカン山脈‥‥‥‥23 A2-3
アラスカ‥‥‥‥‥‥61 D3
アラスカ山脈‥‥‥‥61 C-D4
アラスカ半島‥‥‥‥26 F3S
アラバード‥‥‥‥‥26 F3S
アラバマ‥‥‥‥‥‥64 I5N
アラビア海‥‥‥‥‥48 I-V2
アラビア半島‥‥‥‥27 D-E5N
アラブ首長国連邦‥‥27 E4
アラフラ海‥‥‥‥‥79 F1S
アラル海‥‥‥‥‥‥57 H5S
アリーカ‥‥‥‥‥‥73 B4S
アーリー山[阿里]‥‥12 ③A3
アリススプリングス‥79 E4S
アリゾナ‥‥‥‥‥‥63 D5N
アリューシャン列島‥78 I-J2N
アーリントン‥‥‥‥68 F3N
アルグン川‥‥‥‥‥58 N-O4S
アルゼニー台地‥‥‥68 F2S
アルゴス‥‥‥‥‥‥52 J6N
アルザス‥‥‥‥‥‥41 E3

アルジェ‥‥‥‥‥‥33 F4
アルジェリア民主人民共和国
‥‥‥‥‥‥‥‥‥33 E-F4-5
アルゼンチン共和国‥74 C7
アルタ‥‥‥‥‥‥‥54 ②E2N
アルタイ共和国‥‥‥57 K4S
アルタイ山脈‥‥‥‥11 D-E2-3
アルダブラ諸島‥‥‥34 J8S
アルタミラ洞窟🏛‥‥47 C2
アルティプラノ‥‥‥73 C4S
アルナーチャル・プラデシュ 26 H-I3N
アルバカーキ‥‥‥‥63 E4-5
アルバ‥‥‥‥‥‥‥72 J-K6
アルバータ‥‥‥‥‥61 H4N
アルバート湖‥‥‥‥34 H-I7S
アルバニア共和国‥‥57 G3S
アルハンゲリスク‥‥57 G4N
アルプス山脈‥‥‥‥41-42 E-F4
アルフェルド→ハンガリー平原 42 I4N
アルベールヴィル‥‥41 E4
アルベルト運河‥‥‥41 D2
アルマティ‥‥‥‥‥57 J5
アルメニア共和国‥‥27 D2S
アルル‥‥‥‥‥‥‥41 D5N
アルンヘム‥‥‥‥‥41 D2
アルキパ‥‥‥‥‥‥73 B4
アレクサンダー島‥‥82 ②G2N
アレクサンドリア[エジプト] 33 H-I4S
アレクサンドリア[アメリカ]・63 H5S
アレッポ→ハラブ‥‥27 C3
アレンタウン‥‥‥‥68 F2S
アロフィ‥‥‥‥‥‥78 J5S
アンガウル島‥‥‥‥22 K7
アンカラ‥‥‥‥‥‥48 J3N
アンガラ川‥‥‥‥‥58 L4N
アンガルスク‥‥‥‥58 M4S
アンカレジ‥‥‥‥‥61 D-E3S
アンギラ島‥‥‥‥‥72 L5N
アンゴラ共和国‥‥‥34 G-H9
アンシャン[鞍山]‥‥15 C2S
アンジェ‥‥‥‥‥‥41 B3S
アンシャン[安山]‥‥20 D4
アンコール=ワット🏛‥21 E6
アンザン[鞍山]‥‥‥15 C2S
アンタナナリボ‥‥‥34 J9S
アンダマン諸島‥‥‥26 H6
アンダルシア‥‥‥‥47 B-C3
アンタルヤ‥‥‥‥‥38 L8
アンティオキア∴‥‥27 C3
アンティグア島‥‥‥72 L5
アンティグア・バーブーダ 72 L-M5
アンティポディーズ諸島‥78 I-J7
アンデス山脈‥‥‥‥73-74 B-C2-5
アントウェルペン‥‥41 D2
アンドラ公国‥‥‥‥73 B5S
アンドラ・ラベリャ‥47 D2
アンドラ・プラデシュ 26 E-F6N
アンドロス島‥‥‥‥48 H-I3
アンドン[安東]‥‥‥20 E4
アンナプルナ山‥‥‥26 F3N
アンナン[安東]‥‥‥23 C-D3
アンヘル滝‥‥‥‥‥72 L7S
アンホイ[安徽省]‥‥12 J5S
アンボン‥‥‥‥‥‥22 J9S
アンマン‥‥‥‥‥‥27 C3S

【イ】

イエーテボリ‥‥‥‥38 H4
イエナ‥‥‥‥‥‥‥42 F2S
イエメン共和国‥‥‥27 D5
イエリヴァレ‥‥‥‥38 J2
イェジョ‥‥‥‥‥‥31 B3N
イエローストーン国立公園 63 D3N
イエローナイフ‥‥‥61 H3S
イエンアン[延安]‥‥11 H4N
イエンタイ[煙台]‥‥12 K4
イエンチー[延吉]‥‥12 L3
イオニア諸島‥‥‥‥48 G3
イキーケ‥‥‥‥‥‥73 B5N
イキトス‥‥‥‥‥‥73 B3
イギリス→グレートブリテン及び北ア
　イルランド連合王国‥53 C-E3S
イギリス海峡‥‥‥‥37 D-E5-6
イグアス滝‥‥‥‥‥75 D4
イサベラ島‥‥‥‥‥62 J10N
イジェフスク‥‥‥‥57 H4N
イシク湖‥‥‥‥‥‥28 G2S
イジョンブ[議政府]‥19 D4N
伊豆・小笠原海溝‥‥77 H3
イースター島→ラパヌイ島 78 M6
イスタンブール‥‥‥48 I2S
イスパニョーラ島‥‥62 L-M7S
イスファハーン‥‥‥30 F3
イスマイリーヤ‥‥‥29 B3S
イズミル‥‥‥‥‥‥48 I2S
イズミル‥‥‥‥‥‥38 K8
イスラエル国‥‥‥‥27 C3S
イスラマバード‥‥‥25 D2N
イタイプダム‥‥‥‥73 D5
イタビラ×‥‥‥‥‥73 E4S
イタリア共和国‥‥‥47-48 F-G3N
イタリア半島‥‥‥‥48 F-G2
イチェル→メルシン‥38 L8
イッソス∴‥‥‥‥‥27 C3
イナリ湖‥‥‥‥‥‥54 ②F2N
イニャンバネ‥‥‥‥34 I10
イーニン[伊寧]‥‥‥11 C3N
イバダン‥‥‥‥‥‥34 F7N
イーピン[宜賓]‥‥‥11 G6N
イプスウィッチ‥‥‥53 G4S
イベリア半島‥‥‥‥24 C6N
イポー‥‥‥‥‥‥‥24 C6N
イムジン川[臨津江]‥19 D4N
イヤンブ山‥‥‥‥‥73 C4

イラク共和国‥‥‥‥27 D3S
イラクリオン‥‥‥‥48 I3N
イラン・イスラム共和国‥27 E3
イラン高原‥‥‥‥‥27 E3S
イラン山脈‥‥‥‥‥24 F6
イリ川‥‥‥‥‥‥‥28 G2
イリノイ‥‥‥‥‥‥64 H-I3S
イルクーツク‥‥‥‥58 M4S
イロイロ‥‥‥‥‥‥22 I6S
インヴァーカーギル‥80 L9
インヴァーネス‥‥‥53 D2N
イングシェチア‥‥‥38 N-O7
イングランド‥‥‥‥53 F-G4S
インコウ[営口]‥‥‥12 K3S
インゴルシュタット‥42 F3
インシャン山脈[陰山]‥11-12 H-I3S
インスブルック‥‥‥42 F3S
インダス川‥‥‥‥‥25 C4N
インダス平原‥‥‥‥25 C3-4
インターラーケン‥‥41 E4N
インチョウン[銀川]‥11 H4N
インチョン[仁川]‥‥12 L4
インディアナ‥‥‥‥64 I-J3S
インディアナポリス‥64 I4N
インド‥‥‥‥‥‥‥25-26 D-E4N
インドシナ半島‥‥‥23 B-C3S
インドネシア共和国‥24 D-E7S
インド半島‥‥‥‥‥26 E-F4S
インド洋‥‥‥‥‥‥9 F-G6
インドール‥‥‥‥‥26 E4
インパール‥‥‥‥‥26 H4N
インピリアルヴァレー‥63 C5

【ウ】

ヴァイマール‥‥‥‥42 F2
ヴァージニア‥‥‥‥64 K4
ヴァージン諸島‥‥‥72 L5N
ヴァヌアレヴ島‥‥‥78 J5S
ヴァラナシ‥‥‥‥‥26 F3S
ヴァーモント‥‥‥‥68 G2N
ヴァルディーズ‥‥‥61 E3S
ヴァルナ‥‥‥‥‥‥55 E5
ヴァレーゼ‥‥‥‥‥42 E4
ヴァンクーヴァー‥‥61 G5N
ヴァンクーヴァー島‥61 F-G5N
ヴァンディーメン湾‥79 E2
ヴィクトリア[カナダ]‥61 G5N
ヴィクトリア[オーストラリア]
‥‥‥‥‥‥‥79-80 G-H7
ヴィクトリア湖‥‥‥34 I8N
ヴィクトリア滝‥‥‥34 H9S
ウーイー山脈[武夷]‥12 J6
ウィシー‥‥‥‥‥‥41 D4N
ヴィシャーカパトナム‥64 J6S
ウィスコンシン‥‥‥64 H-I2S
ヴィースバーデン‥‥42 E2N
ヴィスビュ‥‥‥‥‥54 ②D4
ヴィスワ川‥‥‥‥‥42 I1S
ウィチタ‥‥‥‥‥‥63 G4
ヴィッテンベルク‥‥42 G2
ヴィトリア‥‥‥‥‥73 E5N
ウィニペグ‥‥‥‥‥61 J4-5
ウィニペゴシス湖‥‥61 I4S
ヴィヤトカ川‥‥‥‥57 G4N
ウィリアムズバーグ‥68 F3
ウィーン‥‥‥‥‥‥38 I6
ウィン‥‥‥‥‥‥‥23 D3N
ウィンザー[イギリス]‥53 F5N
ウィンザー[カナダ]‥64 J3N
ウィンストンセーラム‥64 J4S
ヴィンソンマッシーフ‥82 ②G2S
ウィントフック‥‥‥34 G10N
ウィンドワード海峡‥64 K-L7-8
ウーウェイ[武威]‥‥11 G4
ウェイ川[渭河]‥‥‥15 B4N
ウェイハイ[威海]‥‥12 K4
ウェーク島‥‥‥‥‥78 I4N
ウェーコ‥‥‥‥‥‥63 G5
ヴェーザー川‥‥‥‥42 F2N
ヴェズヴィオ山‥‥‥38 H7S
ウェスタンオーストラリア 79 B-D5N
ヴェステルラーレン諸島 38 H-I2N
ウェストヴァージニア‥64 J-K4N
ウェストパームビーチ‥64 J-K6
ウェストフィヨルド‥38 H-I2
ウェストベンガル‥‥26 G4
ウェッデル海‥‥‥‥82 ②I2
ヴェッテルン湖‥‥‥54 ②C4
ヴェネツィア‥‥‥‥51 E2
ヴェネルン湖‥‥‥‥38 H4N
植村山‥‥‥‥‥‥‥61 O3S
ウェランド運河‥‥‥68 E-F2
ウェリントン‥‥‥‥80 M8N
ヴェルサイユ‥‥‥‥41 C3
ウェールズ‥‥‥‥‥53 E4-5
ヴェルダン諸島‥‥‥60 H1S
ヴェルダン‥‥‥‥‥41 D3
ヴェルホヤンスク‥‥58 P3N
ヴェル岬‥‥‥‥‥‥33 D6
ヴェローナ‥‥‥‥‥37 H6S
ヴェレビーチ‥‥‥‥64 J6
ウェンチョウ[温州]‥12 K6
ヴォイヴォディナ‥‥55 C-D4S
ヴォストーク基地‥‥82 ②A2S
ウォリス諸島‥‥‥‥78 I-J5
ウォルヴァーハンプトン‥53 E4
ヴォルガ川‥‥‥‥‥57 G5N
ヴォルガ・ドン運河‥27 D2N
ヴォルクタ‥‥‥‥‥57 I3N
ヴォルゴグラード‥‥56 H4
ヴォルタ湖‥‥‥‥‥34 E7N
ヴォルフスブルク‥‥42 F2N
ヴォンサン[元山]‥‥12 L4N

ウガンダ共和国‥‥‥34 I7S
ウクライナ‥‥‥‥‥38 K-L6N
ウーシー[無錫]‥‥‥12 K5
ウジホロド‥‥‥‥‥38 K2N
ウーシヤ[巫峡]∴‥‥16 C4S
ウーシャン山脈[巫山]‥16 B-C4S
ウースター‥‥‥‥‥53 E4S
ウスチイリムスク‥‥58 M4N
ウスチカメノゴルスク‥57 K4-5
ウズベキスタン共和国‥28 F2S
ウスリー川‥‥‥‥‥58 P5
ウーチ‥‥‥‥‥‥‥42 I2
内モンゴル自治区[内蒙古]‥12 I-J3
ウッタラカンド‥‥‥26 E-F3N
ウッタル・プラデシュ‥26 E-F3
ウッパータール‥‥‥41 E2
ウーハン[武漢]‥‥‥12 I5S
ウーフー[蕪湖]‥‥‥12 J5S
ウファ‥‥‥‥‥‥‥57 H4
ウプサラ‥‥‥‥‥‥38 I4N
ウベルランディア‥‥73 E4S
ウメオ‥‥‥‥‥‥‥38 J3N
ウユニ塩原‥‥‥‥‥73 C4S
ヴュルツブルク‥‥‥42 F3N
ウラジオストク‥‥‥59 D3N
ウラジカフカス‥‥‥27 D2S
ウラリスク→オラル‥57 H4S
ウラル川‥‥‥‥‥‥57 H5N
ウラル山脈‥‥‥‥‥57 H-I3-4
ウランウデ‥‥‥‥‥58 M4S
ウランバートル‥‥‥11 H2
ウランホト[烏蘭浩特]‥12 K2S
ウリヤノフスク‥‥‥57 G4N
ウル‥‥‥‥‥‥‥‥27 D3S
ウルグアイ川‥‥‥‥74 D5-6
ウルグアイ東方共和国‥74 D6
ウルサン[蔚山]‥‥‥20 E5N
ヴルタヴァ川‥‥‥‥42 G3N
ウルップ島[得撫]‥‥58 R5
ウルミエ‥‥‥‥‥‥27 D3
ウルム‥‥‥‥‥‥‥42 F3
ウルムチ[烏魯木斉]‥11 D3N
ウルル🏛‥‥‥‥‥‥79 E5N
ウルルン島[鬱陵]‥‥12 M4
ヴロツワフ‥‥‥‥‥42 H2
ウーロンゴン‥‥‥‥80 I6S
雲崗石窟∴‥‥‥‥‥15 C2S
雲南省→ユンナン‥‥11 G7N

【エ】

エア湖‥‥‥‥‥‥‥79 F5
エアーズロック→ウルル∴‥79 E5N
エイヤフィヤトラヨークトル山
‥‥‥‥‥‥‥‥‥54 ③B2
エヴァグレーズ国立公園🏛‥64 J6S
エヴァレット‥‥‥‥69 B3N
エヴァンズヴィル‥‥64 I4
エヴィア島‥‥‥‥‥48 H3N
エヴェレスト山‥‥‥26 G3
エウル‥‥‥‥‥‥‥47 F2
エカテリンブルク‥‥57 I4
エクアドル共和国‥‥73 A3-B3
エクサンプロヴァンス‥41 D5N
エクセター‥‥‥‥‥53 E5
エグモント山→タラナキ山 80 M7S
エーゲ海‥‥‥‥‥‥48 H-I3
エコフィスク♯‥‥‥37 F4
エジプト・アラブ共和国 33 H-I5
エスカナバ‥‥‥‥‥64 I2S
エスキシェヒル‥‥‥38 L8N
エストニア共和国‥‥54 E-F4N
エスピリトゥサント島‥78 I5
エスポー‥‥‥‥‥‥54 ②E3S
エスワティニ王国‥‥34 I10S
エチオピア高原‥‥‥34 I-J7N
エチオピア連邦民主共和国 34 I-J7N
エッセン‥‥‥‥‥‥41 E2
エディンバラ‥‥‥‥37 E4S
エトナ山‥‥‥‥‥‥38 H-I8
エドモントン‥‥‥‥61 H4
エニウェトク島‥‥‥78 I4N
エニセイ川‥‥‥‥‥57 K3
エフェソス∴‥‥‥‥48 I3
エブロ川‥‥‥‥‥‥47 D2S
エムス川‥‥‥‥‥‥42 E2N
エムデン‥‥‥‥‥‥42 E2N
エーヤワディー川‥‥23 A3-4
エーラト‥‥‥‥‥‥29 B4N
エーランド島‥‥‥‥38 I4
エリー‥‥‥‥‥‥‥64 J3
エリー湖‥‥‥‥‥‥61 K5S
エリス諸島‥‥‥‥‥78 I5
エリトリア国‥‥‥‥27 C5
エルサルバドル共和国 71 F-G6
エルサレム‥‥‥‥‥31 B3N
エルジャス山‥‥‥‥38 M8N
エルチゴン山‥‥‥‥71 F5
エルツ山脈‥‥‥‥‥42 G2S
エルバ島‥‥‥‥‥‥60 E5S
エルバ島‥‥‥‥‥‥37 G-H7
エルブールズ山脈‥‥27 E3
エルブールズ山脈‥‥27 E3
エルフルト‥‥‥‥‥42 F2
エルブラス山‥‥‥‥42 F1S
エルパソ‥‥‥‥‥‥63 E5S
エレバス山‥‥‥‥‥82 ②C2S
エレバン‥‥‥‥‥‥38 N8
エーレブルー‥‥‥‥38 I4N
エローラ🏛‥‥‥‥‥26 E4S
エンバリ‥‥‥‥‥‥57 H5N

【オ】

オアフ島‥‥‥‥‥‥78 K3S
オイミャコン‥‥‥‥58 Q3
オーヴェルニュ・ローヌ・アルプ
‥‥‥‥‥‥‥‥‥41 D-E4
黄土高原→ホワンツー高原 11-12 H-I4
オウル‥‥‥‥‥‥‥38 K2-3
大泊→コルサコフ‥‥59 E3

オカヴァンゴ湿地‥‥34 H9S
オーガスタ[メーン州]‥64 M3N
オーガスタ[ジョージア州]‥68 E4
オキーチョビー湖‥‥64 J6S
オグデン‥‥‥‥‥‥63 D3S
オークニー諸島‥‥‥37 E-F4N
オクラホマシティ‥‥63 G4S
オクランド[アメリカ]‥61 G6N
オークランド[ニュージーランド]‥80 M7
オークランド諸島‥‥78 I7
オスフィエンチム‥‥42 I2S
オースティン‥‥‥‥63 G5S
オストラヴァ‥‥‥‥42 I3N
オーストラリアアルプス山脈‥80 H7
オーストラリア連邦‥77 G-H6N
オーストラル諸島‥‥78 J-K6N
オーストリア共和国‥42 G-H3S
オスナブリュク‥‥‥42 E2N
オスロ‥‥‥‥‥‥‥54 ②C4N
オーゼンセ‥‥‥‥‥37 H4S
オソルノ山‥‥‥‥‥74 B7N
オタワ‥‥‥‥‥‥‥61 L5
オックスフォード‥‥53 F5N
オッフェンバハ‥‥‥42 F2
オディシャ‥‥‥‥‥26 F-G4S
オデーサ‥‥‥‥‥‥48 J1S
オーデル川‥‥‥‥‥42 G1-2
オハ‥‥‥‥‥‥‥‥58 Q4
オハイオ‥‥‥‥‥‥64 I4
オハイオ川‥‥‥‥‥64 I4
オビエド‥‥‥‥‥‥37 D7
オビ川‥‥‥‥‥‥‥57 I3
オビ湾‥‥‥‥‥‥‥37 G-H4S
オホーツク海‥‥‥‥58 Q-R4
オポレ‥‥‥‥‥‥‥42 H2S
オマハ‥‥‥‥‥‥‥63 G3S
オマーン国‥‥‥‥‥27 E5N
オマーン湾‥‥‥‥‥27 E4
オムスク‥‥‥‥‥‥57 J4
オムドゥルマン‥‥‥33 I6
オーメイ山[峨眉]‥‥11 G6N
オラル‥‥‥‥‥‥‥57 H4S
オラン‥‥‥‥‥‥‥33 E4
オランダ王国‥‥‥‥41 D-E1-2
オーランド‥‥‥‥‥64 J6N
オーランド諸島‥‥‥38 I-J3S
オリサバ山‥‥‥‥‥62 F4N
オリノコ川‥‥‥‥‥72 K7
オリンパス山‥‥‥‥61 G5S
オリンピア遺跡🏛‥‥48 H3
オリンピック国立公園‥63 B2
オリンポス山‥‥‥‥48 H2S
オールアメリカン水路‥69 D5
オルスク‥‥‥‥‥‥57 H4N
オルデンブルク‥‥‥42 E1S
オルドス‥‥‥‥‥‥11 H4N
オルノス岬‥‥‥‥‥74 C8
オールバニ‥‥‥‥‥64 L3
オルボル‥‥‥‥‥‥37 G-H4
オルレアン‥‥‥‥‥41 C4N
オレゴン‥‥‥‥‥‥63 B-C3N
オレンセ‥‥‥‥‥‥47 C-D2
オレンジ川‥‥‥‥‥34 G-H10S
オングル島‥‥‥‥‥82 ②K2
オンタリオ湖‥‥‥‥61 L5

【カ】

ガイアナ共和国‥‥‥73 D2
海岸山地‥‥‥‥‥‥61 F-G4
カイコス諸島‥‥‥‥64 L7
カイザースラウテルン‥42 E3N
カイセリ‥‥‥‥‥‥38 M8N
カイバー峠‥‥‥‥‥25 D2N
カイフォン[開封]‥‥12 I5N
カイルアコナ‥‥‥‥62 ②D3N
カイロ‥‥‥‥‥‥‥33 I4S
カイロワン波田[開漢]■‥12 J4N
カウアイ島‥‥‥‥‥62 ②D3N
カヴィール砂漠‥‥‥27 E3
カウナス‥‥‥‥‥‥55 D3N
カブール運河‥‥‥‥41-42 E4
カエルレア∴‥‥‥‥31 A2
カエンヌ‥‥‥‥‥‥73 D2
カオシュン[高雄]‥‥12 K7
カオルン[九竜]‥‥‥12 I7
ガザ‥‥‥‥‥‥‥‥31 A3
カザニ‥‥‥‥‥‥‥57 G4
カザフスタン共和国‥28 F-G2S
カザフステップ‥‥‥57 H-I4S
カサブランカ‥‥‥‥33 E4
カシ[喀什]‥‥‥‥‥11 B4N
ガジアンテプ‥‥‥‥38 M8
カシミール‥‥‥‥‥28 G3
カジュラホ🏛‥‥‥‥25 ②A3N
カスケード山脈‥‥‥72 L6N
カストリーズ‥‥‥‥72 L6N
ガズニー‥‥‥‥‥‥28 F3
カスピ海‥‥‥‥‥‥27 D-E2-3
カスピ海沿岸低地‥‥27 D-E2N
カーソンシティ‥‥‥63 C4N
カタック‥‥‥‥‥‥26 G4S
カタニア‥‥‥‥‥‥38 H-I8
ガダルカナル島‥‥‥77 H-I5
カタール国‥‥‥‥‥27 E4S
カタルーニャ‥‥‥‥47 C-D2
カタンガ‥‥‥‥‥‥34 H8S
華中‥‥‥‥‥‥‥‥15 C2-3N
カッセル‥‥‥‥‥‥42 F2
カッタラ窪地‥‥‥‥33 H5N
カッチ大湿地‥‥‥‥25 C-D4N
カッパーベルト‥‥‥34 H9
カッファ‥‥‥‥‥‥34 I7
カーディガン‥‥‥‥53 D4S
カディス‥‥‥‥‥‥47 C3

さくいん

【あ】

あいおい 相生……90 H3
あいかわ 愛川……102 C6S
あいさい 愛西……98 B6S
あいしょう 愛荘……91 E4
あいち県 愛知県……98 C-D6-7
あいづみ 藍住……90 H4S
あいづみさと 会津美里……110 D10N
あいづわかまつ 会津若松……110 D10N
あいなん 愛南……89 E7N
あいべつ 愛別……111 D3N
あいら 姶良……88 D7
あおがしま 青ヶ島……102 ②C6N
あおき 青木……97 E4N
あおき湖 青木湖……97 D3S
あおもり 青森……87 D3S
あおもり県 青森県……109 E-G3S
あか 赤……87 D3S
あが 阿賀……101 C2
あかいがわ 赤井川……110 E10
あかいし山脈 赤石山脈……98 D-E5-6
あかいわ 赤磐……90 H3
あかぎ山 赤城山……101 C4S
あかし 明石……92 B-C5S
あかしかいきょうおおはし 明石海峡大橋……93 C4
あがの 阿賀野……101 C2
あがの川 阿賀野川……110 C8-9
あがひら 阿賀平……111 D3
あかん湖 阿寒湖……112 F3
あき 安芸……90 G5-S
あきおおた 安芸太田……89 D3S
あき川 秋川……103 C4N
あきた 秋田……109 E5
あきたかた 安芸高田……89 D3S
あきた県 秋田県……109 E-F5N
あきよしだい 秋吉台……89 B4
あきよしどう 秋芳洞……89 B4
あきるの 秋留野……102 C6
あぐい 阿久比……98 B7N
あぐに 粟国……83 E6S
あくね 阿久根……88 C6S
あげお 上尾……102 D6N
あけのべ 明延……90 I2
あげまつ 上松……98 D5
あこう 赤穂……92 A5
あこう湾 英虞湾……92 F6
あさか 朝霞……102 D6N
あさくち 浅口……90 H3
あさきすい 安積疏水……110 E10N
あさがわ 浅川……101 E3S
あさぎり……88 D6
あさくち 浅口……90 G3S
あさくら 朝倉……87 D4N
あさご 朝来……90 I2
あさひ 旭……102 F6
あさひ 朝日[三重]……92 F4S
あさひ 朝日[富山]……97 D3N
あさひ 朝日[長野]……98 D4S
あさひ 朝日[山形]……110 E8
あさひかわ 旭川……111 D3N
あさひだけ 旭岳……110 D8
あさま山 浅間山……101 B5N
あしお山地 足尾山地……101 C-D4-5
あしかが 足利……101 C5S
あじがさわ 鯵ヶ沢……109 E3
あしきた 芦北……88 C6S
あしずり岬 足摺岬……89 E7
あしの湖 芦ノ湖……102 B-C7
あしべつ 芦別……111 D3
あしや 芦屋[福岡]……87 D3N
あしや 芦屋[兵庫]……92 C5S
あじろ 網代……102 C7S
あすか 明日香……94 E5N
あずさ川 梓川……97 D4S
あそ 阿蘇……87 E5N
あそ山 阿蘇山……87 E5N
あたがわ 熱川……98 G7
あたたら山 安達太良山……110 E9S
あたみ 熱海……102 C7S
あつぎ 厚木……98 D6N
あっけし 厚岸……112 F3S
あっさぶ 厚沢部……111 B5N
あづち 安土……92 E4S
あづま 吾妻……111 C4
あづま山 吾妻山……110 E9
あづみ 安曇……97 D4
あづみの 安曇野……97 D4N
あつみ半島 渥美半島……98 C7S
あどがわ 安曇川……91 E4
あなみず 穴水……97 B2
あなん 阿南[徳島]……90 I5N
あなん 阿南[長野]……98 D6
あばしり 網走……112 F2S
あびこ 我孫子……102 E6N
あびら 安平……111 C4N
あぶ 阿武……89 B3-4
あぶくま川 阿武隈川……110 F-G8S
あぶくま高地 阿武隈高地……110 F9-10
あま 海士……89 ②B1S
あま 海士……99 C3N
あまがさき 尼崎……92 C5S
あまぎ山 天城山……102 B-C8N
あまぎゆがしま 天城湯ヶ島……102 B8N
あまくさ 天草……88 C6N
あまくさ諸島 天草諸島……88 C6
あまのはしだて 天橋立……91 C3S
あまみ 奄美……83 F5S
あまみおおしま 奄美大島→大島……83 F-G5S
あみ 阿見……102 E5S
あみの 網野……88 E6-7
あやがわ 綾川……90 G4S
あやせ 綾瀬……103 D5N
あやべ 綾部……91 C4
あらい 新居……98 D7
あらお 荒尾……87 C5N
あら川 荒川……101 C4N
ありあけ海 有明海……87 C4-5
ありだ 有田[佐賀]……87 B4
ありだ 有田[和歌山]……92 C6S
ありだがわ 有田川……92 C6S
ありま 有馬……92 C5S
あわ 阿波[徳島]……90 H4S
あわ 阿波(旧国名)……90 H4N
あわ 安房……102 D7S
あわじ 淡路……90 I4N
あわじしま 淡路島……90 I4N
あわしまうら 粟島浦……110 C8N
あわら……91 E2
あんじょう 安城……98 C7N
あんど 安堵……94 E4N
あんなか 安中……97 F4
あんぱち 安八……98 B6

【い】

いいじま 飯島……98 D5S
いいだ 飯田……98 D5S
いいたて 飯舘……110 F9
いいだか 飯高……87 D4N
いいづか 飯塚……87 D3S
いいで 飯豊……110 D8S
いいで山 飯豊山……110 D8S
いいやま 飯山……97 E3N
いえ 伊江……84 ②B2N
いえじま 伊江島……84 ②B2N
いおう島 硫黄島……86 ③B6
いぐち 伊口……92 E5S
いかた 伊方……89 D6N
いかるが 斑鳩……92 D5S
いかわ 井川……109 E5N
い 壱岐……87 B3
いきつき島 生月島……87 A4N
いけだ 池田[福井]……91 E3N
いけだ 池田[大阪]……92 C5
いけだ 池田[長野]……97 D4N
いけだ 池田[岐阜]……98 B6N
いけだ 池田[北海道]……112 E4N
いけだ湖 池田湖……88 D8
いこま 生駒……94 E4N
いさ 伊佐……88 C6S
いさや 諫早……88 C5
いしい 石井……90 H4S
いしかり 石狩……111 C3S
いしがき 石垣……83 D7S
いしがき島 石垣島……83 D7S
いしかり川 石狩川……111 C3S
いしかり岳 石狩岳……111 D3N
いしかり平野 石狩平野……111 C3S
いしかり湾 石狩湾……111 B-C3
いしかわ 石川……84 ②B3
いしかわ県 石川県……97 B3S
いしづち山 石鎚山……89 F5
いしのまき 石巻……110 G8N
いじゅういん 伊集院……88 C7S
いず 伊豆……98 F7-8
いず諸島 伊豆諸島……85 H7-8
いずぬま 伊豆沼……110 G7
いずのくに 伊豆の国……102 B7S
いず半島 伊豆半島……102 B8
いすみ……102 E7
いずみ 出水……88 C6S
いずみ 和泉……92 C6N
いずみおおつ 泉大津……92 C5-6
いずみさの 泉佐野……92 C6N
いずめ 出雲……89 E2N
いずもざき 出雲崎……97 F1
いせ 伊勢……92 F6N
いせき 伊関……101 C5
いせさき 伊勢崎……101 C5
いせじま 伊勢島……83 E6
いせはら 伊勢原……102 C7N
いせ湾 伊勢湾……92 F5
いたこ 潮来……102 F6N
いたの 板野……90 H4S
いたみ 伊丹……92 C5S
いちかわ 市川[兵庫]……92 B5N
いちかわみさと 市川三郷……102 A-B5S
いちきくしきの いちき串木野……88 C7S
いちのせき 一関……110 G7N
いちのたに 一の谷……92 C5S
いちのへ 一戸……109 G4
いちのみや 一宮[愛知]……98 B6
いちのみや 一宮[千葉]……102 E6-7
いちはら 市原……102 E6-7
いつくしま 厳島……89 D4
いつつ島 五つ島……89 D4
いつしま 一色……98 C7
いづはら 厳原……87 A2
いでい 井手……101 D4S
いとう 伊東……102 C8N
いとしま 糸島……87 C3S
いとだ 糸田……87 D3
いとしま 糸満……84 ②A4
いな 伊那……98 D5
いな 伊奈……103 E2-3
いながわ 猪名川……92 C5N
いなぎ 稲城……103 D5N
いなざわ 稲沢……98 B6N
いなしき 稲敷……102 E6N
いなば 因幡……90 H2N
いなみ……91 F4
いなみ 稲美……92 B5
いなみ 印南……92 C6S
いなわしろ 猪苗代……110 E9S
いなわしろ湖 猪苗代湖……110 E10N
いぬぼう埼 犬吠埼……102 F6N
いぬやま 犬山……98 B6N
いね 伊根……91 C3
いの……91 F5
いばら 井原……90 H3
いばらき 茨木……92 D5
いばらき県 茨城県……101 E-F4N
いびがわ 揖斐川……98 B6N
いぶすき 指宿……88 D8
いぶき山地 伊吹山地……91 E3-4
いまかね 今金……111 B4
いまばり 今治……89 E-F4S
いまり 伊万里……87 B4
いみず 射水……97 C3
いやまち 祖谷地方……90 G5N
いよ 伊予……89 E6
いよみしま 伊予三島……90 G5N
いらご崎 伊良湖岬……98 C7S
いらぶ島 伊良部島……84 ④A2S
いわき……101 F4
いわき山 岩木山……109 E3
いわくに 岩国……89 D4
いわくら 岩倉……98 B6

【う】

いわしろ 岩代……110 D10
いわた 磐田……98 D7
いわつき 岩槻……102 D6N
いわて 岩手……109 G5N
いわて県 岩手県……109 F-H5S
いわてさん 岩手山……109 F-G5N
いわない 岩内……111 B4N
いわぬま 岩沼……110 F8S
いわみ 石見……89 D3N
いわみぎんざん 石見銀山……89 D2S
いわみざわ 岩見沢……111 C3S
いんざい 印西……102 E6
いんのしま 因島……89 F4
いんば 印旛……102 E6
いんば沼 印旛沼……102 E6

うえき 植木……87 D5N
うえだ 上田……97 E4N
うえの 上野[三重]……92 E5N
うえの 上野[群馬]……102 B5S
うえのはら 上野原……102 C6
うおづ 魚津……97 C3N
うおつり島 魚釣島……84 ⑤A2
うおぬま 魚沼……101 B-C3
うおぬま丘陵 魚沼丘陵……101 B-C3
うき 宇城……88 D5
うきは……87 D4
うき島 宇久島……88 ③B1N
うご 羽後……110 E6
うさ 宇佐……87 E3S
うじ 宇治……92 D5N
うじ川 宇治川……94 E-F3
うじいえ 氏家……101 E4N
うじたわら 宇治田原……92 D5N
うしまど 牛窓……90 H3S
うすい峠 碓氷峠……101 B5N
うすき 臼杵……87 F4S
うす山 有珠山……111 B4
うぢ 宇治……110 D-E8
うだ 宇陀……92 D5S
うたしない 歌志内……111 D3
うたづ 宇多津……90 G4
うちうら湾 内浦湾……111 B4
うちこ 内子……89 E5S
うちなだ 内灘……97 B3S
うちのうみ 内海……110 G7
うつのみや 宇都宮……101 D4S
うと 宇土……88 D5
うと半島 宇土半島……88 D5
うなづき 宇奈月……97 D3N
うぶやま 産山……87 E4-5
うみ 宇美……87 D3S
うらうす 浦臼……111 C3
うらが 浦賀……102 D7
うらが水道 浦賀水道……102 D7S
うらかわ 浦河……111 D4S
うらそえ 浦添……84 ②A4N
うらほろ 浦幌……112 E4N
うらやす 浦安……104 F4
うりゅう 雨竜……111 C3
うるぎ 売木……98 D6
うるま……84 ②B3
うれしの 嬉野……87 C4S
うわじま 宇和島……89 E6
うんぜん 雲仙……88 C5
うんぜんだけ 雲仙岳……88 C5
うんなん 雲南……89 E2

【え】

えいへいじ 永平寺……91 E2S
えさし 江刺……110 G6
えさし 江差……111 B5N
えさし 枝幸……111 D2N
えさん岬 恵山岬……111 C5N
えたじま 江田島……89 D4
えちごさんみゃく 越後山脈……101 B-D2-4
えちごへいや 越後平野……110 C-B8-9
えちぜん 越前[福井]……91 E3N
えちぜん 越前(旧国名)……91 E3N
えど川 江戸川……102 D4N
えとろふかいきょう 択捉海峡……112 ④C4N
えとろふ島 択捉島……112 ④C4N
えな 恵那……98 C6N
えにわ 恵庭……111 C4N
えのしま 江の島……102 C7
えびな 海老名……103 D5N
えびの 海老野……88 D6S
えひめ県 愛媛県……89 E5S
えべつ 江別……111 C3S
えりも岬 襟裳岬……112 E4S
えりも 襟裳……112 E4S
えんがる 遠軽……112 E2S
えんしゅうなだ 遠州灘……98 C-D7S
えんべつ 遠別……111 C2N

【お】

おいらせ 奥入瀬……109 G3S
おううさんみゃく 奥羽山脈……109-110 E-F4-9
おうぎのやま 扇ノ山……90 H2N
おうさかのせきあと 逢坂の関跡
おうじ 王寺……94 F3N
おうしゅう 奥州……110 G6
おうたき 王滝……98 D5
おうみしま 青海島……89 B4N
おうみはちまん 近江八幡……92 E4S
おうみぼんち 近江盆地……91 E4
おうむ 雄武……112 D2
おうめ 青梅……112 D2
おおあみしらさと 大網白里……102 E6S
おおい 大洗……101 F5
おおい 大井……91 D4N
おおい 大井……102 C7
おおいがわ 大井川……98 E7
おおいそ 大磯……102 C7
おおいた 大分……87 F4
おおいた県 大分県……87 E-F4S
おおうち 大内……110 E8N
おおえ 大江……110 E8N
おおえ山 大江山……91 C4N
おおがき 大垣……98 B6N
おおがた 大潟……109 D4S
おおかわ 大川[福岡]……87 C4
おおかわ 大川[高知]……90 F5
おおかわら 大河原……110 F8S
おおき 大木……87 C4
おおぎみ 大宜味……84 ②C2N
おおく 大口……110 F10N
おおくち 大口……88 D6
おおくら 大蔵……110 E7
おおくわ 大桑……98 D5
おおさか 大阪……92 C-D5S
おおさか府 大阪府……92 C5S
おおさか湾 大阪湾……92 C6N
おおさき 大崎[鹿児島]……88 D7S
おおさき 大崎[宮城]……110 F7S
おおさきかみじま 大崎上島……89 E4
おおさと 大郷……110 G8N
おおしか 大鹿……98 E5S
おおしま 大島[奄美大島]……83 F-G5S
おおしま 大島[東京]……85 H7
おおしま 大島[山口]……89 B3S
おおしま 大島[紀伊大島]……92 E7S
おおず 大洲……89 E5-6
おおすみ半島 大隅半島……88 D8
おおぞら 大空……112 F3N
おおた 太田……101 C5
おおだ 大田……89 D-E2
おおだい 大台……92 E6N
おおだいがはら山 大台ケ原山……92 E6N
おおた川 太田川……89 D3S
おおたき 大滝……102 E7
おおたけ 大竹……89 D4
おおだて 大館……109 F4S
おおたわら 大田原……101 E4N
おおつ 大津[滋賀]……92 D5S
おおつ 大津[山梨]……102 B6S
おおつき 大月[高知]……89 E7
おおつち 大槌……109 H6
おおとう 大任……87 D3S
おおとよ 大豊……90 G5
おおなん 邑南……89 D3N
おおの 大野[福井]……91 E3N
おおの 大野[岐阜]……98 B6N
おおのじょう 大野城……87 C3S
おおはた 大畑……109 F1
おおひら 大平……101 D5
おおひら 大衡……110 F9N
おおぶ 大府……98 B6S
おおぶなと 大船渡……110 H6
おおぼけ 大歩危……90 G5N
おおま 大間……109 F1
おおまがり 大曲……109 F1
おおままさき 大間崎……109 F1
おおまち 大町[佐賀]……87 C4
おおまち 大町[長野]……97 D3S
おおむた 大牟田……87 C4S
おおむら 大村……87 B5N
おおやまざき 大山崎……94 E3
おおよど 大淀……92 E6N
おおよど川 大淀川……88 E-F7N
おおわに 大鰐……109 F3S
おが 男鹿……109 D5N
おかがき 岡垣……87 D3N
おがさわら諸島 小笠原諸島……86 ③B4-6
おがの 小鹿野……102 C5S
おかや 岡谷……98 E4S
おかやま 岡山……90 G-H3N
おがわ 小川[佐賀]……97 D3S
おがわ 小川[埼玉]……102 C5S
おがわら湖 小川原湖……109 G3
おき 隠岐……89 ②A-B1
おき 小城……87 C4
おき諸島 隠岐諸島……89 ②B1S
おきだいとう島 沖大東島……171 D7N
おきなわ 沖縄……84 ②C3
おきなわ県 沖縄県……84 ②B-C1-2
おきのえらぶ島 沖永良部島……83 F6
おきのとり島 沖ノ鳥島……171 E7S
おくいずも 奥出雲……89 E2
おくしり 奥尻……111 A4S
おくたま 奥多摩……102 C6
おくに 小国[熊本]……87 E4S
おくに 小国[山形]……110 D8S
おけがわ 桶川……102 D5-6
おごおり 小郡……87 D4N
おごせ 越生……102 C6N
おこっぺ 興部……112 D2
おしか半島 牡鹿半島……110 G-H8
おしの 忍野……102 B6S
おしま半島 渡島半島……111 A-B4
おしゃまんべ 長万部……111 B4
おぜがはら 尾瀬ヶ原……101 C3S
おぞれ山 恐山……109 G2
おたる 小樽……111 B-C3S
おだわら 小田原……102 C7
おち 越智……89 F4S
おぢか 小値賀……88 ③B1
おぢや 小千谷……97 F2
おながわ 女川……110 G8N
おの 小野……92 B5N
おのみち 尾道……89 F4N
おばなざわ 尾花沢……110 E7S
おばま 小浜……91 D4N
おびひろ 帯広……112 E4N
おびら 小平……111 C2S
おぶせ 小布施……97 E3S
おまえざき 御前崎……98 E7S
おみ 麻績……97 E4N
おみたま 小美玉……102 E5N
おもの川 雄物川……109 D-E5
おもり神社 雄別神社……97 B3
おやべ 小矢部……97 B3
おやま 小山[静岡]……98 F6N
おやま 小山[栃木]……101 D5
おろち山 小呂島……87 C3N
おわせ 尾鷲……92 E6S
おわり 尾張……98 C6
おわりあさひ 尾張旭……98 C6
おんが 遠賀……87 D3N
おんじゅく 御宿……102 E7
おんたけ山 御嶽山……98 C5N
おんな 恩納……84 ②B3N

【か】

かいよう 海陽……90 H5S
かが 加賀……91 E2
かがみいし 鏡石……110 E10
かかみがはら 各務原……98 B6N
かがみの 鏡野……90 G2S
かがわ県 香川県……90 H4
かがわ用水 香川用水……90 H4
かくだ 角田……110 F9N
かくのだて 角館……109 F5S
かけがわ 掛川……98 D-E7
かけろ川……90 I3
かごしま 鹿児島……88 D7S
かごしま県 鹿児島県……88 C-D7N
かごしま湾 鹿児島湾……88 D7N
かさい 加西……92 B5N
かさおか 笠岡……90 G3S
かさぎ山 笠置山……92 E5N
かさの原 笠野原……88 D8N
かさま 笠間……101 E5N
かざうら 風間浦……109 F2N
かさまつ 笠松……99 C2
かじかざわ 鰍沢……98 E5S
かじき 加治木……88 D7
かしば 香芝……92 D5S
かしはら 橿原……92 D5S
かしま 鹿島[佐賀]……87 C4S
かしま 鹿島[島根]……89 E1S
かしま 嘉島……88 D5
かしま 鹿嶋……102 F6N
かしまなだ 鹿島灘……102 F5-6
かしわ 柏……102 D6
かしわざき 柏崎……97 F1
かしわざきかりわ 柏崎刈羽……101 B3N
かしわばら 柏原……92 D5S
かすが 春日……87 C3S
かすがい 春日井……98 B6
かずさ 上総……102 E7
かすみがうら 霞ヶ浦……102 E5S
かせ 粕屋……87 C3S
かぜ 加世田……88 C8N
かぞ 加須……102 D5S
かたがみ 潟上……109 E5N
かたしな川 片品川……101 C4
かたの 交野……92 D5S
かつうら 勝浦[徳島]……90 I5N
かつうら 勝浦[千葉]……102 E7S
かつ山 月山……110 E7S
かつぬま 勝沼……98 F5
かづの 鹿角……109 F4
かつやま 勝山……91 E-F2S
かつらぎ 葛城……92 D6N
かつらぎ川 桂川……92 D6N
かつらぎ 葛城……92 D6
かでな 嘉手納……84 ②B3
かとう 加東……92 B5N
かどがわ 門川……88 F6N
かどま 門真……92 D5S
かとり 香取……104 H-I3
かながわ県 神奈川県……102 C7N
かなざわ 金沢……97 B3S
かなや 金谷……98 E7
かなん 河南……93 E5N
かに 可児……98 C6N
かにえ 蟹江……98 B6S
かぬま 鹿沼……101 D4S
かねがさき 金ケ崎……110 G6
かねやま 金山……110 E7
かのや 鹿屋……88 D8N
かほく 河北……97 B3
かほく 河北……110 E8N
かま 嘉麻……87 D3S
かまいし 釜石……110 H6
かまがや 鎌ヶ谷……102 D7
かまくら 鎌倉……102 D7
がまごおり 蒲郡……98 C7
かみ 香美[高知]……90 G5S
かみ 香美[兵庫]……91 B3
かみあまくさ 上天草……88 C5S
かみいた 上板……90 H4S
かみいち 上市……97 C3
かみかつ 上勝……90 H5N
かみかまがり島 上蒲刈島……89 E4
かみかわ 神河……92 B4S
かみかわ 上川……102 C5
かみかわ 上川……111 D3N
かみきたやま 上北山……92 D6S
かみこあに 上小阿仁……109 E4S
かみこうち 上高地……97 D4
かみさと 上里……92 A5N
かみしほろ 上士幌……112 E3N
かみじま 上島……92 F4
かみす 神栖……102 F6N
かみすながわ 上砂川……111 C3
かみとんだ 上富田……92 C7
かみのかわ 上三川……101 D5N
かみのくに 上ノ国……111 B5N
かみのせき 上関……89 D5
かみのやま 上山……110 E8N
かみふらの 上富良野……111 D3
かみみなみ 上峰……87 C4
かみやま 神山……90 H5N
かめおか 亀岡……92 D5S
かめだ 亀田……98 D5
かめやま 亀山……92 E5S
かも 加茂……101 C2
かも 蒲生……88 D7
かもえない 神恵内……111 B3S
かもがわ 鴨川……102 E7S
かもだ岬 蒲生田岬……90 I5
からくに岳 韓国岳……88 D7N
からつ 唐津……87 B4N
からかちとうげ 狩勝峠……111 D3S
かりや 刈谷……98 B-C7N
かりわ 刈羽……97 F2N
かるいざわ 軽井沢……101 B5N
かるまい 軽米……109 G4
かわい 河合……94 E4N
かわうち 川内……110 F10
かわかみ 川上[奈良]……92 D6
かわかみ 川上[長野]……98 F5N
かわきた 川北……87 B4N
かわごえ 川越……102 D6S
かわぐち湖 河口湖……102 B6S
かわさき 川崎[福岡]……87 D3S
かわさき 川崎[神奈川]……102 D6S
かわしま 川島……110 F6S
かわじま 川島……103 D3N
かわち 河内(旧国名)……92 D6N
かわたな 川棚……87 B4

さくいん

さくいん

―日本の動き―

☆おもな鉄道の開通
北陸新幹線
金沢〜敦賀 125km
2024年3月16日

☆おもな鉄道の廃止
JR北海道 根室本線
富良野〜新得 81.7km
2024年4月1日

☆おもな道路の開通
日本海東北自動車道
遊佐比子I.C.〜遊佐鳥海I.C. 6.5km 2024年3月23日
中部縦貫自動車道
勝原I.C.〜九頭竜I.C. 9.5km 2023年10月28日
山陰自動車道
大田中央・三瓶山I.C.〜仁摩・石見銀山I.C. 12.9km 2024年3月9日
九州中央自動車道
山都中島西I.C.〜山都通潤橋I.C. 10.4km 2024年2月11日

―世界の動き―

☆石油輸出国機構(OPEC)
アンゴラが脱退。 2024年1月1日

本 地 図 帳 使 用 上 の 注 意

1. 地名の表記
・原則として、日本語による表記も、欧文による表記も現地語音を取り入れている。
・日本語表記においては、原則としてBはバ行、スペイン語圏を除くVはヴァ行の表記とした。
2. 地図の記号
・地図の記号はなるべく国土交通省国土地理院の地形図とあわせた。
3. 基本図の出典
外 地形 タイムズアトラス、アトラスミーラ、ほか
国 人口 世界人口年鑑、ほか
国名・首都名 外務省資料、ほか

都市名 自然に関する名称
リッピンコット地名辞典、ウェブスター地名辞典、タイムズアトラスならびに主要国の地図帳、ほか
山の高さ 理科年表、タイムズアトラスおよび主要国の地図帳、ほか
日本 地形 国土地理院:50万分の1地形図、ほか
山の高さ 国土地理院:日本の山岳標高一覧、2.5万分の1地形図、5万分の1地形図、20万分の1地勢図、ほか
土地利用 国土地理院:土地利用図、ほか
市町村名 国土行政区画総覧(国土地理協会)
人口 住民基本台帳、人口・世帯数など
自然に関する名称 国土地理院:標準地名集、ほか
活断層 国土地理院:都市圏活断層図、ほか

4. その他
イ. 統計の段階区分の凡例では、中間段階における「以上・未満」の表記は省略している。
ロ. 主題図の世界全図の縮尺は、赤道上の距離を表す。
ハ. 主題図の国名は一部を除いて通称国名を用いている。(例、アメリカ・中国・韓国・南アフリカ)
ニ. 正式国名についてはP.147〜154参照。
ホ. イギリスは2020年1月にEUを離脱したが、統計年次によってはEUに含めている。
ヘ. NAFTAは2020年7月にUSMCAに改定されたが、統計年次によってはNAFTAのままとしている。

「測量法に基づく国土地理院長承認(使用)R 2JHs 1072」
[表紙デザイン] アートボード
[写真・イラスト] 朝日航洋、朝日新聞社、Avalon、アフロ、アマナイメージズ、アルトグラフィックス、EPA、いとうみちろう、今泉俊文ほか編「活断層詳細デジタルマップ〔新編〕」東京大学出版会2018年、エダりつこ、木下真一郎、黒澤達矢、国連広報センター、Cynet Photo、Cnsphoto/Yuan An, Yanmin Yang、時事通信フォト、地震調査研究推進本部、水産航空、杉下正良、ゼンリン/パナソニック、高橋悦子、TNM Image Archives、dpa、東海大学情報技術センター(TRIC)、(公財)東洋文庫蔵、長野市、NASA、日刊スポーツ、広島市、PPS通信社、FUSAO ONO/SEBUN PHOTO、FujisawaSST協議会、hemis.fr、毎日新聞社、宮古市、山﨑たかし、ユニフォトプレス、読売新聞、ロイター、WPS

別記 著作者
名城大学教授 池上 彰　上越教育大学教授 志村 喬　名古屋大学教授 鈴木康弘
兵庫教育大学名誉教授 原田智仁　創価大学教授 宮崎 猛　立命館大学教授 矢野桂司

標準高等地図
令和6年10月10日 印刷
令和6年10月15日 発行
定価 1,760円(本体1,600+税)
ISBN978-4-8071-6740-1 C7025 ¥1600E

著作者 株式会社 帝国書院
代表者 佐藤 清
ほか六名(別記)
発行所 株式会社 帝国書院
〒101-0051 東京都千代田区神田神保町3-29
振替口座 00180-7-67014番
電話 東京(03)3262-4795(代)

印刷者 小宮山印刷株式会社
代表者 小宮山貴史
東京都中央区八重洲2-11-3
印刷者 株式会社 加藤文明社
代表者 加藤文男
東京都千代田区神田三崎町2-15-6

❷ 古代の行政区分（畿内・七道）
1:13 000 000　0　200km

道の境界
国の境界
9世紀ごろ

a 畿内拡大図　1:5 500 000　0　50km

丹後　若狭　越前　美濃　尾張
但馬　丹波　山城　近江
播磨　摂津　河内　伊賀　伊勢
淡路　和泉　大和　志摩
紀伊　畿内

明治のはじめ、陸奥国は陸奥、陸中、陸前、磐城、岩代の5か国に分けられた。また、出羽国は、羽後、羽前の2か国に分けられた。

陸奥（陸中）（羽後）（陸中）出羽（陸前）羽前（陸前）
佐渡　能登　越中　越後（岩代）（磐城）
加賀　飛騨　信濃　下野　常陸
隠岐　丹後　越前　若狭　美濃　上野　武蔵
出雲　伯耆　但馬　丹波　近江　甲斐　相模　上総　下総
対馬　石見　因幡　美作　播磨　三河　遠江　駿河　安房
長門　安芸　備後備中備前　摂津　伊賀　伊勢　伊豆
壱岐　周防　讃岐　阿波　紀伊　志摩
筑前　豊前　伊予　土佐　畿内
肥前　豊後　a図の範囲
肥後　日向
筑後　薩摩　大隅

東山道　北陸道　山陰道　山陽道　南海道　西海道　東海道
日本海　太平洋

❶ 都道府県
1:8 500 000　0　200km

樺太（サハリン）
オホーツク海
択捉島　国後島　色丹島　歯舞群島　北方領土
礼文島　稚内　宗谷
利尻島　留萌　上川　網走　オホーツク　根室
旭川　石狩　空知　北海道　釧路　根室
後志　倶知安　岩見沢　帯広　十勝
札幌　胆振　日高　釧路
奥尻島　室蘭　浦河　地方
檜山　江差　渡島　函館

青森　青森県
秋田　秋田県　盛岡　岩手県　東北地方
山形　山形県　宮城県　仙台
新潟　新潟県　福島　福島県
佐渡島
富山　栃木県　宇都宮　水戸　関東平野
石川　富山県　群馬県　前橋　茨城県
金沢　長野　埼玉県　さいたま
福井　福井県　長野県　甲府　東京　千葉　関東地方
岐阜　岐阜県　山梨県　前橋　横浜　川崎　千葉県
京都府　滋賀　名古屋　静岡　神奈川県　横浜
鳥取県　鳥取　大津　愛知県　静岡県　大島
松江　兵庫県　岡山　津　三宅島　新島
島根県　岡山県　大阪　奈良　近畿地方　伊豆諸島　東京都
広島県　広島　神戸　堺　奈良県　八丈島
中国地方　香川　高松　大阪府　三重県
山口県　山口　徳島県　徳島　和歌山　和歌山県
北九州　松山　高知　畿地方
福岡県　福岡　愛媛県　高知県　四国地方
佐賀　佐賀　大分県　大分
長崎県　長崎　熊本　熊本県
五島列島　宮崎県　宮崎　九州地方
鹿児島　鹿児島県
大隅諸島　種子島　屋久島
薩南諸島　鹿児島県

朝鮮半島　ウルルン島　竹島　島根県
隠岐諸島　対馬　壱岐

凡例
■ 都・道・府・県庁の所在地
● 北海道の振興局所在地
札幌 政令指定都市
地方の境界
都・道・府・県の境界
北海道の振興局界
外国との境界

日本

さくいん

❸ 南西諸島
1:8 500 000　0　100km

南薩南諸島　鹿児島県
奄美群島　喜界島　大島（奄美大島）　徳之島　沖永良部島　与論島
沖縄諸島　沖縄島　那覇　沖縄県
久米島　琉球諸島
先島諸島　宮古列島　宮古島
八重山列島　石垣島　西表島　与那国島
尖閣諸島　台湾
東シナ海
大東諸島　北大東島　南大東島
九州

❹ 伊豆・小笠原諸島
1:17 000 000　0　200km

東京都　神奈川県　千葉県　静岡県
利島　大島　新島　三宅島　御蔵島　八丈島　青ヶ島　式根島　神津島
伊豆諸島　東京都
小笠原諸島　聟島　父島　母島　西之島
北硫黄島　硫黄島　南硫黄島　火山列島（硫黄列島）　東京都

0　100　200　300km
1 : 16 000 000

東京中心
正距方位図法

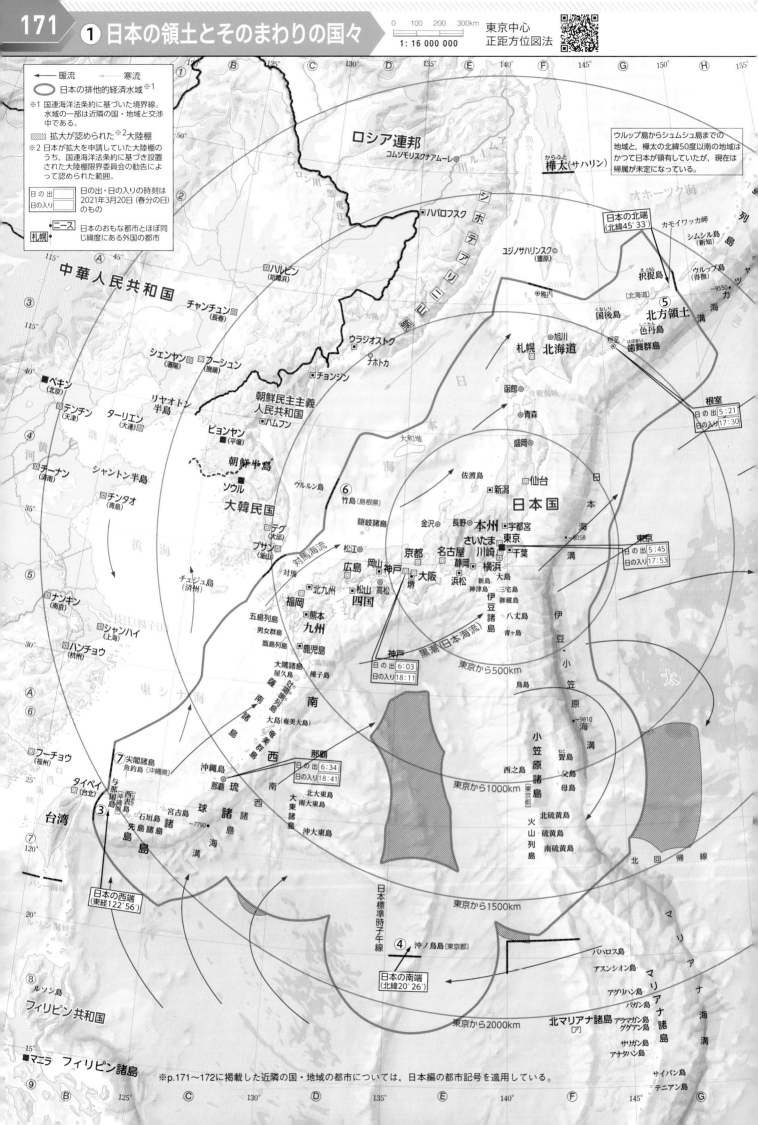

→ 暖流　　→ 寒流
⬭ 日本の排他的経済水域 ※1

※1 国連海洋法条約に基づいた境界線。水域の一部は近隣の国・地域と交渉中である。

▨ 拡大が認められた※2大陸棚

※2 日本が拡大を申請していた大陸棚のうち，国連海洋法条約に基づき設置された大陸棚限界委員会の勧告によって認められた範囲。

日の出 ☐
日の入り ☐
日の出・日の入りの時刻は2021年3月20日（春分の日）のもの

札幌 ☐
ニース ◆ 日本のおもな都市とほぼ同じ緯度にある外国の都市

ロシア連邦
コムソモリスクナアムーレ◎

樺太（サハリン）

ウルップ島からシュムシュ島までの地域と，樺太の北緯50度以南の地域はかつて日本が領有していたが，現在は帰属が未定になっている。

オホーツク海

中華人民共和国

ハバロフスク

日本の北端（北緯45°33′）
カモイワッカ岬
シムシル島（新知）

ウルップ島（得撫）

ハルビン（哈爾浜）

ユジノサハリンスク◎（豊原）

択捉島（えとろふ）

チャンチュン（長春）

ハンカ湖

稚内

国後島（くなしり）
北方領土 ⑤
色丹島（しこたん）
歯舞群島（はぼまい）

シェンヤン（瀋陽）　フーシュン（撫順）

ウラジオストク

旭川

札幌　北海道

根室

ペキン（北京）

リヤオトン半島

ナホトカ

チョンジン

函館

日の出 5:21
日の入り 17:30

テンチン（天津）　ターリエン（大連）

朝鮮民主主義人民共和国

青森

ピョンヤン（平壌）

ハムフン

盛岡◎

チーナン（済南）

シャントン半島

朝鮮半島

大和堆

佐渡島

仙台

日本国

チンタオ（青島）

ソウル

大韓民国

ウルルン島

竹島〔島根県〕 ⑥

隠岐諸島

新潟

金沢◎　長野　本州　宇都宮

黄海

テグ（大邱）

松江

京都

名古屋　さいたま　東京

東京

ナンキン（南京）

プサン（釜山）

対馬海流

広島　岡山　神戸

川崎　千葉

日の出 5:45
日の入り 17:53

シャンハイ（上海）

長江（揚子江）

対馬

北九州

松山　高松　四国

大阪　堺

浜松　静岡　横浜

ハンチョウ（杭州）

福岡

新島
三宅島
伊豆諸島

五島列島　熊本

九州

神戸

大島

男女群島　甑島列島

鹿児島

日の出 6:03
日の入り 18:11

黒潮（日本海流）

八丈島

青ヶ島

東京から500km

伊豆・小笠原海溝

大隅諸島　屋久島　種子島

薩南諸島

鳥島

太

南

南西諸島

大島（奄美大島）

小笠原諸島〔東京都〕

フーチョウ（福州）

尖閣諸島 ⑦
魚釣島〔沖縄県〕

琉球諸島

那覇

沖縄島

那覇

日の出 6:34
日の入り 18:41

西之島　父島　母島

北硫黄島

タイペイ（台北）

与那国島
西表島
石垣島
宮古島諸
先島諸島

球

諸

大

西

南諸

諸

島

北大東島
南大東島
大東諸島
沖大東島

火山列島

硫黄島

台湾

日本の西端（東経122°56′）

南硫黄島

北回帰線

日本標準時子午線

東京から1000km

バシー海峡

フィリピン共和国

マリ

ルソン島

日本の南端（北緯20°26′）

沖ノ鳥島〔東京都〕④

東京から1500km

パパロス島

北マリアナ諸島〔ア〕

マリアナ諸島

アスンシオン島

アグリハン島
パガン島
アラマガン島
ググアン島

サリガン島

アナタハン島

マニラ　フィリピン諸島

東京から2000km

サイパン島
テニアン島

※p.171〜172に掲載した近隣の国・地域の都市については，日本編の都市記号を適用している。